デセプション・ポイント(上)

ダン・ブラウン
越前敏弥＝訳

角川文庫
14446

Translated by Toshiya Echizen
Published in Japan by
Kadokawa Shoten Publishing Co., Ltd.

著者注記

デルタ・フォース、国家偵察局（ＮＲＯ）、宇宙フロンティア財団（ＳＦＦ）は現存する組織である。この小説で描かれる科学技術はすべて事実に基づいている。

この発見が真実であると裏づけられれば、宇宙に関して科学がこれまでに解明した最も驚くべき洞察のひとつとなることはまちがいありません。その含むところは、想像を絶するほど多くの方面に波紋を投げかけ、畏怖《いふ》の念を呼び起こすでしょう。それは、われわれがはるか昔からいだいてきたいくつかの疑問への答を約束しながらも、よりいっそう根源的な疑問を新たに提示するのです。

――ビル・クリントン大統領、一九九六年八月七日、隕石《いんせき》ALH84001の発見を受けての記者会見より。

《主な登場人物》

レイチェル・セクストン……国家偵察局（NRO）局員
セジウィック・セクストン……上院議員　レイチェルの父
ガブリエール・アッシュ……セクストン上院議員の個人秘書
ザカリー（ザック）・ハーニー……アメリカ合衆国大統領
マージョリー・テンチ……大統領上級顧問
ウィリアム・ピカリング……NRO局長
ローレンス・エクストローム……米国航空宇宙局（NASA）長官
マイケル・トーランド……海洋学者
コーキー・マーリンソン……宇宙物理学者
ウェイリー・ミン……古生物学者
ノーラ・マンゴア……雪氷学者
ヨランダ・コール……ABCニュース編集者
クリス・ハーパー……NASA極軌道型密度走査衛星（PODS）部門主任

プロローグ

索漠たるこの地において、死は数かぎりない形で訪れる。地質学者のチャールズ・ブロフィーは苛酷《かこく》なまでに広壮なこの土地で長年生き抜いてきたが、その身に降りかかろうとしている不当でむごい運命に対してはなんの覚悟もできていなかった。

地質感知装置を載せた橇《そり》を引いて凍土帯を横断していたブロフィーの四頭のハスキー犬が、急に速度をゆるめて空を仰ぎ見た。

「おい、どうした」ブロフィーは言い、橇からおりた。

嵐を予感させる厚い雲の向こうで、ツインローターの輸送用ヘリコプターが、軍用機らしい機敏な動きで氷河の頂に沿って低く弧を描いている。

妙だな、とブロフィーは思った。この極北の地であんなものを見かけたことはなかった。ヘリコプターはざらつく鋭い雪片を巻きあげて、五十ヤードほど離れたところに着陸した。犬たちが警戒の吠《ほ》え声をあげる。

ヘリコプターのドアが開き、ふたりの男がおり立った。白い全天候型スーツに身を包んだそのふたりは、ライフルを持って差し迫った様子でブロフィーに近づいてきた。

「ドクター・ブロフィー」男のひとりが呼びかけた。

ブロフィーは面食らった。「わたしの名前をなぜ知っている。きみたちはだれだ」

「無線機を出してくれ」

「なんだって？」

「いいから言うとおりに」

とまどいつつも、ブロフィーはパーカから無線機を取り出した。

「緊急の声明を送ってもらいたい。周波数を百キロヘルツに落として」

百キロヘルツだと？　ブロフィーはすっかり混乱した。そんなに低い周波数を受信できる人間がどこにいるのだろう。「事故でもあったのか」

ふたり目の男がライフルを構え、銃口をブロフィーの頭に向けた。「説明している暇はない。さっさとやれ」

おののきながら、ブロフィーは送信周波数を調整した。

ひとり目の男が、数行の文字がタイプされたカードを差し出した。「このメッセージを読みあげて。さあ」

ブロフィーは文面を見た。「どういうことだ。これは事実に反する。わたしはこんな――」

ライフルを持った男は地質学者のこめかみに銃口を強く押しつけた。

ブロフィーは震える声でその奇妙なメッセージを読んだ。

「よし」ひとり目の男が言った。「では犬といっしょにヘリに乗ってもらおう」

銃を突きつけられたまま、ブロフィーはいやがる犬たちを橇ごと搬入出用のスロープへ追い立てて、貨物室まで導いた。全員が乗りこむなり、ヘリコプターは離陸し、西をめざした。

「きみたちはいったい何者だ！」ブロフィーは叫んだ。パーカの下で汗が噴き出す。それにあのメッセージはどういう意味なのか。

ふたりの男は無言だった。

ヘリコプターが高度をあげると、あいたドアから容赦なく風が吹きこんだ。荷を積んだ橇につながれたまま、四頭の犬が哀れっぽく吠えている。

「とにかくドアを閉めてくれ。犬たちが怯《おび》えているのがわからないのか」

男たちは答えなかった。

高度四千フィートまで上昇したところで、ヘリコプターは急旋回し、氷の裂け目が連なる地帯へ移動した。だしぬけに男たちが立ちあがった。ひとことも発せず、重い荷を積んだ橇をつかみ、開口部から外へ押し出した。途方もない重さに抗《あらが》って犬たちがむなしく暴れるのを、ブロフィーはぞっとする思いで見つめた。四頭は悲しげな咆《ほう》哮《こう》とともに機外へ引きずり出され、またたく間に姿を消した。

絶叫して立ちすくむブロフィーを男たちが捕らえ、開口部の近くへ引き連れていった。恐怖で感覚を失いながらも、ブロフィーはこぶしを振りまわして、突き落とそうとする強烈な力に懸命の抵抗を試みた。

その甲斐《かい》はなかった。数秒ののち、ブロフィーは地表の裂け目へ向かって真っ逆さまに落ちていった。

1

キャピトル・ヒルの近くにある〈トウロス〉は、子牛肉と馬肉のカルパッチョという政治的に正しくないメニューが自慢のレストランだが、皮肉にも、ワシントンの有力者たちが朝食会に常用する場所となっている。けさの〈トウロス〉は繁盛していた——銀器のふれ合う音、エスプレッソ・マシンの響き、そして携帯電話の話し声が渾《こん》然《ぜん》と不協和音を奏でている。

その女性客がはいってきたとき、給仕長は朝のブラディ・マリーをこっそり口にしているところだった。とっさに笑顔を作って振り返る。

「いらっしゃいませ。おうかがいいたします」

それは三十歳代半ばと見受けられる魅力的な女性で、ローラ・アシュレイのアイボリーのブラウスに、折り目のついたグレイ・フランネルのパンツ、上品なフラット・シューズというでたちだった。背筋がまっすぐに伸び、顎《あご》はわずかに持ちあがっているが、傲慢《ごうまん》な印象はなく、芯《しん》の強さだけが感じられる。明るい褐色の髪は、ワシントンで最も人気のある〝女性キャスター風〟――艶《あで》やかなカールを肩下でふんわりと波打たせたスタイル――に形作られている。セクシーでありながら、人並み以上に聡《そう》明《めい》であろうことも伝える絶妙の長さだ。

「少し遅れてしまって」女性は控えめな口調で言った。「セクストン上院議員と朝食の約束をしているんです」

給仕長は思わず身震いを覚えた。セジウィック・セクストン上院議員。ここの常連で、いまやこの国で最も有名な人物のひとりでもある。先週のスーパー・チューズデイに十二の共和党予備選挙区すべてで圧勝し、党の大統領候補の座がほぼ約束された。この秋に、現職の大統領からホワイトハウスをまちがいなく奪うと見る者も多い。最近では、セクストンの顔はあらゆる全国誌の表紙を飾り、〝浪費をストップ、変革をスタート〟という選挙スローガンがアメリカじゅうのいたるところに貼られている。

「セクストン議員はボックス席にいらっしゃいます」給仕長は告げた。「失礼ですが、お客さまは？」

「レイチェル・セクストン。娘です」

なんてまぬけなんだ、と給仕長は思った。どう見てもそっくりなのに。上院議員の射貫くようなまなざしと垢抜《あかぬ》けた身のこなし――颯爽《さっそう》たる貴族を思わせるあの洗練された雰囲気は、この女性にも備わっている。端整な容姿がそのまま受け継がれたことは疑いない。ただし娘のほうは、父親が見習ってもいいほどの礼儀正しさと謙虚さにも恵まれているようだ。

「ようこそご来店くださいました、ミズ・セクストン」

店内を奥へ案内するとき、男性客たちの視線が――遠慮がちなものも、無遠慮なものも――上院議員の娘に浴びせられるのに気づき、給仕長はきまり悪さを覚えた。〈トウロス〉はもともと女性客の少ない店だが、これほどの容貌《ようぼう》の女性が来ることはきわめてまれだった。

「いい体だ」ある客がささやいた。「セクストンのやつ、もう後添いを見つけたのか」

「ばか、あれは娘だよ」連れの客が答えた。

ひとり目の男は含み笑いをした。「セクストンのことだ。娘とやってたっておかしくない」

レイチェルがボックス席に着いたとき、上院議員は最新の成功談のひとつを携帯電話で声高に語っているさなかだった。娘の顔を見るや、カルティエの腕時計の文字盤を軽く叩《たた》いて遅刻を戒めた。

はいはい、わたしも会いたかったわ、とレイチェルは心でつぶやいた。

父のファースト・ネームはトーマスだが、ずいぶん前からミドル・ネームを用いていた。思うに、頭韻の響きを気に入っているからだろう。上院議員《セネター》セジウィック・セクストン。冴《さ》えた銀髪と冴えた弁舌を誇る、生まれついての政治屋で、メロドラマに出てくる医者を思わせる隙のない風貌は、声色を使い分けるその才能にうってつけの仮面だと言っていい。

「レイチェル！」セクストンは電話を切り、立ちあがって頰にキスをした。

「おはよう、パパ」レイチェルはキスを返さなかった。

「くたびれた顔だな」

第一声がそれなの、と思った。「伝言を聞いたわ。用件は？」

「娘を朝食に誘ってはいけないのか」

父がなんの魂胆もなく自分と会うことはまずありえない、とレイチェルはとうの昔に学んでいた。

セクストンはコーヒーをひと口飲んだ。「で、近ごろどんな具合だ」

「忙しいわ。選挙のほうは順調らしいわね」

「おい、仕事の話は抜きにしよう」セクストンはテーブルに身を乗り出し、声を落として言った。「引き合わせてやった国務省のやつとはどうなってる？」

レイチェルはため息をつき、腕時計を見たい衝動と早くも闘った。「パパ、あの人に電話する暇なんてほんとうになかったのよ。それに、できればやめてもらいたいの、よけいな――」

「大切なことには時間を割くべきだぞ、レイチェル。愛がなければ、ほかのすべてが無意味だ」

いくつもの反論が頭に浮かんだが、レイチェルは沈黙を選んだ。相手が父なら、自分のほうが大人だとたやすく証明できる。「パパ、わたしに用があったんじゃないの？　大事な話だって言ってたでしょう」

「そうだ」セクストンの瞳《ひとみ》がじっと注がれた。

見つめられて警戒心がいくらかゆるむのを感じ、レイチェルは父の力を呪った。セジウィック・セクストンの瞳は天からの授かり物だ――このおかげでホワイトハウスにたどり着くのではないかとレイチェルは思っていた。ここぞというとき、その瞳には涙が浮かぶ。そして、見る間に澄み渡って、感じ入った相手の心の扉を開き、信頼の絆《きずな》を深めていく。〝信頼がすべてだ〟というのが父の口癖だった。娘の信頼は数年前に失ったままだが、国民の信頼は急速に獲得しつつある。

「おまえに提案があるんだ」セクストンは言った。

「あててみましょうか」態勢を立てなおすべく、レイチェルは言った。「どこかの離婚した名士が若い後妻を探してるとか？」

「いい気になるんじゃないぞ。もう若くもないんだから」

父と会うときに付き物の萎縮《いしゅく》感がレイチェルを襲った。

「おまえを救命ボートに乗せてやろうと思ってな」

「溺《おぼ》れかかってるとは気づかなかったわ」

「おまえじゃない。大統領がだよ。手遅れになる前に船から飛びおりることだ」

「こういう会話、前にもしなかった？」

「将来のことを考えろ、レイチェル。わたしのところで働くといい」

「そんな話のために朝食に呼ばれたんじゃなきゃいいんだけど」

セクストンのうわべだけの落ち着きがほんの少し揺らいだ。

「レイチェル、おまえが大統領のもとで働いているせいで、わたしが悪影響をこうむっているのがわからないのか？　選挙戦にしてもそうだ」

レイチェルはため息を漏らした。この話は解決済みのはずだ。「パパ、わたしは大統領のもとで働いてなんかいないんだって。大統領に会ったことすらないのよ。勤め先はフェアファクスなんだから！」

「政治は認識に左右されるんだよ、レイチェル。おまえが大統領の配下にいると世間は思っている」

レイチェルは大きく息を吐き、平静を保とうとつとめた。「必死に努力して得た仕事よ。辞める気はないわ」

セクストンの目が険しく細められた。「おまえのその身勝手な態度はまったく――」

「セクストン上院議員」記者がいつの間にかテーブルのそばにいた。

セクストンの表情が瞬時に和らいだ。レイチェルは舌打ちし、バスケットに盛られたクロワッサンをひとつ手にとった。

「ラルフ・スニーデン」記者は名乗った。「《ワシントン・ポスト》の者です。二、三、お尋ねしてよろしいですか」

セクストンは微笑んで、口もとをナプキンで軽くぬぐった。「いいとも、ラルフ。しかし手短に頼む。冷めたコーヒーは好みじゃないんでね」

記者はすかさず笑った。「もちろんです」小型のレコーダーを取り出してスイッチを入れる。「上院議員、あなたはテレビ広告で、働く女性に公正な賃金を保証する法の制定と、新生児のいる家庭への税の軽減を訴えていらっしゃいますね。その根拠をお聞かせ願えますか」

「簡単だよ。わたしは強い女性と強い家族が大好きなんだ」

レイチェルはクロワッサンを喉《のど》に詰まらせかけた。

「家族の話題が出ましたが」記者が引きとった。「教育に関してもいろいろと発言されていますね。公立学校にさらなる資金を充当するという目的で、さまざまな予算の削減を提案なさっていることが、大きな反響を呼んでいますが」

「〝子供たちはわたしたちの未来〟だからね」

父がポップソングの歌詞を引用するまでに堕落してしまったことが、レイチェルには信じがたかった。

「では最後に」記者はつづけた。「あなたはここ数週間の世論調査で大躍進をとげられました。大統領も危ぶんでいらっしゃるはずです。このところの成功をご自身ではどう考えておられますか」

「それは信頼の問題だと思う。国家の迫られる重大な決断をくだす人物として、現大統領が信頼に値しないことに国民は気づきはじめている。ふくれあがる政府支出のせいで、この国は日増しに負債に埋もれつつある。国民は、いまこそ浪費をストップして変革をスタートすべきだと実感しはじめているんだよ」

セクストンの巧言に待ったをかけるように、レイチェルのバッグのなかでポケットベルが鳴りだした。ふだんならわずらわしく耳障りな電子音が、このときばかりは心地よくさえ聞こえた。

話の腰を折られたセクストンは憤然とにらみつけた。

レイチェルはバッグからポケットベルを引き出し、本人確認用として登録済みの五桁《けた》の数字を押した。着信音が止まり、液晶画面が点滅しはじめる。十五秒で、暗号化されたテキスト・メッセージの受信が完了するはずだ。

スニーデンはセクストンに大きな笑みを向けた。「お嬢さんはお忙しいかたのようですね。おふたりがいまでも時間を見つけて食事をしていらっしゃるとは驚きです」

「さっきも言ったとおり、家族が第一だ」

スニーデンはうなずいて、にわかに目つきを鋭くした。「よろしければうかがいたいのですが、おふたりはお互いの利害の衝突をどのように解決していらっしゃるのでしょうか」

「衝突？」セクストンは小首をかしげ、心底とまどったそぶりを見せた。「どういう意味でそう言っているのかな」

父の演技への不快感もあらわに、レイチェルは顔をあげた。このやりとりの行き着く先は明らかだ。記者なんて最低、と思った。記者の半数は政治で給料を稼いでいる。いまのは業界で〝グレープフルーツ〟と呼ばれる質問——いかにも辛辣《しんらつ》な問いかけのように感じられるが、結局は相手にうまい汁を吸わせる質問——だった。ゆるやかなロブを打ちあげてもらったおかげで、父は狙いを定めて強烈なスマッシュを放ち、周囲に漂う少しばかりの疑念を一掃できる。

「つまりですね……」記者は咳払《せきばら》いをして、訊《き》きにくそうな態度を装った。「衝突と言いますのは、お嬢さんがあなたの対立候補のもとで働いておられることです」

セクストンは噴き出し、その問《と》いを一蹴《いっしゅう》した。「ラルフ、まず第一に、大統領とわたしは対立などしていないさ。愛しい祖国を治めるにあたって異なった意見を持つ、ふたりの愛国者にすぎない」

記者の顔が輝いた。このくだりは使えると思ったらしい。「第二に?」

「第二に、娘を雇っているのは大統領ではなく、情報機関だ。さまざまな報告をまとめてホワイトハウスへ送っている。ほんの下っ端だよ」そこでことばを切ってレイチェルを見た。「それどころか、大統領とは顔を合わせたこともないんじゃないのか?」

レイチェルは怒りに燃える目で父をにらみつけた。

ポケットベルの甲高い音が鳴り、レイチェルの目は液晶画面の受信メッセージに引き寄せられた。

――RPRT　DIRNRO　STAT――

その省略文を瞬時に判読して、レイチェルは眉《まゆ》をひそめた。思いがけないうえに、まちがいなく悪い知らせだ。ともあれ、この場を離れるきっかけは得られた。

「すみません、心苦しいんですけど、これで失礼します。仕事に遅れそうなので」

「ミズ・セクストン」記者はあわてて言った。「お帰りの前に、できればコメントをいただけませんか。この朝食の席は、あなたが現職を辞してお父さまの選挙戦を手伝う可能性について話し合うために、ご自身で設けられたという噂を聞いたのですが」

レイチェルは熱いコーヒーを顔に浴びせかけられた気分になった。これにはまったく虚を突かれた。父を見ると得意げな笑みを浮かべており、察するに、この質問は前もって用意されていたらしい。テーブルによじのぼってフォークを刺してやりたかった。

レコーダーが突きつけられる。「ミズ・セクストン？」

レイチェルは記者を見据えた。「ラルフだかだれだか知らないけど、はっきりさせておくわ。わたしはセクストン上院議員に仕えるために自分の仕事を放棄する気はさらさらありません。それと反対のことを一文字でも活字にしたら、そのレコーダーを靴べらで尻《しり》の穴から掻《か》き出す羽目になるわよ」

記者は目をまるくした。笑いを噛《か》み殺してレコーダーのスイッチを切る。「おふたりともありがとうございました」そう言って立ち去った。

レイチェルは感情を爆発させたことをすぐに後悔した。この気性は父から受け継いだもので、だからこそ父が大きらいなのに。落ち着いて、レイチェル。とにかく落ち着くのよ。

父が非難がましくにらんでいる。「おまえは沈着さを学ぶべきだな」

レイチェルは荷物を掻き集めた。「これでお開きよ」

どのみちセクストンの用もすんだらしく、どこへ連絡するのか、携帯電話を取り出した。「じゃあ、またな。そのうちオフィスに寄って挨拶《あいさつ》ぐらいしてくれ。それと、頼むから結婚しろ。もう三十三なんだぞ」

「三十四よ」レイチェルはぴしゃりと言った。「誕生日にカードを送ってくれるのは秘書だものね」

セクストンは嘆かわしげに舌打ちした。「三十四とはな。オールドミスじゃないか。三十四歳のころには、わたしはもう——」

「ママと結婚して、手近な女にもちょっかいを出してた？」意図したより大きな声が出てしまい、折あしく静けさが立ちこめるなか、その台詞《せりふ》はむき出しで宙に漂った。近くの客たちが軽く振り返る。

セクストンのふたつの瞳《ひとみ》が、凍《い》てつく光を放つ氷の結晶となって、レイチェルを刺し貫いた。「言動を慎むんだな、お嬢さん」

レイチェルは出口へ向かった。言動を慎むのはあなたのほうよ、上院議員。

2

サーマテックの防風テントのなかに、三人の男が無言ですわっていた。外から冷たい風が容赦なく吹きつけ、テントはいまにも支柱から引き裂かれそうだ。しかし、三人とも気に留めていなかった。これよりはるかに危うい状況を何度も目にしてきたからだ。

そのテントは純白で、人目の届かない浅い窪地《くぼち》に張られていた。通信装置も輸送機も武器も、すべて最新式のものがそろっている。リーダーの暗号名はデルタ・ワン。

っている。

筋肉質のしなやかな体軀《たいく》を備え、配属されたこの地のさまにも劣らぬすさんだ目を持っている。

デルタ・ワンの腕の軍用クロノグラフが鋭い電子音を発した。ほかのふたりのクロノグラフからもいっせいに同じ音が響く。

三十分経過。

時間が来た。またしても。

反射的に、デルタ・ワンはふたりの仲間を残して、暗闇と烈風のなかへ足を踏み出した。月に照らされた地平線を赤外線双眼鏡で観察する。いつものように、建物に焦点を合わせた。千メートル先にあるのは、不毛の地にそびえ立つ途方もなく大きな建造物だ。三人はそれが建てられたときから監視をつづけており、きょうで十日目になる。あそこに隠された情報が世界を変えるであろうことは疑うべくもない。その情報を守るために、すでにいくつかの命が失われた。

いま、建物の外ではなんの動きもないらしい。

だが、真に重要なのは内部で起こっている出来事だ。

デルタ・ワンはテントへもどって、仲間の兵士ふたりに声をかけた。「儀礼飛行の時間だ」

ふたりはうなずいた。長身のほうのデルタ・ツーがノート型パソコンを開いて電源を入れた。画面の正面に腰を据え、ジョイスティックに指を置いて短く操作する。千メートル先で、建物の奥深くにひそんだ蚊ほどの大きさの偵察ロボットが信号を受信し、活動をはじめた。

3

レイチェル・セクストンは憤懣《ふんまん》やるかたないまま、愛車の白いインテグラを駆ってリーズバーグ・パイクを進んでいた。フォールズ・チャーチの丘では、すがすがしい三月の空を背に、葉を落としたカエデの木々が凛《りん》とそびえているが、そんな静かな風景もあまり怒りを鎮めてくれなかった。最近の世論調査で一気に支持率をあげた父が、多少とも思慮を身につけたことを期待していたのに、うぬぼれがいっそう強まっただけらしい。

父が娘の自分を陥れようとしたことが、ただひとりの肉親であるだけになおさら身に応《こた》えた。母は三年前に亡くなっており、そのむごい死がもたらした傷はいまも心に爪痕を残している。皮肉でつらいことだが、母は他界と同時に、悲惨な結婚生活への絶望からも解き放たれたわけで、それがレイチェルにとって唯一の慰めだった。

　ポケットベルがふたたび鳴り、目の前の道路へ意識を引きもどした。送られてきたメッセージはさっきと同じだった。

――RPRT　DIRNRO　STAT――

〝NRO局長のもとに至急出頭せよ（Report to the director of NRO stat）〞。ため息が漏れた。わかってる、いま行くったら！

　不安を募らせつつ、いつもの出口からおりたあと、専用の連絡道路へ乗り入れて、ものものしい監視ブースの脇で停止した。ここはリーズバーグ・パイク一四二二五番地。全国でも特に謎めいた所番地のひとつだ。

　車に盗聴器が仕掛けられていないかを守衛が調べるあいだ、レイチェルはかなたの巨大な建物をじっと見ていた。百万平方フィートの複合ビルが、ワシントンDCのすぐ外側、ヴァージニア州フェアファクスにひろがる六十八エーカーの森に堂々と居すわっている。建物の正面を覆った鏡面ガラスが、パラボラ型などの各種アンテナや周囲の地面に設置されたレーダードームの大群を映し出し、ただでさえ驚嘆すべきそれらの数を倍加して見せていた。

　二分後、レイチェルは車を停め、手入れの行き届いた芝生を横切って正面玄関へ向かった。御影石《みかげいし》にこう刻まれている。

国家偵察局（NRO）

　武装した海兵隊員が前方を見据えつつ玄関の両脇を固めるなか、レイチェルは防弾仕様の回転ドアを通り抜けた。このドアを押すたびに同じ感覚にとらわれる……眠れる巨人の腹へ忍び入るような気がしてならない。

　アーチ形天井の連なるロビーでは、まるで上階のオフィスからことばの断片がこぼれ落ちてくるかのように、いたるところでひそやかな話し声が小さく響いていた。タイルを用いた巨大なモザイク風の壁面に、NROの方針が謳《うた》われている。

平時にも戦時にも、国際情報の分野における合衆国の優位を確保する。

　ロビーの壁には、ロケットの打ちあげや、潜水艦の進水式や、迎撃ミサイルの設置といった場面の大型写真がずらりと並び、この場だけでその大偉業を讃《たた》えられている。

いつものとおり、外界でかかえていた問題が背後へ消え去るのを感じた。この先は闇の世界だ。問題は貨物列車のような轟音《ごうおん》とともに訪れ、解答は聞きとれないほどのささやき声で伝えられる。

レイチェルは最後の検問所へ進みながら、どんな問題のせいで三十分に二度もポケットベルが鳴らされたのかと考えた。

鋼鉄のドアへ近づくと、守衛が笑顔で言った。「おはようございます、ミズ・セクストン」

微笑み返したレイチェルに、守衛は綿棒を差し出した。

「手順はご存じですね」

レイチェルは密封された綿棒を受けとり、ビニールの包みを剝《は》いだ。それを体温計よろしく舌下にはさんで、二秒待つ。それから顎《あご》を突き出して、守衛に綿棒を抜きとらせた。唾液《だえき》のしみたその綿棒を、守衛は後ろの機械の穴に差しこんだ。四秒でレイチェルの唾液中のDNA配列が確認される。モニターが作動して、レイチェルの顔写真と人物証明を表示した。

守衛はウィンクをした。「きょうもご本人らしいですね」そう言って使用済みの綿棒を機械から引き抜き、別の穴へ落とすと、またたく間に焼失した。「では、どうぞ」

ボタンが押され、重厚な鋼鉄のドアが開いた。

レイチェルは複雑に入り組んだにぎやかな廊下へ歩を進めつつ、六年の月日を過ごしたいまもこの組織の規模の大きさに気後れしている自分に驚いた。NROはほかに六つの国家施設を統括し、一万人を超える職員を雇用し、年間百億ドル以上の運転資金を得ている。

極秘のうちに、NROは最先端のスパイ技術をみごとに蓄積し、維持してきた。そこには、世界規模の電子通信の傍受から、偵察衛星、通信機器に組みこむ無音の中継チップ、さらには〝クラシック・ウィザード〟の名で知られる船艦偵察網――地球上のあらゆる船舶の動きをひそかに監視できる、世界じゅうの海底に設置された千四百五十六個の水中聴音器の網――などの技術までが網羅されている。

NROの技術は、軍事衝突の際にわが国を勝利へ導くばかりでなく、平時の情報も中央情報局（CIA）、国家安全保障局（NSA）、国防総省などの機関へ絶えず供給することによって、テロの鎮圧や環境犯罪の摘発に貢献する一方、政策立案者には、膨大な数の案件に対して見識ある判断をくだすための資料を提供する。

レイチェルのここでの役割は、〝要旨作成者〟である。要旨作成をおこなうには、難解な報告書を分析して要点を抽出し、一ページ程度の簡潔な内容にまとめる能力が求められる。レイチェルはこの仕事で天賦の才を発揮できたが、昔から父の戯言《たわごと》を話半分に聞いていたおかげだと自分では思っていた。

レイチェルはいま、NROの要旨作成者のなかでは中心的な立場にあり、ホワイトハウス向けの情報を担当している。NROが毎日発行する報告書に目を通して、大統領にとって重要な記事を選別し、それらの要旨を一ページにまとめたのち、完成した梗概《こうがい》を大統領の国家安全保障担当補佐官へ送る。NROの流儀で言えば、レイチェル・セクストンは〝製品を加工して、最高の顧客の要望に応えている〟わけだ。

時間と手間がかかる仕事だが、レイチェルにとっていまの地位は名誉のしるしであり、父からの自立を世に証する手段だった。辞める気になったら面倒を見てやると父にさんざん言われていたけれど、セジウィック・セクストンのような人間に経済的に寄りかかるつもりはまったくない。ああいう男に首根っこを押さえられるとどんな目に遭うかは、母が証明済みだ。

ポケットベルの音が大理石の廊下に鳴り響いた。

また？　もうメッセージをたしかめる気さえなかった。

いったいどうなっているのかと案じながら、レイチェルはエレベーターに乗りこみ、自分のオフィスがある階を飛ばしてまっすぐ最上階へ向かった。

4

ＮＲＯの現局長を平凡な人間と呼ぶことは、それ自体が誇張だとも言える。ウィリアム・ピカリング局長は、小柄で血色が悪く、頭の禿《は》げた、特徴のない顔立ちの男で、国家の最も深遠な秘密を見つめてきたはずの薄茶色の瞳《ひとみ》は、ふたつの浅い水たまりを思わせた。とはいえ、その下で働く者にとって、ピカリングは威厳ある存在だった。抑制のきいた態度と虚飾のないふるまいは、局内では伝説となっている。その黙々とした勤勉さが、愛用の地味な黒いスーツの印象と相まって、局長は〝クエーカー教徒〟なる異名を得ていた。きわめて優秀な戦略家であり、能率の権化でもある局長は、無類の明快さをもって君臨している。そのモットーは〝真実を求め、それに従え〟だ。

レイチェルが局長室に着いたときは、電話中だった。その姿を見るとレイチェルはいつも驚かされる。ウィリアム・ピカリングは、どんな時刻にでも大統領を叩《たた》き起こす権限を有する人間にはとうてい見えない。

ピカリングは電話を切り、中へ手招きした。「セクストン局員、掛けてくれ」声つきはそっけない。

「失礼します」レイチェルは腰をおろした。

たいていの人間はウィリアム・ピカリングのぶっきらぼうな物腰を苦手としているようだが、レイチェルはつねに好感を持っていた。父とはまさに正反対の人柄だ。外見は地味で、カリスマ性のかけらもなく、純粋な愛国心をもって務めを果たす一方、父の大好きなスポットライトを極力避けている。

ピカリングは眼鏡をはずしてレイチェルに目を向けた。「実は、半時間ほど前に大統領から電話をもらった。ほかでもないきみのことで」

レイチェルは椅子の上で姿勢を正した。ピカリングは単刀直入な物言いで知られている。開口一番、容赦ないわね。「作成した要旨への苦情でなければいいんですが」

「その逆だよ。ホワイトハウスはきみの仕事に感心しているそうだ」

レイチェルはほっと息をついた。「では何をお望みなんでしょう」

「きみとの面談だ。他者を交えず。いますぐに」

胸の不安が高まる。「個人的に面談？　用件はなんですか」

「いい質問だな。わたしも聞かされていない」

レイチェルは途方に暮れた。ＮＲＯの局長に情報を明かさないのは、教皇にヴァチカンの秘密を明かさないに等しい。〝ウィリアム・ピカリングが知らないことは、実際に起こっていない〟という内輪のジョークがあるほどだ。

ピカリングは立ちあがって、窓の前を行きつもどりつしはじめた。「ただちにきみを呼んで会いに来させるようにと頼まれたんだよ」

「これからですか？」

「迎えが来ている。外で待機中だ」

レイチェルは眉《まゆ》をひそめた。大統領の要望そのものにも仰天したが、何より気がかりなのは、ピカリングの顔に浮かぶ苛立《いらだ》たしげな表情だった。「ご不満のようですね」

「あたりまえだ！」ピカリングは珍しく感情をあらわにした。「大統領がこの時期にとる行動にしては、どう見ても青くさいとさえ言える。きみは選挙で大統領の向こうを張る人物の娘だ。そのきみと個人的に会いたいだと？　大いに差し障りがあると思うね。きみの父上もきっと同感だろう」

レイチェルもそれには賛成だった。だからと言って、父がどう考えるかを気にしているわけでもない。「大統領を信用していらっしゃらないんですか」

「わたしの職務はホワイトハウスの現執行部を情報面で支援することであって、政治的な意見を述べることではない」

いかにも局長らしい受け答えね、とレイチェルは思った。ウィリアム・ピカリングの日ごろの主張によると、政治家はチェス盤につかの間姿を見せるかりそめの立役者にすぎず、真にゲームを支配しているのはピカリング自身のような〝叩きあげ〟の職人――その道に一生を捧《ささ》げ、全体を見通す鑑識眼を備えた人間――なのだという。ホワイトハウスで二期をつとめたぐらいでは、複雑きわまりない世界の政治状況をじゅうぶんに把握できるはずがない、と再三述べている。

「深い意味のない要請かもしれませんよ」レイチェルは言い、大統領が選挙のための安っぽい策略など考えてもいないことを願った。「なんらかの機密情報の要約が必要になったのかも」

「きみを過小評価するつもりはないが、ホワイトハウスは必要とあらば、有能な要旨作成者をいくらでも調達できる。官邸内で解決できる問題なら、大統領がわざわざきみに依頼するとは思えない。仮にほかの事情があったとしても、NROの人材を要求しておいて、局長のわたしにその目的を教えないとは言語道断だ」

ピカリングは日ごろから局員を人材と呼んでいるが、多くの者はそう呼ばれることに違和感とよそよそしさを感じていた。

「きみの父上は選挙戦で好調だ」ピカリングは言った。「破竹の勢いだよ。ホワイトハウスもぴりぴりしているにちがいない」ため息を漏らす。「政治は捨て身の闘いだ。大統領が対立候補の娘と秘密裡《り》に会談するとしたら、情報の要約だけが目的のはずはあるまい」

レイチェルは寒気を覚えた。ピカリングの直感は気味が悪いほどよくあたる。「では、わたしまでも政治のごたごたに巻きこもうとするほど、ホワイトハウスが追い詰められているとお考えなのですか」

ピカリングはひと呼吸置いて言った。「きみは父親に対する感情をまったく明かしていないわけではないし、大統領側の選挙スタッフはまちがいなくきみたちの不和に気づいている。思うに、連中は敵へのなんらかの対抗手段として利用したいのではないだろうか」

「こちらから志願しようかしら」ほんの冗談半分に、レイチェルは言った。

ピカリングは気に召さなかったらしく、きびしいまなざしをレイチェルに向けた。「セクストン局員、ひとつ言わせてもらいたい。大統領と向き合ううえで、父親とのわだかまりが判断を曇らせそうだと思うなら、会談はぜったいに辞退すべきだ」

「辞退？」レイチェルは力なく含み笑いをした。「大統領にそむくことなどできません」

「きみにはできない」局長は言った。「だがわたしにはできる」

いくぶん凄味《すごみ》を帯びたそのことばを聞き、局長が〝クエーカー〟と呼ばれるもうひとつの理由を思い出した。小柄な体格に似合わず、ウィリアム・ピカリングはいざとなったら政界に地震《クエーク》を起こすことができる。

「心配しているのは単純なことだ」ピカリングは言った。「わたしには部下を守る責任がある。部下のひとりが政治ゲームの駒に使われる恐れがわずかでもあるなら、それを認める気はない」

「わたしにどうしろとおっしゃるんです」

ピカリングは息をついた。「ひとまず会ってみたらどうだろう。ただしどんな約束も交わしてはいけない。大統領の真意がわかったらすぐに連絡してくれ。政治がらみの難題を吹っかけられているとわたしが判断したら、大統領の目にも留まらぬうちにかならずきみを救い出す」

「ありがとうございます」自分の父に求めてやまなかった庇護《ひご》者の頼もしさを、レイチェルはピカリングから感じとった。「大統領が迎えの車をよこしてくださったとおっしゃいましたね」

「いや、ちょっとちがう」ピカリングは不快そうな顔で窓の外を指さした。

わけがわからないまま、レイチェルは窓際へ寄って、ピカリングが指す方向を見やった。

世界最速のヘリコプターのひとつであるMH―60Gペイヴホークが、芝の上でアイドリングしていた。先端のずんぐりしたその機体には、ホワイトハウスの紋章が描いてある。パイロットがそのかたわらに立って、腕時計に視線を落としている。

レイチェルは信じられない思いでピカリングに顔を向けた。「DCへの十五マイルのために、ホワイトハウスはペイヴホークをよこしたんですか？」

「大統領はきみを感じ入らせるか、怖《お》じ気《け》づかせるかしたかったらしい」ピカリングは視線をそらさずに言った。「どちらも無理だったようだな」

レイチェルはかぶりを振った。どちらも成功していた。

四分後、レイチェル・セクストンはNROを出て、待機していたヘリコプターに乗りこんだ。ベルトも装着しないうちに機体は浮上し、ヴァージニアの森の上空を急旋回した。かすんでいく眼下の木々を見て、レイチェルは脈拍が速まるのを感じた。行き先がホワイトハウスではないと知っていたら、いっそう激しくなっていただろう。

5

極寒の風がサーマテックのテントに吹きつけているが、デルタ・ワンはほとんど意に介さなかった。デルタ・ツーが外科医並みの器用さでジョイスティックを操作するさまを、デルタ・スリーとともに見守った。目の前のモニターには、超小型ロボットに搭載したピンポイント・カメラから送信される生映像が映っている。

究極の偵察機器だな、とデルタ・ワンは思った。始動するたびにいまだに驚嘆させられる。昨今のマイクロ技術の世界では、事実が虚構の先を行っている。

マイクロ電子技術システム（MEMS）――超小型ロボット――はハイテク偵察分野における最新鋭の機器であり、〝隠密監視《フライ・オン・ザ・ウオール》〟の技術と呼ばれる。

まさしく〝壁に留まったハエ《フライ・オン・ザ・ウオール》〟だ。

超小型の遠隔操作ロボットと言うと、SF小説めいて聞こえるが、こうしたロボットは一九九〇年代から実在していた。《ディスカヴァリー》誌は一九九七年五月号に超小型ロボットの特集を掲載し、〝遊泳型〟と〝飛行型〟の両モデルを採りあげた。〝遊泳型〟のロボット――塩の粒ほどの微小潜水艦――は、映画〈ミクロの決死圏〉

のように人間の血流に注入することができる。先進の医療機関では、医師がメスを使うことなく、ロボットを遠隔操作して動脈内を移動させ、送信される映像を見て血管の閉塞《へいそく》部位を特定する。

〝飛行型〟の超小型ロボットのほうは、見通しに反して、〝遊泳型〟よりはるかにたやすく完成した。航空力学の技術にはキティホーク以来の歴史があり、小型化の問題を残すだけだったからだ。来たるべき火星の無人探査のためにNASAが設計した最初の超小型飛行ロボットは、長さ数インチのものだった。ところが、ナノテクノロジーや、軽量のエネルギー吸収素材の開発や、マイクロ技術などが進歩をとげたいま、超小型の飛行ロボットは夢ではなくなった。

突破口が大きく開かれたのは、母なる自然を写しとる〝生物模倣〟の技術による。効率よく機敏に動く超小型飛行ロボットには、縮小したトンボの形状が最適だった。デルタ・ツーがいま飛ばしているPH2型は長さわずか一センチ――〝蚊〟のサイズ――しかないが、蝶番《ちようつがい》で動くふた組のシリコン製の透明な羽根によって、無比の機動性を空中で発揮する。

もうひとつの突破口となったのは超小型ロボットの充電のメカニズムだ。最初の超小型ロボット試作機では、エネルギー・セルに再充電するには明るい光源の真下を飛ぶしかなく、隠密探査や暗闇での用途に適していなかった。けれども、その後の試作機では、磁場から数インチの範囲に駐機するだけで充電ができるようになった。都合のいいことに、現代社会では磁場はいたるところで発生し、しかも目立たない場所にある。電源コンセント、コンピューター・モニター、電動モーター、オーディオ・スピーカー、携帯電話――人目につかない充電場所に事欠くことはない。いったん現場へ放たれれば、超小型ロボットは半永久的に音声と画像を送信できる。すでに一週間以上にわたって、デルタ・フォースのＰＨ２はなんの問題もなく情報を送りつづけていた。

いま、閑散とした納屋を飛びまわる虫のように、その超小型飛行ロボットは建物の中央にある広大な空間を音もなく漂っていた。あたりを俯瞰《ふかん》しつつひそかに上方を旋回する超小型ロボットの存在に、その場にいる人間――技術者や科学者、あまたの学術分野の専門家たち――はだれひとり気づいていない。送られてきた映像のなかで、見覚えのあるふたつの顔が会話に没頭しているのが、デルタ・ワンの目に留まった。あのふたりはいい目印になるだろう。降下させて会話を傍受するよう、デルタ・ツーに命じた。

デルタ・ツーは装置を操ってロボットの音声感知器を作動させたのち、内蔵のパラボリック・アンプを調整して、科学者たちの頭上十フィートの位置まで高度をさげた。感知された音声はかすかだったが、しっかり聞きとれた。

「いまだに信じられないよ」科学者のひとりが言っている。声に混じる興奮は、四十八時間前にそこに到着したときから損なわれていない。

話し相手のほうも、それに劣らず浮かれている。「自分の人生のなかで……こんなものを目撃するなんて想像したことあるかい」

「ないさ」ひとり目の科学者が嬉々《きき》として答える。「何もかも大がかりな夢そのものだ」

デルタ・ワンはもうじゅうぶんだと判断した。まちがいなく、あそこではすべてが予想どおりに進んでいる。デルタ・ツーがロボットを声の主から遠ざけ、隠れ場へと退かせた。それは発電機のシリンダー近くまで人知れずもどった。つぎの任務へ向けて、PH2のエネルギー・セルはすぐに充電を開始した。

6

ペイヴホークが朝の空を切り裂いていくあいだ、レイチェル・セクストンはけさの奇妙な成り行きについて考えこんでいた。思ってもいなかった方角へ向かっていることに気づいたのは、ヘリコプターがチェサピーク湾の上空へ突入してからだった。こみあげた困惑は、たちまち戦慄《せんりつ》に変わった。

「ちょっと！」レイチェルはパイロットに叫んだ。「どういうつもり？」ローターが立てる音のせいで、声を届かせるのがやっとだ。「ホワイトハウスへ連れていってくれるはずでしょう！」

パイロットは首を横に振った。「申しわけありません。大統領はホワイトハウスにいらっしゃらないんです」

ピカリングがホワイトハウスだと明言していたのか、自分がそう決めこんだだけなのか、レイチェルは思い出そうとした。「なら大統領はどこに？」

「面談はほかの場所でおこなわれます」

ふざけないで。「ほかの場所って？」

「すぐに着きます」

「質問に答えてよ」

「あと十六マイルです」

レイチェルはパイロットをにらみつけた。こいつも政治家なのね。「質問をかわすのと同じくらい、銃弾をかわすのもうまいの？」

パイロットは答えなかった。

ヘリコプターはチェサピーク湾を七分足らずで渡った。ふたたび陸地に差しかかると、北へ向きを変えて細長い半島沿いを進んだ。滑走路や軍関係らしき建物の連なりが見える。パイロットがそこをめざして降下をはじめたころには、レイチェルもこの場がどこかを悟った。六つのロケット発射台と黒焦げの管制塔がよいヒントになったが、それでわからなかったとしても、建物のひとつの屋上部分に大きく〝WALLOPS ISLAND〟の二語が描かれていた。

ワロップス島はNASAの最も古いロケット発射基地のひとつだ。今日でも衛星の打ちあげや、実験段階にある航空機のテスト飛行に使用されているが、特に注目を集める基地ではない。

大統領がワロップス島に？　どういうことだろうか。

パイロットはせまい半島の南北に伸びる三本の滑走路に針路を合わせた。中央の滑走路のかなたへ向かっているらしい。

パイロットは速度を落として言った。「大統領のオフィスで会っていただくことになります」

冗談でも言われたのかと、レイチェルはパイロットへ顔を向けた。「合衆国大統領がワロップス島にオフィスを持ってるというの？」

相手は大まじめだった。「合衆国大統領はどこでも好きな場所にオフィスをお持ちでしてね」

パイロットは滑走路の向こうを指さした。前方で照り輝く大きな物体を見て、レイチェルの心臓は止まりそうになった。三百ヤード手前からでも、ボーイング747を改造した明るいブルーのその機体を見まがうはずはなかった。

「面談の場所は、あの……」

「そうですよ。大統領の第二のわが家です」

レイチェルは巨大な機体に目を凝らした。この誉れ高い航空機は、軍ではVC―25―Aという味気ない名称で呼ばれているが、一般には〝エア・フォース・ワン〟――

大統領専用機——の名で知られている。

「あなたが乗られるのは新しいほうらしいですね」尾翼の垂直安定板に記された番号を指して、パイロットは言った。

レイチェルは上の空でうなずいた。アメリカ人の大半が知らないことだが、エア・フォース・ワンは実は二機ある——まったく同じ特別仕様の747—200B型が二機で、一方は尾翼の番号が28000、もう一方は29000だ。どちらも巡航速度は時速六百マイルで、空中給油が可能な仕様になっており、飛行距離は無限だと言ってよい。

ペイヴホークがそのかたわらに停止したとき、レイチェルはエア・フォース・ワンが全軍最高司令官の〝移動する牙城《がじょう》〟と言われる所以《ゆえん》を理解できた気がした。それほど圧倒的な外観だった。

大統領が首脳会談のために他国を訪れる際には——安全対策として——滑走路に停めた専用機のなかでの会談を要求することが少なくない。だがそれは安全のためばかりではなく、相手を容赦なく威圧して交渉上の優位を勝ちとるためでもある。それには、ホワイトハウスへ呼ぶよりもエア・フォース・ワンへ招き入れるほうがはるかに効果的だ。機体には、縦六フィートはある〝UNITED STATES OF A

MERICA〟の文字が躍っている。かつてイギリスのある女性閣僚は、リチャード（ディック）・ニクソン大統領からエア・フォース・ワンに招かれたとき、〝目の前で男性自身《ディック》を振りかざされた気分だ〟と非難したという。その後、乗務員たちはくだんの飛行機を冗談半分で〝ビッグ・ディック〟と呼ぶようになったらしい。

「ミズ・セクストン？」ブレザーを着たシークレット・サービスの男がヘリコプターの外に現れ、ドアをあけた。「大統領がお待ちです」

ヘリコプターからおりたレイチェルは、専用機のふくらんだ機体へ通じる急勾配《こうばい》のタラップを見あげた。空飛ぶ男根への入口ね。以前耳にしたところでは、〝空飛ぶ大統領執務室〟の総床面積は四千平方フィートを超え、個別に区切られた四つの寝室、二十六名の乗務員用の寝台、それぞれ五十名ぶんの食事を用意できるふたつの調理室もそこに含まれるという。

タラップをのぼりながら、レイチェルはシークレット・サービスの男が急《せ》かすようにすぐ後ろをついてくるのに気づいた。上方では、巨大な銀色のクジラの脇腹につけられた刺し傷よろしく、開いたドアが待ち構えている。暗い入口へと進むにつれ、度胸が萎《な》えていく気がした。

緊張しないで、レイチェル。たかが飛行機よ。

上までのぼりきると、シークレット・サービスの男に慇懃《いんぎん》に腕をとられ、驚くほどせまい通路へ案内された。右へ曲がって歩いていくうち、広々とした豪奢《ごうしゃ》な部屋が目の前に現れた。写真で見た光景がすぐさま頭に浮かんだ。

「こちらでお待ちを」男はそう言って部屋を出ていった。

レイチェルは名高い羽目板張りの主会議室にひとり残された。ここは、会議をおこなったり政府高官をもてなしたりするほかに、はじめて訪れた客を縮みあがらせるという目的でも使われているらしい。この空間は飛行機の胴幅いっぱいを占め、黄褐色の厚い絨毯《じゅうたん》が敷き詰められている。家具調度のしつらえも申し分ない――サトウカエデ材の会議テーブルのまわりにはコードバン張りの肘《ひじ》掛け椅子、そしてコンチネンタル・ソファーの脇には真鍮《しんちゅう》のフロア・ランプが置かれ、マホガニーのカウンターには手彫りのクリスタルグラスが載っている。

ボーイング社の設計者たちは、ここを訪れる者が〝落ち着きと秩序〟を感じるよう、入念に考えをめぐらせたにちがいない。けれども、レイチェルがいま感じているのは、落ち着きとはかけ離れたものだった。頭にあるのはただ、世界を形作る決断をまさにこの場でくだした幾多の各国指導者たちのことだけだ。

上等なパイプ煙草のかすかな香りから、そこここに見られる大統領の紋章に至るまで、この部屋のすべてが権力を示していた。オリーブの枝と矢の束をつかんだ鷲《わし》のマークが、ソファーのクッションに刺繍《ししゅう》され、カウンターのアイス・ペールに彫りこまれ、コルクのコースターにさえも印刷されている。レイチェルはコースターを一枚手にとり、しげしげと見入った。

「もうお土産をくすねたのかい？」背後で太く低い声がした。

ぎくりとして後ろを向いたとたん、コースターを落としてしまった。レイチェルはあたふたと床にかがんで拾った。コースターを握ったまま顔をあげると、アメリカ合衆国大統領が愉快そうに微笑んで見おろしていた。

「ミズ・セクストン、わたしは王族とはちがう。ひざまずく必要はないのだよ」

7

ワシントンの朝の混雑した往来をオフィスへ向かうリンカーン・ストレッチ・リムジンのなかで、セジウィック・セクストン上院議員はその私的空間を満喫していた。向かいの座席で、二十四歳になる個人秘書のガブリエール・アッシュがきょうの予定を読みあげている。セクストンはほとんど聞いていなかった。

ワシントンは最高だ。そう思いつつ、カシミヤのセーターに包まれたガブリエールの完璧《かんぺき》な体の線を愛《め》でる。権力こそ最強の催淫剤《さいいんざい》だ……それゆえ、これほどの女たちがこの街に押し寄せる。

ニューヨークで育ってアイビーリーグの大学を卒業したガブリエールは、自分もいつの日か上院議員になることを夢見ている。その夢は実現できるだろう、とセクストンは思っていた。並はずれたルックスとしなやかな才知。そして何より、ゲームの要領を心得ている。

ガブリエール・アッシュは黒人だが、肌は小麦色よりもやや暗いシナモンとマホガニーの中間の心地よい色合いだから、リベラル気どりの白人連中も農場を手放す気分に陥らずに支持できるはずだ。セクストンは親しい友人に対して、ハル・ベリーの容姿とヒラリー・クリントンの頭脳や野心を併せ持つ女だと説明しているが、それでも控えめに過ぎるのではないかとときどき感じる。

三か月前、選挙活動を補佐する個人秘書に起用して以来、ガブリエールはめざましい働きを見せてきた。おまけに報酬をいっさい求めない。一流の政治家とともに実地の経験を積めることだけで、一日十六時間に及ぶ労働は報われているのだという。

もっとも、仕事の域を超えることも少しばかりさせてしまったが、とセクストンはほくそ笑んだ。昇格を告げたあと、セクストンは夜更けの〝オリエンテーション〟のためにガブリエールを執務室へいざなった。予想どおり、若き秘書は動揺し、なんとか気に入られたいという面持ちでやってきた。何十年もかけて身につけた粘り強さで、セクストンはゆっくりと魔法をかけた……信頼を固め、注意深く抵抗感をぬぐい、じれったいほどの自制心を見せつけたのち、ついにその場で口説き落とした。

セクストンの感触では、その夜の一戦は彼女のこれまでの性生活で最も満ち足りたものだったにちがいないが、それでも一夜明けると、ガブリエールは見るからに過ちを悔やんでいた。恥じ入るあまり辞職を申し出たが、セクストンはそれを一蹴《いっしゅう》した。ガブリエールは職にとどまったものの、固い意志をはっきりと伝えた。それ以後、ふたりは完全に仕事上だけの関係を保っている。

ガブリエールのふっくらした唇はまだ動きつづけている。「……としましては、覇気のない態度で午後のCNN討論に臨まれては困ります。ホワイトハウス側がだれを送りこんでくるかはまだわかりません。わたしの作成したメモに目をお通しください」そう言ってフォルダーを差し出す。

セクストンはそれを受けとり、贅沢《ぜいたく》な革張りのシートとガブリエールの香水のにおいを楽しんだ。

「聞いていらっしゃいませんね」ガブリエールは言った。

「もちろん聞いてるさ」セクストンは笑った。「CNN討論の件は心配しなくていい。最悪でも、ホワイトハウスが下っ端の実習生か何かをよこして、わたしが見くびられるという筋書きだよ。うまくして、敵が大物をよこしたら、そいつを昼めしに食ってやる」

ガブリエールは眉《まゆ》をひそめた。「お好きにどうぞ。相手が採りあげそうな論題をそのメモに並べておきました」

「どうせなじみのやつばかりだろう」

「ひとつ例外があります。ゆうべの〈ラリー・キング・ライブ〉でのご自分の発言のせいで、ゲイ社会から猛反発を食らう羽目になると思います」

セクストンは気乗り薄に肩をすくめた。「なるほど。同性間結婚の件だな」

ガブリエールは咎《とが》めるような視線を向けた。「ずいぶん強烈に反対なさいましたから」

同性間結婚だと？　セクストンはうんざりした。本音を言うなら、ゲイの連中が投票権を持つことすら許しがたい。「わかった、少しばかりトーンを落とそう」

「賛成ですね。近ごろ、こうした議論を呼ぶ問題に関して少々きわどい発言がつづいていますけど、過信は禁物です。大衆は一瞬にして手のひらを返しますから。あなたの人気はいま鰻《うなぎ》のぼりで、勢いがあります。その勢いに乗るだけでいいんですよ。きょうはボールを場外へ飛ばす必要はありません。プレーをつづけるだけでじゅうぶんです」

「ホワイトハウスで何か動きは？」

ガブリエールは愛すべき困惑顔を見せた。「沈黙を守っています。表向きは。あなたの対立候補は〝姿なき男〟になってしまいました」

このところの自分の幸運をセクストンは信じがたく思っていた。何か月ものあいだ、大統領は選挙遊説に精を出していた。それが突然、一週間前から執務室に引きこもっており、その様子を見聞きした者はいない。有権者の支持がセクストンへ大きく傾いたという現状から目をそらしたいかのようだった。

ガブリエールはまっすぐにおろした黒髪を手で梳《す》いた。「ホワイトハウスの選挙スタッフもこちらに劣らずとまどっているらしいですよ。大統領が雲隠れの理由をいっさい説明しないので、スタッフはみな腹を立てているようです」

「なんらかの推測は？」

ガブリエールは学者風の眼鏡越しに視線を向けた。「実はけさ、ホワイトハウスの情報筋から興味深い情報を入手しました」

その目の輝きをセクストンは見てとった。また内部情報をうまく手に入れたのか。選挙がらみの秘密と引き替えに、大統領補佐官のだれかにフェラチオのサービスでもしているのだろうか。だとしてもセクストンは意に介さなかった。つぎつぎと情報がはいってくるなら、それも悪くあるまい。

「噂によると」ガブリエールは声を落として言った。「大統領が妙な行動をとりだしたのは、先週NASAの長官から内密の緊急報告を受けてからです。長官との打ち合わせを終えた大統領は、呆然《ぼうぜん》とした様子だったとか。ただちにすべての予定をキャンセルし、その後ずっとNASAと密に連絡をとっているそうです」

セクストンはむろんその噂が気に入った。「NASAが悪い知らせをさらに伝えているときみは思うんだな？」

「理にかなった解釈でしょうね」ガブリエールは希望をこめて言った。「大統領が何もかも投げ出すほどの重大事にちがいありません」

セクストンは一考した。NASAで何が起こっているにせよ、よからぬ事態なのはまちがいない。いい知らせなら、こちらを攻撃する材料にするはずだ。近年のNAS

Aの不採算に関して、セクストンは手きびしく大統領を批判してきた。このところ計画の失敗と大幅な予算超過がつづいているため、NASAは不名誉にも、政府の乱費と無能さを糾弾するセクストンの未公認イメージキャラクターの役割を与えられていた。アメリカの誇りを最も顕著に表すシンボルのひとつであるNASAを槍玉《やりだま》にあげるのは票数稼ぎに得策ではない、とおおかたの政治家は考えるかもしれない。だがセクストンにはほかの政治家にない武器があった――ガブリエール・アッシュと、そのたしかな直感という武器が。

若くて有能なこの女がセクストンの目に留まったのは、数か月前、ワシントンの選挙事務所で彼女がコーディネーターをつとめていたときだった。政府の乱費に関する主張が支持されず、セクストンが最初の世論調査で惨敗を喫したのを見かねて、ガブリエール・アッシュは選挙戦略を根こそぎ一新してはどうかと提案書を書いた。ハーニー大統領の無計画な浪費の典型例として、NASAの大幅な予算超過とホワイトハウスによる継続的な補塡《ほてん》を標的にするよう進言したのだ。

「NASAは国民の財産を食いつぶしています」NASAの財務状況、計画の失敗例、政府による補塡の実態を一覧にまとめたうえで、ガブリエールはそう主張した。「有権者のまったく知らない事実ですが、知ればだれもが衝撃を受けるでしょう。NAS

Aを選挙の争点になさるべきです」

セクストンはその青くささを皮肉った。「そうかい、じゃあ、ついでに野球の試合での国歌斉唱にも難癖をつけるとするか」

それから何週にもわたって、ガブリエールはNASA関連の情報を上院議員のデスクへ届けつづけた。セクストンはそれらを読むうちに、この若い女の主張にも一理あると思いはじめた。政府機関の基準に照らしても、NASAはあきれるほどの金食い虫だ——やたらと経費がかかり、効率が悪く、おまけにここ数年はろくに業績をあげていなかった。

ある午後、ラジオの生放送番組で教育についてのインタビューを受けていた折、公約に掲げた公立学校の補修の費用をどこから調達するつもりかと司会者に質問された。それに対する答として、セクストンはNASAに関するガブリエールの主張を冗談めかして採用してみた。「教育にまわす資金？　そうだな、宇宙計画の費用を半分削減しましょうか。NASAが宇宙で年間百五十億ドルもの予算を使えるのなら、わたしはこの地球で子供たちのために七十五億ドルを使える計算になる」

通信室では、セクストンの選挙スタッフが候補者の不用意な発言に肝をつぶしていた。これまでの選挙活動が、NASAへの愚にもつかない言いがかりによって、すべて台なしになってしまったのだから。まもなく、ラジオ局の電話回線のランプがいっせいに灯《とも》った。選挙スタッフはたじろいだ。獲物のにおいを嗅《か》ぎつけた宇宙開発推進派に取り囲まれたのではないだろうか。

　すると、思いも寄らないことが起こった。

「年間百五十億ドルですって？」最初に電話をかけてきた聴取者は、ショックを隠せない様子だった。「桁《けた》は合ってるんでしょうね？　息子の学校には教師を必要なだけ雇う余裕がなくて、数学のクラスは超満員だっていうのに、ＮＡＳＡは年間百五十億もつかって宇宙の塵《ちり》の写真を撮ってるわけ？」

「まあ……そういうことになりますね」セクストンは警戒しつつ言った。

「ばかばかしい！　大統領の権限でそんなことができるんですか」

「もちろんです」やや調子づいて、セクストンは答えた。「大統領が過剰だと見なせば、いかなる機関の予算申請も拒否できますよ」

「だったらあなたに投票するわ、セクストン議員。宇宙探査に百五十億もつぎこまれてるのに、子供たちには先生もいないなんて。とんでもない話だわ！　がんばってお志を貫いてくださいね」

　つぎの聴取者に電話が切り替わった。「上院議員、ＮＡＳＡの国際《I》宇宙ステーシ《S》

ョンの経費が予算枠を大きく超えそうで、大統領が緊急援助を検討中だって記事を読んだんだが、それは事実なのか？」

　セクストンはこの質問に飛びついた。「事実です！」そして、宇宙ステーションはもともと十数か国が出資する合弁事業として企画されたものだと説明した。しかし建設がはじまると、予算は収拾がつかないほどにふくれあがり、多くの国があきれ果てて出資を手控えたが、大統領は計画を反故《ほご》にするのではなく、すべての費用を自国でまかなうことを決めた。「ＩＳＳにかかる経費は」セクストンは声を大にした。「当初の八十億ドルから、一千億ドルという信じがたい額まで跳ねあがったのです！」

　電話の相手は怒りをむき出しにした。「大統領はなぜ計画を打ち切らないんだ！」

　セクストンはその男にキスしたいくらいだった。「大変いい質問です。残念ながら、建築資材の三分の一はすでに宇宙へ運ばれていますし、大統領はあなたがたの税金をつぎこんだわけですから、計画を打ち切れば、あなたがたのお金数十億ドルをどぶに捨てたと認めることになってしまいます」

　聴取者からの電話はさらにつづいた。突如として、アメリカ国民はひとつの考えに目覚めたらしかった。ＮＡＳＡは国家にとって絶対不可欠のものではなく、取捨選択できるものなのだと。

番組が終わるころには、人類の飽くなき知識探求について電話口で切々と訴えた筋金入りのＮＡＳＡ支持者数人を除いて、聴取者のあいだには共通した認識が生まれていた。セクストンは選挙戦における〝聖杯〟――有権者の心をしっかりつかむ新たな決定打――を探りあてたわけだ。

それから数週のあいだに、セクストンは五つの重要な予備選挙でほかの候補者勢に大勝した。ガブリエール・アッシュを新しく個人秘書に迎えたことを発表し、ＮＡＳＡの問題を有権者に知らしめるうえで果たした功績を讃《たた》えた。セクストンの手のひと振りで、ガブリエールは政界の期待の星となり、それまで苦しめられてきた黒人票と女性票の問題もあっけなく解決した。

いま、リムジンのなかで、ガブリエールがまたしてもみずからの価値を証明してみせた。先週のＮＡＳＡ長官と大統領の極秘会合にまつわる新情報からすると、ＮＡＳＡにさらなる苦難が迫っているのは明らかだ――おそらくまた別の国が宇宙ステーションへの出資から手を引こうとしているのだろう。

リムジンがワシントン記念塔の前を通り過ぎるとき、セクストン上院議員は、自分が運命によって選ばれたと感じずにいられなかった。

8

世界で最も権威のある政治的地位にのぼり詰めたとはいえ、ザカリー・ハーニー大統領は平均的な背丈の、肩幅のせまい細身の男だった。そばかすの散った顔に遠近両用眼鏡をかけ、黒い髪は薄くなりかけている。だがそんなぱっとしない外見とは裏腹に、その人柄を知る者たちから絶大な信望を集めていた。ザック・ハーニーに一度会えば、地の果てまでついていきたくなると言われるほどだ。

「来てくれて感謝するよ」ハーニー大統領は言って、レイチェルの手を握った。あたたかく誠意のこもった握手だった。

レイチェルは喉《のど》のつかえを懸命に抑えた。「き……恐縮です、大統領。こちらこそお目にかかれて光栄です」

人なつこい笑みを向けられ、レイチェルは噂に聞くハーニーの温厚さにじかにふれた気がした。そのおおらかな表情は風刺漫画家に人気がある。どれほど誇張して描こうと、にじみ出るあたたかさと和やかな微笑を見誤る者はいないからだ。ハーニーの瞳《ひとみ》はいつも篤実さと威厳を同時にたたえている。

「いっしょに来てくれたら」ハーニーは快活な声で言った。「虜《とりこ》になること請け合いのコーヒーをごちそうしよう」

「ありがとうございます」

ハーニーはインターコムのボタンを押し、執務室にコーヒーを持ってくるように命じた。

レイチェルは大統領のあとを追って機内を歩きながら、劣勢を伝えられるその人が心身ともにすこぶる調子がよさそうに見えてならなかった。服装もいたってカジュアルで、ポロシャツにブルージーンズ、ＬＬビーンのハイキングブーツといういでたちだ。

レイチェルは思いきって口を開いた。「大統領……ハイキングのご予定でも？」

「そんな予定はないな。わたしの選挙参謀が決めた新しいスタイルなんだ。どう思うね？」

大統領自身のためにも、それが本気ではないことをレイチェルは祈った。「とても……その……男らしいです」

ハーニーの顔つきは変わらない。「そうかい。これできみの父上から女性票をいくらかもぎとろうと狙っているのだがね」一瞬ののち、相好を崩した。「ミズ・セクストン、冗談だよ。この選挙で勝ち抜くのにポロシャツとブルージーンズでは間に合わないことぐらい、お互い承知だとも」

大統領の気どりのなさとユーモアのおかげで、レイチェルが覚えていた緊張はたちまち消し飛んだ。腕っ節には欠けていても、大統領はそれを補って余りある外交手腕の持ち主だ。外交とは人を操る技術であり、ザック・ハーニーにはその天賦の才がある。

レイチェルはハーニーに従って歩きつづけた。進むにつれ、ますます飛行機らしからぬ様相を呈してきた——カーブした通路や、壁紙の貼られた側面、ステップマシンやボート漕《こ》ぎマシンの並ぶエクササイズ室まである。奇妙なことに、機内にはまったく人の気配が感じられなかった。

「おひとりで乗っていかれるのですか」

ハーニーはかぶりを振った。「実は、帰ってきたところでね」

レイチェルは驚いた。どこから帰ってきたの？　今週作成した要旨に大統領の旅行の予定は含まれていなかった。どうやら、人知れず発着するためにこのワロップス島を利用したらしい。

「ほかのスタッフはきみが着く直前に降機した。わたしもまもなくホワイトハウスへもどるが、きみにはここで会いたかったのだよ」

「わたしを脅すためにですか？」

「とんでもない。きみに配慮するためだよ、ミズ・セクストン。ホワイトハウスでは何もかも筒抜けだ。われわれが面談したことが伝わったら、きみと父上の関係がまずくなるだろう」

「お心づかいに感謝します」

「きみは微妙な綱渡りを器用にこなしているようだし、その邪魔をする理由はないからな」

レイチェルはけさの父とのやりとりを思い出し、あれを〝器用〟と呼べるものかと疑問に思った。とはいえ、ザック・ハーニーはわざわざ礼を尽くしてくれた。そんなことをする義理はないのに。

「レイチェルと呼んでもいいかね」

「もちろんです」わたしもザックと呼んでいいかしら？

「ここがわたしのオフィスだ」ハーニーは彫刻の施されたカエデ材のドアをあけ、レイチェルを中へ通した。

エア・フォース・ワンの大統領執務室はホワイトハウスのそれよりも明らかにくつ

ろげそうだが、そのしつらえにはやはり威厳が漂っていた。机には書類がうずたかく積まれ、奥の壁には目を引く油絵が飾られている。それは古風な帆船が三本のマストを満帆にして突風と格闘するさまを描いた絵で、まさにザック・ハーニー大統領の現況そのものを思わせた。

机を囲む三つのエグゼクティブ・チェアーのひとつを勧められ、レイチェルはそれに腰かけた。大統領は机の向こうにすわるのだろうと思いきや、残りの椅子のひとつを引っ張ってきて、隣にすわった。

対等の立場ってわけね、とレイチェルは察した。さすがは人間関係の達人だわ。

「さて、レイチェル」ハーニーは言い、大きくため息をついて椅子の背にもたれた。「こんなところに連れこまれて、ひどく不安に思っているだろうな」

その率直な物言いに、残っていたレイチェルの警戒心はすべて崩れ去った。「正直申しあげて、うろたえています」

ハーニーは大笑いした。「そいつはいいな。NROの人間をうろたえさせる機会は頻繁にあるものではない」

「NROの人間がハイキングブーツを履いた大統領からエア・フォース・ワンへ招かれる機会も、頻繁にはありません」

ハーニーはまた笑った。

静かなノックの音がコーヒーの到着を告げた。乗務員のひとりが、湯気の立つ白鑞《はくろう》のポットとそろいのマグを二客、トレイに載せて持ってきた。ハーニーの指示を受け、トレイを机に置くとすぐ立ち去った。

「クリームと砂糖は？」コーヒーを注ぎに立ったハーニーが尋ねる。

「クリームだけお願いします」レイチェルは芳醇《ほうじゅん》な香りを堪能した。合衆国大統領じきじきにコーヒーを注いでくださるのね？

ハーニーは重厚な白鑞のマグを手渡して言った。

「本物のポール・リヴィアだ。ささやかな贅沢《ぜいたく》のひとつだよ」

レイチェルはひと口味わった。これほどおいしいコーヒーは飲んだことがない。

「さて」ハーニーは自分のマグへもコーヒーを注ぎ、ふたたび腰をおろした。「あまりゆっくりできないから、本題にはいろう」カップに角砂糖をひとつ落とし、顔をあげてレイチェルを見る。「ピカリングのことだから、わたしがきみを誘ったのは、きみを利用して政治的優位に立つためにちがいないと吹きこんだのではないかね」

「実は、まさにそのとおりのことを言われました」

ハーニーは肩をすくめた。「あの男は相変わらずひねくれ屋だな」

「では局長の考えちがいだと？」

「まさか」ハーニーは一笑した。「ビル・ピカリングが考えちがいなどするものか。いつものとおり、ずばり的中だ」

9

セクストン上院議員のオフィスへ向かって朝の往来を進むリムジンのなかで、ガブリエール・アッシュはぼんやり窓の外をながめながら、いったいどんなふうにこの地位にたどり着いたのかを振り返っていた。セジウィック・セクストン上院議員の個人秘書。これこそが自分のめざしていたものではなかったのか。

自分はいま、次期合衆国大統領といっしょにリムジンに乗っている。

セクストンは向かいの豪華なシートで考え事に没頭しているらしい。そのハンサムな顔立ちと完璧《かんぺき》な装いにガブリエールは感じ入った。まさに大統領の風格がある。

ガブリエールがはじめてセクストンの講演を見たのは、三年前、コーネル大学で政治学を専攻していたころのことだ。聴衆を魅了したあの瞳《ひとみ》の力をけっして忘れることはあるまい。まるで〝わたしを信じなさい〟と、ひとりひとりに語りかけてくるようだった。講演が終わったあと、その姿を間近で見たくてガブリエールは列に並んだ。「ガブリエール・アッシュか」名札に目を留めてセクストンは言った。「若く愛らしい女性にふさわしい、愛らしい名前だ」そのまなざしは安心感を与えてくれた。「ありがとうございます」握手を交わす手に力強さを感じながら、ガブリエールは答えた。「お話に大変感銘を受けました」

「そう言ってもらえてうれしいね！」セクストンはガブリエールの手に名刺を押しつけた。「わたしと理想を同じくする、若くて聡明《そうめい》な人材をいつも探しているんだよ。卒業したら連絡してくれないか。仕事を見つけてあげられると思う」

ガブリエールは礼を述べようと口を開いたが、セクストンはもうつぎの学生へ関心を移していた。けれども、それから数か月間、ガブリエールはテレビでその上院議員の動向を追いつづけた。セクストンが政府の莫大《ばくだい》な浪費を強く批判するのを──そして予算削減をいち早く提唱し、国税局の業務効率化や、肥大した麻薬取締局の人員縮小や、無駄な行政プログラムの廃止さえも主張するのを──ガブリエールは賛嘆の目で見守った。その後、妻が自動車事故で急死したときに、セクストンが逆境をいつの間にか好材料へと転じていくのを見て、畏敬《いけい》の念を覚えた。個人的な悲しみを乗り越えたセクストンは、公人としての余生を亡き妻の霊に捧げるべく、大統領選挙に立候補することを世間に表明した。選挙戦の際には上院議員の身近で働こうと、ガブリエールはすぐさま心に決めた。

その自分がいまや、側近中の側近とも言うべき立場にある。

ガブリエールはセクストンの瀟洒《しょうしゃ》な執務室で過ごした一夜を思い起こし、身震いして、恥ずべきその光景を脳裏から締め出そうとした。まったく何を考えていたんだろう。拒むべきとわかっていたのに、なぜか体が言うことを聞かなかった。セジウィック・セクストンは長く憧《あこが》れつづけた人であり……求められる自分を夢想する相手でもあった。

リムジンが道路の突起を踏み越え、その震動でガブリエールは現実に引きもどされた。

「どうかしたのか」セクストンの視線が向けられていた。

とっさに笑みを浮かべる。「なんでもありません」

「例のすっぱ抜きの件をいまだに気に病んでるんじゃないだろうな？」

ガブリエールは肩をすくめた。「ええ、まだ少しは気になります」

「心配するな。あれは、わたしの陣営にとっては願ってもない追い風だったんだから」

ガブリエールが苦い経験をもって学んだことだが、政界では、対立候補が精力増強剤を服用しているとか、筋肉隆々の男を満載した雑誌を購読しているといった噂を流す戦術が使われることがある。美しい戦法とは言いかねるが、うまくいけば見返りは大きい。

もちろん、裏目に出れば……

そして今回は裏目に出た。ただし、しくじったのはホワイトハウスのほうだ。ひと月ほど前、世論調査での不振に動揺した大統領側の選挙スタッフが、攻勢に出ようと目論《もくろ》んで、信憑《しんぴょう》性がありそうな秘話をリークした。セクストン上院議員が個人秘書のガブリエール・アッシュと肉体関係を結んだというものだ。ホワイトハウスにとって不運だったのは、物的証拠がまったくなかったことだ。〝攻撃は最大の防御〟を信条とするセクストンは、ここぞとばかりに反撃をはじめた。記者会見を開き、全国へ向けて身の潔白と憤りを訴えた。「とても信じられません」苦悩をにじませた目でカメラを見据え、セクストンは言ったものだ。「大統領ともあろうかたが、こんな悪意に満ちた作り話で亡き妻の霊を侮辱なさるなんて」

セクストンがテレビで見せたその演技は真に迫っており、関係など結んでいないとガブリエール自身が信じかけたほどだった。いともたやすく嘘をつく姿を目のあたりにして、いかに危険な男かを実感した。

最近では、このレースで自分が賭《か》けたのが最強の馬だとは確信しているものの、はたして最良の馬なのだろうかと迷いだしていた。セクストンの身近で働いてきたことは、現実を直視するうえでは大いに役立った。ハリウッドが魔法の国でもなんでもないと悟らせて子供の夢を打ち砕く、ユニバーサル・スタジオの舞台裏ツアーと同じように。

セクストンの政治的主張を支持する気持ちは変わらないが、その人間性にガブリエールは疑問を感じはじめていた。

10

「レイチェル、これからきみに話すのは」ハーニー大統領は言った。「ＵＭＢＲＡ級の機密情報だ。現在のきみの地位では、ぜったいに知りうるはずがない」

レイチェルは、エア・フォース・ワンの壁面が四方から迫ってくるのではないかと錯覚した。大統領はこのワロップス島まで自分を呼び寄せ、専用機へ招き入れ、コーヒーをふるまい、選挙で優位に立つために自分を利用するつもりだとさえ言い放った。そしていま、法規を無視して機密情報を打ち明けようとしている。うわべはいかに気さくに見えても、ザック・ハーニーにはやはり尊大な一面があるらしい。早くも有無を言わせないふうだ。

「二週間前」ハーニーはレイチェルを鋭く見据えて言った。「NASAがひとつの発見をした」

そのことばの意味を理解するのに、レイチェルはしばしの時間を要した。NASAの発見？　最新の報告にも、NASAで特別な事態が発生したとはひとことも書かれていなかった。もっとも、当節〝NASAの発見〟と言えば、新規プロジェクトの大幅な資金不足が判明したことを指すのが常なのだが。

「先へ進む前に」ハーニーは言った。「きみも父上と同じく宇宙開発について懐疑的な考えを持っているのかどうか、聞かせてもらいたい」

レイチェルはその問いに憤慨した。「わたしをここにお呼びになったのは、まさか、父をまるめこんでNASA叩《だた》きをやめさせるためじゃありませんよね」

ハーニーは笑った。「もちろんちがう。わたしも上院での経験は長い。セジウィック・セクストンをまるめこめる人間などいないさ」

「父は好機を逃さない人間です。成功する政治家はたいていそうですけどね。残念なことに、NASAはまさにその機会を提供しています」このところNASAが重ねている失敗は、目もあてられないほどひどいものばかりだ——人工衛星が軌道上で崩壊し、宇宙観測ロケットが帰還せず、国際宇宙ステーションの予算が十倍に跳ねあがり、協力国は沈みかけた船のネズミよろしく退散していく。何十億という金が無駄に消えていく現状を、セクストン上院議員は絶好の波ととらえ、うまく乗りこなした——その波によって、ペンシルヴェニア通り一六〇〇番地（ホワイトハウスの所在地）にある岸辺へ運ばれる定めであるかのように。

「それは認めよう」ハーニーはつづけた。「近ごろのNASAは災厄そのものだ。わたしが振り向くたびに、予算を削らざるをえなくなる新たな原因を投げつけてくるんだから」

それを手ごろな足掛かりと見て、レイチェルは一歩踏み出した。

「でも、たしか新聞には、先週も債務超過を解消するために、あなたがさらに三億ドルの緊急援助をお決めになったとありましたけど」

ハーニーは含み笑いをした。「きみの父上の思う壺《つぼ》だろうな」

「敵から弾薬を送られたようなものですから、最高でしょう」

「〈ナイトライン〉に出演したときの発言は聞いたかね？　〝ザック・ハーニーは宇宙狂で、その道楽に納税者は資金を提供しています〟だと」

「しかし、あなたはご自身でその正しさを証明なさっていますよ」

ハーニーはうなずいた。「ＮＡＳＡの熱烈な支持者であることを隠す気はない。これまでもずっとそうだったよ。わたしは宇宙競争時代に生まれ育った。スプートニクや、ジョン・グレンや、アポロ十一号の時代にね。だから、わが国の宇宙計画に対する賞賛や誇りをためらうことなく表明してきた。わたしの考えでは、ＮＡＳＡを支える者たちは歴史を担う現代の開拓者だ。彼らは不可能に挑み、失敗を受け入れ、傍観者から非難されつつも、ふたたび出発点に立ち返る」

レイチェルはだまっていたが、大統領の穏やかな表情の下に、父の執拗《しつよう》なＮＡＳＡ批判への深い怒りがひそんでいるのを感じた。ＮＡＳＡの発見とはなんだろうという思いが募った。大統領はまだ核心にふれようとしない。

「きょう、これから」ハーニーは語気を強めて言った。「ＮＡＳＡに関するきみの意見をすべて覆してみせよう」

レイチェルは半信半疑の目を向けた。「わたしの票はすでにあなたのものです。ほかの国民の説得に集中なさるべきじゃありませんか」

「そうするつもりだ」コーヒーをひと口飲んで、ハーニーは微笑んだ。「だからこそきみの助けを借りようとしている」ことばを切り、少し身を乗り出す。「きわめて異例の方法でね」

レイチェルはいまやザック・ハーニーに一挙手一投足を観察されている気がしてきた。獲物が逃げ出すか抵抗するかを見きわめようとする狩人《かりゅうど》のようだ。あいにく、レイチェルには逃げ場がなかった。

「きみはたぶん」ハーニーは言い、互いのマグにコーヒーを注ぎ足した。「EOSと呼ばれるNASAのプロジェクトを知っているだろう」

レイチェルはうなずいた。「地球観測システムですね。父が一、二度叩いていたはずです」

軽くあてこすってみると、ハーニーは渋い顔をした。実のところ、セクストンは事あるごとに地球観測システム（EOS）を槍玉《やりだま》にあげていた。それは最も論議を招いているNASAの金食い事業のひとつだ。地球を見おろす形に配置された五つの衛星群によって、オゾン層の減少、極氷の融解、地球温暖化、多雨林の落葉などの環境の変化を解析するもので、地球の将来のためによりよい対策を講じられるよう、環境学者に画期的な肉眼データを提供することを目標としている。

残念ながら、ＥＯＳ計画の評判は芳しくない。昨今のＮＡＳＡのプロジェクトの例に漏れず、発足当初からコストの超過に悩まされどおしだった。矢面に立たされたのはザック・ハーニーだが、それは環境団体のあと押しを得て、ＥＯＳ計画に十四億ドルを投入する議案を通過させた張本人だからだ。ところが地球全般に及ぶ科学への貢献を果たすどころか、ＥＯＳはほどなく、打ちあげの失敗や、コンピューターの誤作動や、重苦しい記者会見といったひどい悪夢に陥った。ここへ来てただひとり上機嫌なのがセクストン上院議員で、大統領が有権者の血税をどれほどＥＯＳにつぎこんだか、その見返りがどれほど貧弱であるかを、得意げに言い募っている。

ハーニーはマグに角砂糖を投げ入れた。「意外に聞こえるかもしれないが、今回の発見を成しとげたのは、ほかならぬＥＯＳだ」

レイチェルはとまどいを覚えた。ＥＯＳがごく最近成果をあげたのなら、なぜまだ公表されていないのか。父がマスコミでさんざんＥＯＳをこきおろしてきたのだから、ＮＡＳＡはよい知らせがあればすぐさま利用したいはずなのに。

「まったく初耳です」レイチェルは言った。「なんであれ、ＥＯＳが発見していたなんて」

「当然だ。NASAはその朗報をしばらく寝かせておくことにしたのだよ」

レイチェルは不審に思った。「わたしの経験から申しあげて、ことNASAに関しては、知らせがないのはたいてい悪い知らせです」自制はNASA広報部の得意とするところではない。NASAはおかかえ科学者のひとりが屁《へ》をしただけでもいちいち記者会見を開く、とNROでは笑い草にしている。

ハーニーは顔をしかめた。「ああ、そうだな。機密保持にうるさいピカリングの部下と話しているのを忘れていたよ。いまだにあの男はNASAの口の軽さを嘆いているのか」

「機密保持が仕事ですから。とても深刻に受け止めていらっしゃいます」

「それも悪くないがね。ただ、ふたつの機関には共通するところも多いのに、何かといがみ合っているのが不思議だよ」

レイチェルはウィリアム・ピカリングのもとで働きはじめてまもなく、NASAとNROはともに宇宙関連機関でありながら、両者の理念が対極をなしていることを知った。NROは防衛機関であり、宇宙での活動のすべてを厳密に秘するが、一方のNASAは学術機関であり、新発見のすべてを世界じゅうに嬉々《きき》として――ピカリングに言わせれば、しばしば国家の安全を危険にさらしてまで――広めたがる。NASA

の最高の技術のいくつか――衛星望遠鏡の高解像度レンズ、長距離通信システム、電波画像デバイスなど――は敵対国の機密データにおさまるという悪癖を持ち、わが国に向けてのスパイ活動に逆用されている。ピカリングは常々こぼしていた。NASAの科学者は知恵がまわるが……それ以上に舌もまわる、と。

しかし、両機関がかかえるもっと重大な問題は、NASAがNROの衛星の打ちあげを担っているために、近年重ねている失敗の多くがNROに直接の損害を及ぼすということだ。とりわけ一九九八年八月十二日の事故は衝撃的だった。NASAと空軍が共同で打ちあげたタイタン4型ロケットが発射四十秒後に爆発し、搭載していた十二億ドル相当のNROの偵察衛星（暗号名ヴォルテクス2）――が跡形もなく消えたのだ。ピカリングはそのことをけっして水に流さないつもりらしい。

「ではどうしてNASAは今回の成功を公にしないのですか」レイチェルは説明を求めた。「吉報はすぐにでも利用したいはずです」

「NASAはまだ公表しない」ハーニーは言いきった。「わたしがそう命じたからだ」

ことばを聞きちがえたかとレイチェルは思った。もし事実なら、大統領は、自分には理解しがたい政治的ハラキリを決行しているにちがいない。

「この発見は」ハーニーはつづけた。「言ってみれば……各方面をまさに震撼《しんかん》させるものだ」

レイチェルはいやな予感を覚えた。政治情報の世界では、〝各方面を震撼させる〟という言いまわしをよい知らせに使うことはまずない。事実が伏せられているのは、差し迫った大災害をEOSが探知したからではないのか。「問題が発生しているのですか」

「問題など何もない。EOSが発見したのは実にすばらしいものだ」

レイチェルはだまりこんだ。

「ではレイチェル、NASAが科学的にきわめて重要な発見を……地を揺るがすほどの大発見をして、これまで宇宙で大金を費やしてきたことの正当性が立証されたとしたらどうする？」

レイチェルには想像がつかなかった。

ハーニーは腰をあげた。「外を歩こうか」

11

レイチェルはハーニー大統領のあとについて、まぶしく輝くタラップへ足を踏み出した。階段をおりながら、涼やかな三月の空気が頭をすっきりさせるのを感じた。不幸にも、おかげで大統領の主張がますます奇異に思えるばかりだったが。

ＮＡＳＡが科学的にきわめて重要な発見をして、これまで宇宙で大金を費やしてきたことの正当性が立証される？

そこまで重大な発見と言われると、ひとつのことしか想像できなかった。ＮＡＳＡの宿願――すなわち、地球外生命体との接触である。あいにく、その宿願がかなわないと言いきれるだけの知識をレイチェルは持ち合わせていた。

宇宙人との接触を政府が隠蔽《いんぺい》しているのではないかと穿鑿《せんさく》する者たちが浴びせる質問の数々に、レイチェルは情報分析者として常時接していた。その手の〝教養人〟が編み出す仮説にはいつも唖然《あぜん》とさせられる。墜落した円盤が政府の所有する秘密の地下壕《ごう》に隠されているとか、地球外生命体の死骸《しがい》が冷凍保存されているとか、あげくには、何も知らない一般市民が誘拐されて人体実験を受けているとまで言いだす始末だ。

むろん、どれもばかげた憶測だ。宇宙人など存在しない。隠蔽の事実もない。

情報機関に勤める者はみな、膨大な数にのぼるUFOの目撃や宇宙人による誘拐の報告が、たくましい想像の産物か金儲《かねもう》けのためのでっちあげだと承知している。本物らしいUFOの証拠写真も少なくないが、それらには、新型航空機のテストをおこなう米軍基地の近くで撮影されるという珍妙な共通点がある。ロッキード社がステルス・ボンバーという画期的な新型ジェット機の飛行実験をはじめたころには、エドワーズ空軍基地の周辺でのUFOの目撃報告が十五倍に増加した。

「怪しんでいる顔だな」レイチェルを横目で見て、ハーニーは言った。

その声に、レイチェルは急にわれに返った。視線を返したものの、どう答えたらいいかわからない。「あの……」と口ごもる。「異星から来た宇宙船とか、緑色の人間たちの話をされているのではありませんね？」

ハーニーはひそかにおもしろがっているふうだ。「これはSFをはるかにしのぐ興味深い発見だと、きみもきっと思うはずだ」

大統領に宇宙人の話を売りこむほどNASAが行き詰まっているのではないとわかり、レイチェルは安堵《あんど》した。とはいえ、いまのことばで謎はさらに深まった。「でも、NASAが何を見つけたのであれ、実に都合のいいタイミングだと言わざるをえませんね」

ハーニーはタラップの途中で足を止めた。「都合のいい？　どうして？」

どうして、ですって？　レイチェルは立ち止まって相手の目を見た。「NASAは存亡を懸けた戦いに臨んでいますし、あなたご自身も、資金投入をつづけることに対して非難を浴びていらっしゃるじゃありませんか。いま大発見でもあれば、NASAと選挙戦の両方にとって絶好の妙薬となります。あなたを批判する人たちがこのタイミングを大いにいぶかしむのは目に見えていますよ」

「つまり……わたしが嘘つきかまぬけだと言っているのかね」

レイチェルは喉《のど》に息苦しさを感じた。「そんな失礼なことを申しあげたつもりはありません。わたしはただ――」

「落ち着いて」ハーニーはかすかに口もとをゆるめ、またタラップをおりはじめた。「わたしもNASAの長官からはじめてこの発見について聞かされたときは、ばかばかしいと一蹴《いっしゅう》したのだよ。歴史上最も見え透いた政治的猿芝居だと言ってね」

レイチェルの喉の息苦しさはいくぶん和らいだ。

タラップをおりきると、ハーニーは立ち止まって振り向いた。「発見を秘密にしておくよう指示したのは、NASAを危険にさらしたくなかったからでもある。今回の発見の重みは、NASAがこれまでに公表したものとは比較にならない。人類の月面着陸さえ瑣末《さまつ》に思えるだろう。わたし自身を含めただれもが――よきにつけ悪しきにつけ――多大な影響をこうむるのは避けられない。だからこそ慎重を期して、全世界に向けた正式発表に踏みきる前にNASAのデータをもう一度検証させようと考えたのだよ」

レイチェルは一驚した。「まさか、それをわたしにさせようとお考えで？」

ハーニーは笑った。「いや、これはきみの専門分野ではないからな。それに、もう政府外のルートを使って検証を終えている」

レイチェルはほっとしつつも、新たな疑念をいだいた。「政府外とおっしゃいましたね。つまり民間の機関を利用されたということですか？　それほどの機密事項に対して？」

ハーニーは自信ありげにうなずいた。「部外者ばかりで検証チームを編成した。在野の科学者が四人――知名度と守るべき定評のある、NASAとは無関係の人たちだ。分析には各自が持参した機器を使い、それぞれ別個に推論させた。そしてこの四十八時間のあいだに、NASAの新発見には一点の疑いもないと全員が結論を出したのだよ」

いまやレイチェルは感服していた。大統領は持ち前の冷静さで予防線を張ったわけだ。懐疑的な面々――NASAに肩入れをしてもなんら得るところのない第三者――を雇って立証させれば、その発見にまつわる大きな疑惑をはねつけることができる。NASAが巨額の予算を正当化し、庇護《ひご》者である大統領を再選させて、セクストン上院議員の攻撃を封じるための破れかぶれの策略ではないかという疑惑だ。

「今夜、午後八時」ハーニーは言った。「ホワイトハウスで記者会見を開いて、この発見を全世界に公表するつもりだ」

レイチェルは苛立《いらだ》ちを覚えた。まだ肝心なところを何も聞かされていないままだ。「そもそも、それはどんな発見なんですか」

ハーニーは微笑んだ。「忍耐は美徳だと、きみも思い知らされるはずだ。どんな発見かはきみ自身の目でたしかめる必要がある。まずは現状をしっかり把握してもらいたいからな。NASAの長官に説明を頼んである。あらゆる疑問に答えてくれるだろう。そのあとで、きみの役割についてあらためて話そう」

ハーニーの瞳《ひとみ》には波乱含みの緊張感がうかがえる。ホワイトハウスに何やら深い企《たくら》みがあるとピカリングがほのめかしていたことが思い出された。やはりその直感は正しかったらしい。

ハーニーは格納庫のほうを手で示した。「ついてきたまえ」そう言って、先を歩いていく。

レイチェルは困惑しつつあとを追った。眼前の格納庫には窓がなく、見あげるばかりの入出庫口は厳重に閉じられている。唯一通れるのは側面の小さな通用口だけのようだ。そこのドアは半開きになっている。その数フィート手前でハーニーは足を止めた。

「ここでお別れだ」そう言ってドアを指し示す。「あそこからはいってくれ」

レイチェルはためらった。「いっしょに来てくださらないのですか」

「ホワイトハウスへもどらなくては。すぐにまた話せるとも。携帯電話を持っているかね」

「もちろんです」

「貸してくれ」

直通番号を登録するのだろうと思い、レイチェルは携帯電話を取り出して渡した。ところが、ハーニーはそれをポケットにしまいこんだ。

「これできみは丸腰だ」ハーニーは言った。「NROでの業務のことは心配しなくていい。以後はわたし自身かNASA長官の許可を得ずに他者と話すことは許されない。

了解かね？」

レイチェルは目を瞠《みは》った。大統領はいま、わたしの携帯電話を強奪したの？

「発見についての説明がすんだら、長官が安全な回線でわたしに連絡してくれる。そのとき話そう。では幸運を祈る」

レイチェルは格納庫のドアを見て、心細さが募るのを感じた。

ハーニー大統領は励ますようにレイチェルの肩に手を置き、ドアのほうを顎《あご》で示した。「レイチェル、この件で協力してくれたことをけっして後悔させないとも」

それだけ言い残して、ハーニーはレイチェルの乗ってきたペイヴホークに乗りこみ、飛び立っていった。一度も振り返らずに。

12

ワロップス島の格納庫の入口に取り残され、レイチェル・セクストンは中の暗闇をのぞきこんだ。別世界との境目にいる気がしてならない。まるで建物全体が息をしているかのように、うつろな空間から冷たく黴《かび》くさい空気が漂ってくる。

「どなたかいらっしゃいますか」叫ぶ声がわずかに震えた。

応答はない。

不安を募らせつつ、レイチェルは庫内へ足を踏み入れた。視界が真っ暗になったが、ほどなく暗さに目が慣れた。

「ミズ・セクストン？」ほんの数ヤード向こうで男の声がした。

レイチェルは飛びあがり、声が響いたほうを向いた。「そうです」

おぼろげな人影が近づいてくる。

視界がはっきりすると、NASAのフライト・スーツ姿の、顎の引き締まった若者が真正面に立っているのが見えた。鍛えあげた筋肉隆々の体つきで、胸にはこれでもかとばかりバッジが並んでいる。

「ウェイン・ルーシジアン中佐です。驚かせてしまったようで申しわけありません。ここは暗すぎますね。正面の扉をあけておく時間がなかったもので」返答を待たず、男は言い足した。「本日はわたくしがパイロットをつとめさせていただきます」

「パイロット？」レイチェルは目を大きくした。パイロットはもういいわ。「長官に会いにきたんですけど」

「はい、ただちにお連れするようにと指示を受けています」

そのことばが頭にしみこむのにしばらくかかった。やがてだまされたと気づき、愕《がく》然《ぜん》とした。どうやら旅はまだ終わっていないらしい。「長官はいったいどこにいるの?」レイチェルは身構え、声も荒く尋ねた。

「わたくしもまだ知りません」パイロットは答えた。「離陸後に正確な位置を知らされることになっています」

嘘ではなさそうだ、とレイチェルは感じた。目隠しをされているのは自分とピカリング局長だけではないらしい。大統領がこの件の扱いにひどく慎重だったのは明らかで、その大統領にいともたやすく〝丸腰〟にされた自分が情けなかった。戦場に半時間いただけで、通信手段を残らず断たれ、局長に居場所を知らせることもできないなんて。

けさのこの筋書きはあらかじめ決まっていたにちがいない。直立不動のNASAのパイロットを前にして、レイチェルは思った。好むと好まざるとにかかわらず、カーニバルの乗り物は自分を乗せてもう動きだしている。気になるのは目的地だけだ。

パイロットは大股《おおまた》で壁へ歩み寄り、ボタンを押した。格納庫の奥の壁がけたたましい音を立てて片側へ動く。外から陽光が差しこみ、中央にある大きな物体を照らし出した。

レイチェルはあんぐりと口をあけた。神さま、助けて。

格納庫の真ん中に鎮座しているのは、物騒きわまりない黒い戦闘機だった。これほどまでに効率を重んじた飛行機は見たことがない。

「からかってるんでしょう?」

「はじめてのかたはよくそんなふうにおっしゃいますけど、F—14トムキャット・スプリットテールの飛行性能は折り紙つきですよ」

翼の生えたミサイルね。

パイロットはレイチェルを機体のほうへ導き、二座席あるコックピットを手で示した。「後ろの席へどうぞ」

「あら、そう」レイチェルは引きつった笑顔を見せた。「こんどは操縦を頼まれるのかと思ったわ」

衣服の上から保温性の高いフライト・スーツを身に着けたのち、レイチェルはコックピットによじのぼった。ぎこちない動きで、せまい座席に尻《しり》を押しこむ。

「NASAにはお尻の大きいパイロットがいないのかしら」

パイロットはにやりと笑って、レイチェルがシートベルトを締めるのを手伝った。

それから頭にヘルメットをかぶせた。

「かなりの高度で飛びます」パイロットは言った。「酸素が必要になりますよ」側面のダッシュボードから酸素マスクを取り出して、レイチェルのヘルメットに留めつけはじめる。

「自分でできるわ」レイチェルは手を伸ばしてマスクを引きとった。

「そうでしょうとも」

レイチェルはマウスピースをいじりまわしたすえ、どうにかヘルメットへの装着を終えた。マスクは驚くほど着け心地が悪く、不快だった。

パイロットはどことなく楽しげな顔で観察している。

「どうかした?」レイチェルはきびしい声で言った。

「なんでもありません」どう見ても笑いを嚙《か》み殺している。「座席の下にエチケット袋があります。スプリットテールにはじめて乗る人はたいていい気分が悪くなるんですよ」

「わたしはだいじょうぶ」息苦しいマスクで声をくぐもらせながら、レイチェルは請け合った。「乗り物酔いはしないほうなの」

パイロットは肩をすくめた。「海軍特殊部隊の連中もほとんどがそう言いますけど、やつらの汚物をこれまで何度拭《ふ》きとってやったことか」

レイチェルは弱々しくうなずいた。すてきなお話ね。

「ほかに訊《き》いておきたいことはありますか」

レイチェルは一瞬ためらったのち、顎に食いこむマウスピースを指で叩《たた》いた。「血が止まりそうなの。よくこんなものをずっと着けていられるわね」

パイロットは寛容な笑みを浮かべた。「そうですね、ふつうは逆さまに着けたりしませんから」


滑走路の末端で、足もとにエンジンの震動を感じながら、レイチェルは自分が撃発を待つ銃弾に化けた気分に陥っていた。パイロットがスロットルを前へ倒すと、トムキャットのツイン・エンジンが轟音《ごうおん》をあげ、機体が大きく震えた。ブレーキの枷《かせ》がはずれた拍子に、背中が座席に叩きつけられる。ジェット機は滑走路を突き進んで、ものの数秒で離陸した。窓から見える地面が目まぐるしい速さで遠ざかっていく。

機体が急上昇するなか、レイチェルは目を閉じた。そして、けさのどの時点で誤りを犯したのだろうと思い返した。机で要旨をまとめているはずだったのに、いまや男性ホルモンの煮えたぎる空中魚雷にまたがって、酸素マスクで呼吸する羽目になっている。

高度四万五千フィートでトムキャットが水平飛行に移ったころ、吐き気が頭をもたげた。レイチェルは何か別のことを考えようとした。九マイル下の海を見ていると、不意にわが家が遠く感じられた。

前の席では、パイロットが無線でだれかと話している。会話を終えて無線を切ると、いきなり機体を急角度で左へ傾けた。傾きはかぎりなく垂直に近づき、レイチェルは胃がでんぐり返るのを感じた。しばらくして、機体はまた水平にもどった。

レイチェルは吐き捨てるように言った。「ご警告ありがとう、曲芸師さん」

「申しわけありません、たったいま、長官との極秘の会見場所を指示されたもので」

「あててみましょうか」レイチェルは言った。「真北へ向かってる?」

パイロットは面食らっている。「どうしてわかったんです!」

レイチェルはため息をついた。コンピューターで訓練されたパイロットなんて、かわいいものね。「いまは午前九時で、太陽が右側に見えてるでしょう? だから進行方向は北なの」

しばしの沈黙があった。「そうです。北へ飛ぶことになっています」

「で、どのくらい北へ行く予定なの?」

パイロットは指示のあった位置を確認した。「約三千マイルです」

レイチェルは硬直した。「なんですって？」地図を思い描こうとしたが、そんな遠くに何があるのかは想像すらできない。「四時間かかるじゃない！」

「いまの速度だと、そうですね」パイロットは言った。「ちょっとお待ちください」

レイチェルが返答する間もなく、パイロットはF－14の両翼をおさめて機体の受ける抵抗を減らした。つぎの瞬間、レイチェルはまたも座席に叩きつけられ、飛行機はこれまで静止していたのかと錯覚させるほどの勢いで一気に加速した。一分もしないうちに、速度はほぼ時速千五百マイルに達した。

レイチェルの頭はくらくらしていた。めくるめく速さで空が切り裂かれるなか、容赦なく襲いかかる吐き気と闘った。大統領の声がぼんやりとこだまする。〝レイチェル、この件で協力してくれたことをけっして後悔させないとも〟。

うめきつつ、エチケット袋に手を伸ばした。政治家なんか信用しちゃだめね。

13

公共のタクシーのみすぼらしさは好きになれないが、セジウィック・セクストン上院議員は、栄光への途上ではときとして恥辱にも耐える必要があると知っていた。たったいまパデュー・ホテルの地下駐車場でセクストンをおろした薄汚いメイフラワー・キャブは、愛用のストレッチ・リムジンにはけっして望めないもの――匿名性――を提供してくれた。

ありがたいことに周囲には人気《ひとけ》がなく、立ち並ぶコンクリートの柱のあいだに埃《ほこり》をかぶった車が数台見てとれるだけだ。駐車場を斜めに横切りながら、セクストンは腕時計に目をやった。

午前十一時十五分。ぴったりだ。

これから会う男は、どんなときも時間に神経質だった。もっとも、その男の担う役割を考えれば、あらゆることに神経質になって当然かもしれない。

白のフォード・ウィンドスターのミニバンが、いつもとまったく同じ場所――駐車場の東端、ごみ容器の列の陰――に停まっている。できれば上階の客室で会いたいものだが、相手が用心する気持ちもよくわかった。並はずれた慎重さがなければ、いまの立場までのぼり詰めることはできない。

　バンへ近づくにつれ、セクストンは接触の前に毎度感じる緊張感に襲われた。どうにか肩の力を抜き、快活に手を振って助手席に乗りこむ。運転席にいる黒髪の紳士はにこりともしなかった。その男は七十に手が届こうという歳だが、その硬く引き締まった顔には、押しの強い夢想家たちや無慈悲な企業家たちの顔役らしい一徹さがにじみ出ていた。

「ドアを閉めろ」男は冷たく言った。

　ぶっきらぼうな口調を意に介さず、セクストンは従った。なんと言っても、相手は巨額の金――その大部分は、世界で最も権威ある館の入口までセクストン上院議員を運ぶために、最近集められたものだ――を動かす者たちの代表だ。この密会は、戦略を練ることよりも、どれだけ後援者の恩義を受けているかを自分に毎月思い出させるのが目的にちがいない。彼らは投資に対する大きな見返りを望んでいるが、それはあまりに傲慢《ごうまん》な要求だと言わざるをえない。とはいえ、驚くべきことに、自分が大統領の座につけばその程度の要求には応《こた》えてやれる。

「どうやら」相手が単刀直入を好むと知っているので、セクストンはすぐに切り出した。「また入金していただけたようですね」

「ああ。これまでどおり、あくまでも選挙資金として使ってもらいたい。喜ばしいことに、世論調査の数字は着実にきみの優勢に転じている。きみの選挙スタッフはわれわれの金を有効に使っているらしいな」

「急速に勝利へ近づいています」

「電話でも話したが、新たに六人に、今夜きみと会うことを了承させた」

「すばらしい」セクストンはすでにその時間をあけてあった。

老紳士はセクストンにフォルダーを渡した。「その六人の情報だ。目を通しておきたまえ。連中は、それぞれの関心事をきみが正確に把握しているかどうかを知りたがる。きみが好意的かどうかもだ。家へ招いてはどうだろう」

「自宅ですか？　しかし、ふだんは――」

「上院議員、今回の六人はこれまで会った面々以上に潤沢な資産を持つ企業の経営者だ。大物ばかりだが、用心深い。得るものが多いゆえに失うものも多いわけだ。きみと会うよう説き伏せるのにもずいぶん骨が折れたよ。特別な配慮が必要だ。手厚い対応というやつが」

セクストンは即座にうなずいた。「おっしゃるとおりです。自宅でお会いする手筈《てはず》を整えましょう」

「当然ながら、完璧《かんぺき》なプライバシーが望まれる」

「それはこちらもです」

「成功を祈る」老紳士は言った。「今夜うまくいけば、接待はこれで最後になるだろう。この六人だけでも、セクストン候補を頂上へ押しあげるのに必要なものを提供できる」

　セクストンはその響きが気に入った。自信たっぷりの笑顔を見せる。「うまく運べば、決戦の日にはみなで勝利を叫びましょう」

「勝利？」老紳士は不気味なまなざしでセクストンを見やった。「上院議員、きみをホワイトハウスへ送りこむのは、勝利に向かう最初の一歩でしかない。それを忘れてもらっては困る」

14

　ホワイトハウスは世界でも最小クラスの大統領官邸である。間口は百七十フィート、奥行は八十五フィートしかなく、わずか十八エーカーの整然たる敷地に建っている。建築家のジェイムズ・ホーバンが手がけたその四角い石造りの建物は、寄棟屋根《よせむね》や欄干や、円柱の配された入口を備えており、独創的とはおよそ呼べないものの、広く公募されたコンテストで〝人目を引き、品格があり、柔軟性に富む〟と絶賛を受けて選出された設計案に基づいている。

ホワイトハウスで三年半を過ごしたいまも、ザック・ハーニー大統領にとって、シャンデリアと古めかしい調度品と武装した海兵隊員とが錯綜《さくそう》するこの迷宮で安らぎを感じることはめったになかった。しかしいまは、不思議とくつろいだ爽快《そうかい》な気分で西館へ歩を進めながら、豪奢《ごうしゃ》な絨毯《じゅうたん》の上で足が浮いているようにさえ感じた。

大統領が現れたのに気づき、ホワイトハウスのスタッフ数名が顔をあげた。ハーニーは手を振り、ひとりひとりの名を呼んで挨拶《あいさつ》した。スタッフの反応は丁重だが、気持ちを抑えて無理に微笑んでいる感もある。

「おはようございます、大統領」

「お久しぶりです、大統領」

「ごきげんよう」

大統領執務室へ足を向けると、背後でスタッフのささやき声がした。ホワイトハウスでは内乱が進行中らしい。ここ数週間のうちに、このペンシルヴェニア通り一六〇〇番地に生じた幻滅感は一気に増大し、いまではハーニーも、かのブライ艦長――乗組員に苛酷《かこく》な労を強いたため、暴動を企てられた男――の気分を味わいつつある。

けれども、スタッフを責めるつもりはなかった。来たるべき選挙に向けて疲労の極まで働いていたというのに、突如として大統領が失態をさらしはじめたのだから。じきにわかってもらえるとも。ハーニーは自分に言い聞かせた。じきにわたしはまた英雄になる。

内輪の者にこれほど長く目隠しをさせるのは不本意だが、秘密は断じて守らねばならなかった。ホワイトハウスはワシントンで最も秘密が漏れやすい場所だと言われている。

執務室の外の待合室に着くと、ハーニーは秘書に上機嫌で手を振った。「けさはすてきだね、ドロレス」

「あなたもですよ、大統領」くだけた装いにあからさまな非難の目を向けつつも、秘書は言った。

ハーニーは声を落とした。「ミーティングの準備をしてもらいたいんだが」

「どなたをお呼びしましょう」

「ホワイトハウスの全スタッフだ」

秘書は目をあげた。「全スタッフとおっしゃいました？　百四十五名全員？」

「全員だ」

秘書は動揺している。「わかりました。場所は……記者会見室でよろしいですか」

ハーニーは首を横に振った。「いや。わたしの執務室にしよう」

秘書は目を大きく見開いた。「全スタッフとあの部屋でお会いになると？」

「そうだ」

「全員一度に？」

「いけないかね。開始は午後四時だ」

気まぐれな患者の機嫌をとるかのように、秘書はうなずいた。「承知しました。それで、議題は……」

「今夜、全米国民に向けて重大発表をする。スタッフにはそれを最初に聞いてもらいたい」

この瞬間をひそかに恐れていたのか、秘書の顔を落胆の色がよぎった。声をひそめて言う。「選挙戦から手を引くおつもりなのですか」

ハーニーは噴き出した。「やめてくれ、ドロレス！　これから本腰を入れようとしているのに」

秘書はまだ不安らしい。マスコミはすでに、こぞってハーニー大統領の戦意喪失を伝えている。

ハーニーは安心させるようにウィンクをした。「ドロレス、きみにはこの数年さんざん世話になった。そして、また四年間さんざん世話になるよ。ホワイトハウスはだれにも渡さない。ほんとうだ」

秘書はそのことばを信じたがっているようだ。「安心しました。スタッフに通知します。午後四時ですね」


ザック・ハーニーは大統領執務室へ足を踏み入れながら、見た目以上にせまいその部屋にスタッフ全員がぎゅう詰めになるさまを想像して思わず笑みをこぼした。

この名高い執務室は、長年のあいだに数々の愛称をいただいていた。〝トイレ〟、〝ディックの隠れ家〟、〝クリントンの寝室〟。ハーニーのお気に入りは〝ロブスター捕りの罠《わな》かご〟で、それがいちばん似つかわしく思えた。はじめてこの部屋を訪れる者はみな、入室したとたんに方向感覚を失う。その左右対称の造りや、ゆるやかにカーブした壁や、内も外も入念に偽装された出入口などのすべてが、目隠しして体を回転させられたような感覚を訪問者に与える。ここで会談を終えた高官が、立ちあがって大統領と握手をしたのち、収納庫のほうへまっしぐらに歩いていくことは珍しくない。会談の内容しだいで、ハーニーは相手を早めに制止することもあれば、当惑する姿をおもしろがって見ていることもある。

ハーニーが大統領執務室で最も印象深く思うのは、楕円形《だえん》の絨毯に描かれた色鮮やかな白頭鷲《はくとうわし》だった。それは左の鉤爪《かぎづめ》にオリーブの枝を、右の鉤爪にひと束の矢をつかんでいる。外部の者にはほとんど知られていないが、平時には、鷲の顔は左のオリーブの枝のほうを向いている。ところが戦時には、なぜか右の矢のほうを向く。このちょっとした魔術のトリックについては、ホワイトハウスのスタッフのあいだでさまざまな憶測がささやかれている。古来、大統領と清掃係の主任だけが知る謎だからだ。その不思議な鷲にまつわる真相は、ハーニーががっかりするほど興ざめなものだった。地下の倉庫に楕円形の絨毯がもう一枚保管されており、清掃係が真夜中にそれらを敷き替えるにすぎない。

いま、ハーニーは左を向いた平和の鷲を見おろしながら、セジウィック・セクストン上院議員にこれから仕掛けるささやかな戦争を記念して絨毯を入れ替えるべきかもしれないと、笑みを浮かべながら思った。

15

米国デルタ・フォースは、その軍事行動に関して、大統領に匹敵する完全な免責特権が与えられた唯一の戦闘部隊である。

大統領決定指令二五はデルタ・フォースの隊員に〝すべての法的責務の免除〟を認めており、その除外範囲には、一八七八年制定の文民治安法――個人的利益、国内の法執行、無許可の隠密行動のために軍隊を利用した者には刑罰を科すと定めた法令――も含まれている。デルタ・フォースはノースカロライナ州フォート・ブラッグに本部がある秘密組織で、隊員は各種の特殊部隊から精選される。人質救出、急襲逮捕、凶悪なゲリラの排除などの特殊攻撃作戦に熟達した勇士ばかりだ。

デルタ・フォースの任務にはたいがい高度の機密保持が必要とされるため、幾層にも及ぶ伝統的な指揮系統がしばしば無視され、部隊を動かす権限を有するただひとりの指揮官の意思に左右される。指揮官は、任務を統括できるだけの地位や権力を持った、軍や政界の実力者であることが多い。指揮官がだれであれ、デルタ・フォースの任務は最高機密に属するものであり、いったん任務が完了すれば、隊員は仲間うちであれ、特殊作戦司令部内の上官に対してであれ、その内容を話してはならない。

飛ぶ《フライ》。戦う《ファイト》。忘れる《フォゲット》。

現在、北緯八十二度線上に基地を置いているデルタ・チームは、飛びも戦いもしていなかった。ひたすら監視をつづけている。

いまのところ、この任務はきわめて異例のものだとデルタ・ワンも認めざるをえなかったが、どんなことを要求されても驚かないすべを、とうの昔に身につけていた。過去五年のあいだに、中東での人質救出、アメリカ国内で活動するテロリスト細胞の捜索や撲滅、さらには世界各地での危険人物の注意深い排除にさえもかかわってきた。

先月もデルタ・ワンの率いるチームは、超小型飛行ロボットを使って、南米の悪辣《あくらつ》な麻薬王に致命的な心臓発作を起こさせた。極細のチタン針に強力な血管収縮剤を仕込んで超小型ロボットに装備したのち、デルタ・ツーが遠隔操作によって麻薬王の自宅二階の窓から潜入させ、寝室で眠るその男の肩に針を突き刺した。男が胸の痛みで目を覚ますより前に、超小型ロボットは窓から脱出して〝安全圏〟にもどった。男の妻が救急隊に連絡したころには、デルタ・チームは飛行機で帰途に就いていた。

侵入の形跡なし。

自然死。

芸術の域に達していた。

また、ある著名な上院議員の動向を探るべく、その個人執務室に仕掛けてあった別の超小型ロボットが、衝撃的な性行為の場面をとらえたこともある。デルタ・チームはふざけ半分にその任務を〝敵陣背後からの闖入《ちんにゅう》〟と呼んだ。

そしていま、テントにこもりきりで監視にあたった十日間を経て、デルタ・ワンはこの任務を終えようとしている。

ひたすら潜伏する。

建物を監視する――内も外も。

不審な動きがあれば指揮官に報告する。

デルタ・ワンは、与えられた任務に対していかなる感情もいだかないよう訓練されている。とはいえ、仲間とともに今回の任務に関する説明を受けたときは、まちがいなく鼓動が速まった。その場に指揮官の姿はなく、概要説明は終始、安全なコンピューター回線を通じてなされた。デルタ・ワンはこの任務の責任を負う指揮官と一度も顔を合わせたことがない。

乾燥代用肉の食事を用意していると、腕のクロノグラフがほかの隊員のものと同時に鳴りだした。数秒後、暗号無線機がかたわらで明滅した。デルタ・ワンは作業を中断してそのハンドヘルド機を手にとった。ほかの隊員ふたりは無言で見守っている。

「デルタ・ワン」送話器に向かって応答する。

その二語は、デバイスに組みこまれた音声認識ソフトによって即座に確認される。つづいて、それぞれの単語に照合番号が割りあてられ、暗号化されて衛星経由で発信者に送られる。発信者側では、同様のデバイスで個々の照合番号が解読され、あらかじめ設定された自動任意抽出の辞書を用いて文章に再変換される。そして人工音声によって文章が読みあげられる。これらの処理で生じる遅れは、全体で〇・〇八秒にすぎない。

「こちらは指揮官」この作戦の監督者が言った。暗号無線機の発する不気味な機械音声は人間味を欠き、男女の別さえはっきりしない。「そちらの状況は?」

「すべて滞りなく進んでいます」デルタ・ワンは答えた。

「それはいい。現時点での最新情報を入手した。例の情報は今夜、東部標準時の午後八時に公表される」

デルタ・ワンはクロノグラフに目をやった。あと八時間。ここでの仕事もまもなく終わる。そう思うと力が湧いてきた。

「もうひとつ進展がある」指揮官はつづけた。「新たな人間がゲームに加わった」

「新たな人間？」

デルタ・ワンは返答に聞き入った。おもしろくなってきたぞ。本気で参加する人間が現れたらしい。「その女は信用できるとお考えですか」

「厳重に警戒する必要がある」

「もし問題が起こったときは？」

少しの躊躇《ちゅうちょ》もなく答が返ってきた。「当初の命令どおりだ」

16

レイチェル・セクストンはすでに一時間以上、北へ向かって飛びつづけていた。途中、ニューファンドランド島がちらりと視界をかすめたほかは、F－14の下方に見えるのは水面ばかりだった。

どうして水ばかり？　そう思ってレイチェルは顔をしかめた。七歳のとき、アイススケートをしているさなかに、凍った池にはまったことがある。氷の下に閉じこめられて、まちがいなく死ぬと思った。ずぶ濡《ぬ》れになった体をやっとのことで引きあげてくれたのは母の力強い腕だった。その惨めな体験をしてからというもの、レイチェルは水に対する絶えざる恐怖――海や湖の水、それも冷たい水への病的な警戒心――と闘ってきた。たったいま、見渡すかぎりの北大西洋に取り囲まれ、昔の恐怖がしだいによみがえった。

パイロットがグリーンランドの北にあるチューレ空軍基地に現在位置を確認してはじめて、レイチェルはどれほど遠くまで来たのかを悟った。北極圏にいるの？　思いがけない展開に不安が高まった。どこへ連れていくつもり？　ＮＡＳＡは何を見つけたの？　ほどなく、眼下にひろがる青灰色の水面に無数の白い点が交じりはじめた。

氷山だ。

レイチェルが人生で一度だけ氷山を見たのは、六年前、母に説き伏せられてアラスカでのクルージングに同行したときだった。陸地での休暇の候補地をいくつもあげてみたのに、母は頑として譲らなかった。「ねえ、レイチェル」母は言った。「この星の三分の二は水に覆われているのよ。遅かれ早かれ、向き合わなきゃならないわ」打たれ強いニューイングランド人である母は、娘を強く育てようと懸命だった。

そのクルージングが、母とふたりで出かけた最後の旅行となった。

キャサリン・ウェントワース・セクストン。一抹のさびしさに胸がうずく。飛行機の外で吹きすさぶ風のように、記憶が荒々しくよみがえり、いつものごとくレイチェルを苛《さいな》んだ。母と最後にことばを交わしたのは、電話でだった。感謝祭の朝のことだ。

「ママ、ごめんなさい」雪で封鎖されたオヘア空港から家に電話をかけ、レイチェルは言った。「感謝祭の日に家族が顔をそろえなかったことって、一度もないわよね。きょうはじめて、そうなってしまいそうなの」

母はがっかりしたようだった。「会えるのを楽しみにしていたのに」

「わたしもよ。ママとパパが七面鳥にかぶりついてるあいだに、空港でわびしく食事するこっちの身にもなってよ」

返答に少し間があった。「レイチェル、あなたが着いてから話そうと思っていたんだけど、お父さんは仕事がたまっていて、今年は家にもどれないらしいの。この連休はワシントンの部屋に泊まるんだって」

「なんですって！」レイチェルの驚きはすぐに怒りへと変わった。「だって、感謝祭なのよ。上院だって休会中だわ！　家まで二時間もかからないんだから、帰ってくるべきよ！」

「そうね。でもお父さんはすごく疲れていて、運転もままならないって言うの。だからこの週末は仕事の書類に埋もれて過ごすことにしたそうよ」

仕事の書類に埋もれて？　レイチェルは怪しいと思った。ほかの女とシーツに埋もれて、というほうがよほどありそうだ。父の不貞は、目立たないながら何年もつづいていた。母も愚かではないけれど、父は浮気をするにもつねに周到なアリバイを整え、裏切りを母がやんわり問いただしても、ひどい言いがかりだとしらを切るのだった。結局、母は見て見ぬふりをして苦痛を押し殺すしかないと悟っていた。レイチェルは離婚を考えるよう勧めたが、キャサリン・ウェントワース・セクストンは誓いを重んじる女性だった。〝死がふたりを分かつまで、よ〟と母は言ったものだ。〝お父さんは、あなたというすばらしい娘をわたしに授けてくれた。それはあの人のおかげよ。いまのおこないには、いつの日か天上のおかたが裁きをくだされるわ〟。

空港で受話器を持ったまま、レイチェルは怒りを煮えたぎらせていた。「だけど、ママはひとりっきりで感謝祭を過ごすことになるのよ！」吐き気がこみあげた。感謝祭の日に家族をほうっておくなんて、これまでにも増して卑劣な行為だ。

「そうね……」母は沈んだ声ながらもきっぱりと言った。「これだけのお料理を無駄にするのは忍びないわね。アン伯母《おば》さんのところへ車で持っていこうと思うの。これまでも何度か感謝祭に呼んでもらっているし。すぐに電話してみるわ」

レイチェルはほんの少しだけ罪悪感が薄れるのを感じた。「わかった。わたしもできるだけ早く帰る。愛してるわ、ママ」

「フライトの無事を祈ってるわ」

レイチェルを乗せたタクシーが豪壮なセクストン邸にたどり着いたのは、夜の十時半だった。レイチェルはすぐさま異変に気づいた。私道にパトカーが三台停まっていて、マスコミのバンも数台ある。家じゅうの明かりがついている。胸騒ぎを覚えながら、家へ駆けこんだ。

ヴァージニア州警察の警官が戸口で迎えた。顔つきが険しい。説明してもらう必要はなかった。レイチェルにはわかった。事故があったのだ。

「二五号線がみぞれで滑りやすくなっていまして」警官は言った。「お母さまの車はスリップして、木の茂った谷に転落しました。お気の毒です。即死でした」

レイチェルは体の感覚を失った。知らせを受けて即刻帰宅した父が、居間で小規模な記者会見をおこなっていた。妻が親戚《しんせき》の家で感謝祭の夕食をすませた帰途に車の転落事故で他界したと、おごそかな口調で世間に告げている。

レイチェルはその舞台の袖《そで》に立ち、会見のあいだじゅうすすり泣いていた。

「何より残念なのは」涙を浮かべて、父はメディアに訴えた。「この週末を家内と過ごしてやらなかったことです。わたしがもっと早く帰宅していれば、このような事故は起こりませんでした」

そんなことはとうの昔に考えておくべきだったわ。レイチェルは心のなかで叫び、一瞬ごとに父への恨みを募らせた。

レイチェルはその日を境に、母とはちがってばっさりと、父を自分の人生から切り離した。父はそれに気づいた様子すらなかった。そして、亡き妻の財産を利用して党の大統領指名権を勝ちとるべく、にわかに忙しく活動をはじめた。同情票には不自由しなかった。

三年が過ぎたいま、こうして離れていてさえ、残酷にも父はレイチェルの人生を孤独なものにしていた。父親がホワイトハウスをめざしているせいで、運命の人を見つけて家族を作るという夢はどんどん先送りになっている。レイチェルにとっては、悲しみに暮れる未来の〝大統領令嬢〟のもとへ、権力ほしさに押し寄せるワシントンの求婚者どもの相手をするくらいなら、社交ゲームにまったく加わらずにいるほうがはるかに楽だった。

F―14の外では、日が陰りはじめていた。北極はいま冬の終わり――延々と暗闇がつづく時季だ。常夜《とこよ》の地へ向かっているのだとレイチェルは実感した。

数分が経過し、太陽は地平線の下にすっかり姿を隠した。さらに北へ進むと、濁りのない極寒の空に、わずかに欠けたまばゆい月が白く浮かびあがった。はるか下方では、海面がちらちらと光り、氷山はさながら、黒いスパンコールの編み目に縫いつけられたダイヤモンドのようだ。

やがて、おぼろげな陸地の輪郭が見てとれた。しかしそれは予想していたものとちがった。前方に現れ出たのは、雪を頂いた巨大な山並みだった。

「山脈？」レイチェルは困惑して尋ねた。「グリーンランドの北に山脈なんてあるの？」

「そのようですね」パイロットは同じく驚いた様子で答えた。

F―14の機首が下方へ傾き、レイチェルは異様な無重力感に襲われた。耳鳴りがするが、コックピットで絶え間なく響く短い電子音は聞こえる。どうやらパイロットはある種の方向指示信号をキャッチして、それに従っているらしい。

高度三千フィートを切ったころ、レイチェルは月に照らされた驚くべき一帯を見渡した。山々のふもとに広大な雪原がひろがっていた。海まで十マイルにわたって優美な線を描くその台地は、海面から垂直に切り立った硬い氷の崖《がけ》で唐突に途絶えている。

そのとき、レイチェルは見た。地球上で目にしたどんなものとも似ていない光景を。はじめは月光の妖術《ようじゅつ》のせいかと思った。目を細めて雪原を観察しても、それがなんなのか理解できない。飛行機が降下するにつれ、その姿は徐々にはっきりしてきた。

あれはいったい何？

台地の表面が縞《しま》模様になっている……まるで何者かが雪に銀色のペンキで巨大な三本の筋をつけたかのようだ。つややかに光る縞は崖に平行に走っている。その幻めいた光の正体がわかったのは、高度五百フィートを切ってからだった。三本の銀色の縞は深い溝で、それぞれの幅が三十ヤード以上ある。溝は水で満たされ、その水が氷結して、台地を横切って伸びる幅の広い銀色の通路を形作っていた。溝と溝のあいだには真っ白な雪がうずたかく積もっている。

台地へ下降する途中、強い乱気流に見舞われて、機体は上下に激しく揺れだした。着陸装置がさがる重々しい音がしたのに、滑走路はまだ見あたらない。パイロットが懸命に体勢を保とうとするあいだに、レイチェルは外に目を凝らし、かなたの氷の溝をまたいで明滅している二本の閃光灯《せんこうとう》の線を見つけた。パイロットのつぎの行動が恐怖とともに察せられた。

「氷の上に着陸するの？」レイチェルは尋ねた。

返答はなかった。パイロットは機体を揺さぶる風と一心に闘っている。飛行機が減速して氷の通路に近づくと、レイチェルは腹部に抵抗を感じた。両脇に高い雪の斜面が現れたとき、こんなにせまい通路ではわずかでも判断を誤れば死を免れないと悟り、息を呑《の》んだ。不安定なまま壁のあいだをおりていくうち、乱気流は忽然《こつぜん》とやんだ。風から守られ、飛行機は難なく氷上に着陸した。

トムキャット後部のスラスター・エンジンがうなりをあげ、速度が落ちる。レイチェルは大きく息を吐いた。飛行機はさらに百ヤードほど滑走したのち、氷にスプレー塗料でくっきりと描かれた赤い線上でゆっくりと停止した。

右側には、月光を浴びた雪の壁しか見えない。左側もまったく同じだ。唯一視界が開けている前面ガラスの向こうは……どこまでもつづく氷の平原だった。生物のいない惑星におり立ったような気分だ。氷上に描かれた線を除けば、生命のしるしはどこにもない。

そのとき、聞こえた。遠くから別のエンジンの音が近づいてくる。それはしだいに大きくなる。やがて、一台の乗り物が視界に現れた。こちらをめざして氷の溝を進んでくるのは、キャタピラーを装備した大型のスノー・トラクターだった。縦長の細い車体をきしませ、脇目もふらず車輪をまわして前進するその姿は、進化した昆虫を思わせた。車台にはプレキシガラスで囲われた背の高いキャビンが据えられ、頂部に前方を照らすフラッドライトが並んでいる。

スノー・トラクターは車体を震わせてF―14の真横に停止した。プレキシガラス張りのキャビンのドアが開き、ひとりの男がはしごを使って氷上におり立った。ふくれた純白のジャンプ・スーツに全身を包んださまは、まるで風船男だ。

マッド・マックスとピルズベリー・ドー・ボーイ（製粉会社のキャラクター）のご対面ね。レイチェルは心のなかでつぶやき、何はともあれこの奇妙な星にも人が住んでいたことに安《あん》堵《ど》した。

男はF―14のパイロットにハッチをあけるよう指図した。

パイロットは従った。

そのとたん、コックピットに冷たい空気が猛烈な勢いで流れこみ、レイチェルの体は瞬時にして芯《しん》まで凍えた。

閉めてよ！

「ミズ・セクストン？」男が大声で呼びかけた。アメリカ人のアクセントだ。「NASAを代表して、歓迎申しあげます」

レイチェルは震えながら思った。ごていねいにありがとう。

「安全ベルトをはずして、ヘルメットもそこで脱いでください。それから機体の足掛かりを使っておりてもらえますか。何かご質問は？」

「あるわ」レイチェルは叫び返した。「ここはいったいどこなの？」

17

マージョリー・テンチ――大統領上級顧問――は歩く骨格模型だ。やせこけた六フィートの体軀《たいく》は、いくつもの連結部と肢部を継ぎ合わせた組み立て玩具《がんぐ》を思わせる。不安定な体の上に突き出した顔は病的なほど黄色く、その肌は感情のないふたつの目をくり抜いた羊皮紙のようだ。五十一歳のいま、すでに七十歳に見えた。

テンチはワシントンで政界の女神と崇《あが》められている。その分析能力は千里眼に近いと言われるほどだ。十年にわたって国務省情報調査局を取り仕切った経験が、鋭敏な批判精神を磨く助けとなった。あいにく、テンチはみごとな政治手腕とともに冷たい気性も備えており、それに数分以上耐えられる者は少ない。スーパーコンピューター並みの頭脳と、スーパーコンピューター並みの情味を天から与えられたと言える。それでも、ザック・ハーニー大統領はテンチの特異な個性を苦もなく受け入れていた。ハーニーがいまの地位に就いているのは、ひとえにテンチの明敏かつ献身的な働きのおかげと言っても過言ではない。

「マージョリー」大統領執務室の入口で出迎えながら、ハーニーは言った。「どうしたのかね」椅子は勧めなかった。通常の礼儀作法はマージョリー・テンチのような女性には通用しない。すわりたければ勝手にすわるだろう。

「きょうの午後四時にスタッフに説明なさるとか」喫煙のせいでその声はがさついている。「けっこうなことです」

テンチが室内をうろつくあいだ、その脳内で複雑な歯車がしきりに回転しているのをハーニーは感じとった。ありがたいことだ。マージョリー・テンチはスタッフのなかでも選り抜きの側近のひとりで、今回のNASAの発見についてもすべて把握しており、大統領が戦略を練るうえで欠かせない右腕となっている。

「午後一時のCNN討論ですが」テンチはそう言って咳払《せきばら》いをした。「セクストンの相手にだれを送りましょうか」

ハーニーは微笑んだ。「新参のスポークスマンでいいだろう」けっして大きな獲物を送りこまずに〝狩猟者〟の意気をくじくのは、政治の世界では討論そのものと同じくらい古くからある戦術である。

「もっといい案があります」テンチの表情のない目がハーニーを直視する。「わたしが出てはいけませんか」

ハーニーは衝撃を覚えた。「きみが？」いったい何を考えているのか。「マージョリー、きみにテレビ出演などさせない。それも、昼間のケーブル放送だぞ。上級顧問を送りこんだりしたら、どんなふうに受け止められる？　こちらが焦っているように映るだけだ」

「おっしゃるとおりです」

ハーニーはしげしげとテンチを見た。どんなこみ入った目算があるのか知らないが、CNNには断じて出演させるわけにいかない。マージョリー・テンチを一度でも見かけたことのある者なら、彼女が裏方に専念する理由に気づくはずだ。テンチは異様な容貌《ようぼう》の持ち主で、大統領がホワイトハウスのメッセージを伝えさせたい顔立ちとはとうてい言えない。

「このCNN討論にはわたしが出ます」テンチは繰り返す。こんどは疑問形ではなかった。

「マージョリー」大統領は困惑しつつも、手なずけにかかった。「きみがCNNに登場すれば、セクストン陣営はホワイトハウスが怖《お》じ気《け》づいている証拠だと言い立てるに決まっている。隠し札をあまりに早く切るのは、捨て鉢の行為と見なされかねない」

テンチはだまってうなずき、煙草に火をつけた。「捨て鉢に見えれば見えるほど、好都合です」

それから六十秒間で、テンチはなぜ下級の選挙スタッフではなく自分をCNN討論に送るべきかを説明した。聞き終えた大統領は、驚きに目を瞠《みは》るばかりだった。

またしても、マージョリー・テンチは政治の天才であることを証明してみせた。

18

ミルン棚氷《たなごおり》は北半球最大の分厚い氷塊である。北極圏に属するエルズミア島の最北端沿岸、北緯八十二度線上に位置し、西端から東端までの距離は四マイル、厚さは三百フィート以上に及ぶ。

いま、スノー・トラクターのキャビンによじのぼったレイチェルは、通気孔から温風が漏れてくることや、座席に予備のパーカと手袋が置いてあることを心底ありがたく思った。外では、F—14がエンジンをとどろかせつつ、氷の滑走路を引き返しはじめている。

レイチェルは驚いて顔をあげた。「帰ってしまうの？」

新しい世話役の男がうなずきながらトラクターに乗りこんだ。「ここにとどまれるのは、科学者とNASAの緊急サポートチームのメンバーだけです」

太陽のない空へ飛び立つF—14を見ながら、レイチェルは置き去りにされた気分に陥った。

「ここからはアイス・ローヴァーでご案内します」男は言った。「長官がお待ちかねですよ」

レイチェルは前方を走る銀色の氷の道へ目をやり、NASAの長官がこんなところで何をしているのかと考えた。

「つかまって」NASAの男は叫んで、いくつかのレバーを操作した。トラクターはきしるような音を立て、陸軍の戦車よろしくその場で九十度向きを変えた。前面に高い雪の斜面が立ちはだかる。

レイチェルはそのきつい傾斜を見て、恐怖に胸が波立った。この人、まさか——

「出発！」男はいきなりクラッチをつなぎ、まっすぐ斜面へ加速した。レイチェルは押し殺した叫び声を漏らし、支えになるものをつかんだ。トラクターが斜面にぶつかるなり、鋲《びょう》のついたキャタピラーが雪のなかへ突進し、珍妙な動きで斜面をのぼりはじめた。後ろへひっくり返るかと思いきや、キャタピラーが雪を掻《か》いて坂をあがるあいだ、驚いたことにキャビンは水平を保っていた。トラクターの巨体が頂上へ達すると、運転していた男はいったん停止させ、緊張でこぶしの青白い乗客に顔を向けた。

「SUV車にこんな芸当ができますか？　火星探査機の緩衝装置の仕組みを応用して、こいつに搭載したんです！　大成功ですよ」

レイチェルは青ざめた顔でうなずいた。「すごいわね」

前を見ると、信じられない光景がそこにあった。眼前にあるもうひとつの雪の壁を最後に、突如として起伏がなくなっている。その先には、ほんのわずかに傾斜した、輝く平らな氷の面がひろがっていた。月明かりを受けた一面の氷は、はるか遠くの山々のふもとでせばまって、くねくねと山の奥へ延びている。

「ミルン氷河です」男はそう言って、山脈を指さした。「あそこを源として、いまわれわれがいるこの広い三角州ができています」

男がまたエンジンを吹かし、レイチェルが体を支えると同時に、トラクターは猛スピードで斜面をくだっていった。下に着くと、別の凍った川を横切ってつぎの斜面を駆けあがる。頂上を越え、反対側をおりてなめらかな氷の表面へ滑り出るや、氷河をざくざくと進みはじめた。

「どこまで行くの？」行く手には氷しか見えない。

「二マイルほど先まで」

レイチェルにはそれが遠く感じられた。外を吹く風は、アイス・ローヴァーを海へ押しもどそうとするかのようにしつこく猛攻を仕掛け、プレキシガラスを震わせている。

「カタバ風です」男は叫んだ。「すぐに慣れますよ」男の説明によると、この一帯では、〝斜面を吹きおりる〟という意味のギリシャ語から名のついた強風が絶えず沖へ向かって吹くらしい。その執拗《しつよう》な風は、重く冷たい空気が川の激流のように氷河の表面を〝流れ〟落ちて生み出すものだという。「地球上でここだけですよ」男は笑いながら言い添えた。「正真正銘、身も凍える地獄ってやつは！」

数分後、はるか前方にぼんやりした輪郭が浮かびあがった。氷から突き出た巨大な白いドーム形のものだ。レイチェルは目をこすった。あれはいったい……

「でかいイヌイットが住んでるのかも」男はふざけて言った。

その建物の正体をレイチェルは見きわめようとした。ヒューストンのアストロドームの縮小版のようだ。

「一週間半前にNASAが設置しました」男は説明した。「段階膨張式のプレキシポリソルベート。ひとつひとつパーツをふくらませ、それらを継ぎ合わせたうえで、氷の上に鉄楔《ピトン》とワイヤーで固定します。密閉されたサーカスの大テントみたいに見えますが、実は、火星での使用をめざして試作された移動式の居住空間なんです。〝ハビスフィア〟と呼んでいます」

「ハビスフィア?」

「ええ、お気づきですか。〝居住用の《ハビタブル》〟球体《スフィア》だからです」

レイチェルは微笑んで、いまや目前に迫った氷上の異様な建物に注目した。「NASAはまだ火星へ行っていないから、かわりにここで盛大なパジャマ・パーティーをしようと決めたわけ?」

男は笑った。「ほんとうはタヒチのほうがよかったんですが、なんの因果かここへ来る羽目になりました」

レイチェルは落ち着かない気持ちでその堂々たる建物を見あげた。オフホワイトの外殻が暗い空におぼろげな線を描いている。アイス・ローヴァーはさらに進み、ドームの側面の小さな扉の前で停まった。扉はあいており、漏れ出る明かりが近くの雪を照らしている。男がひとり外へ出てきた。堂々たる巨漢で、それを強調するような黒いフリース・ジャケットを着ているせいか、一見すると熊に見えた。アイス・ローヴァーのほうへやってくる。

レイチェルはその大男が何者かを知っていた。NASAの長官、ローレンス・エクストロームだ。

運転してきた男は励ますように微笑んだ。「あの図体《ずうたい》に恐れをなすことはないですよ。おとなしい猫みたいな人ですから」

猫というより虎よ、とレイチェルは思った。自分の夢の前に立ちふさがる者がいれば首を嚙《か》みちぎるという風評があるからだ。

レイチェルは風に吹き飛ばされそうになりながら、アイス・ローヴァーをおりた。コートでしっかり身をくるんでドームのほうへ向かう。

NASAの長官は途中まで歩いてきて、手袋をはめた大きな手を差し出した。「ミズ・セクストンだね。ご足労感謝する」

レイチェルはおずおずとうなずき、風の音に負けじと声を張りあげた。「正直なところ、選択の余地がありませんでした」

氷河の千メートル先では、デルタ・ワンが赤外線双眼鏡をのぞきこみ、NASAの長官がレイチェル・セクストンをドームへ迎え入れるさまを見守っていた。

19

NASA長官のローレンス・エクストロームは、北欧神話の怒れる神を髣髴《ほうふつ》させる、赤ら顔の猛々《たけだけ》しい大男だ。硬い金髪は皺《しわ》の刻まれた額の上まで軍人風に短く刈られ、肉づきのいい鼻には血管が浮いている。いま、無表情なその目は、幾晩も眠れぬ夜がつづいたせいで重くふさがりかけている。NASAでの任を受ける以前、国防総省で航空宇宙専門の軍事戦略家として名をはせていたころのエクストロームは、その無愛想な人柄とともに、与えられたどんな任務にも一心不乱に取り組む献身ぶりでもよく知られていた。

レイチェルはエクストロームの先導でハビスフィアのなかへ進み、薄気味悪い半透明の通路を歩いていた。迷宮さながらのその通路は、強く張った針金につや消し仕上げのプラスチックシートを吊《つる》して仕切ったものらしい。そこには床というものがなく、一面の氷の上に滑り止め用のゴムマットが並べられているだけだ。途中で、簡易ベッドと化学処理式トイレの備わった簡単な居住区画を通り過ぎた。

せまい空間に人がひしめいているせいか、得体の知れない雑多なにおいが充満していたが、空気にぬくもりがあるのはうれしかった。どこかで発電機がうなっており、その電力で通路上のコードにぶらさがった裸電球が灯《とも》っているらしい。

「ミズ・セクストン」謎の目的地へレイチェルを足早に導きながら、エクストロームが言った。「前置きなしで話させてもらう」声には歓迎の響きがみじんも感じられない。「きみをここへ迎えたのは、大統領がそう望んだからだ。ザック・ハーニーはわたしの個人的な友人で、NASAの忠実な支援者でもある。わたしは彼を尊敬しているし、恩義を感じている。信頼してもいる。大統領じきじきの命令とあらば、たとえそれを不服に思っても異議をはさんだりはしない。誤解のないように言っておくが、きみをこの件に関与させたがる大統領の考えに、わたしは反対だ」

レイチェルは目をまるくするばかりだった。こんなもてなしを受けるために三千マイルも旅してきたの？　〝カリスマ主婦〟のマーサ・スチュワートとは大ちがいの相手だ。「おことばですが」レイチェルは反撃した。「わたしも大統領の命令に従っているだけです。ここで何をするのかさえ聞かされていません。まったくの善意ではるばる来たんです」

「なるほど」エクストロームは言った。「では、遠慮は無用だな」

「すでにずけずけお話しなさっていますけど」

　レイチェルの強気の反応に長官はたじろいだらしい。しばし歩をゆるめて、見透かすような瞳《ひとみ》でレイチェルを観察した。そして、とぐろをほどく蛇よろしく長々と息をつくと、また足を速めた。

「わかってもらいたいんだが」エクストロームは言った。「きみがここでNASAの機密プロジェクトにかかわることは、わたしの良心が許さないんだよ。きみは、NASAの局員を口の軽い若造呼ばわりするあの局長が率いるNROの人間だ。そのうえ、わたしの組織を破滅させることを自分の使命と信じこんだ男の娘でもある。今回、NASAはついに脚光を浴びることになるわけで、これまでさんざん批判に耐えてきたわたしの部下たちこそ、その栄誉を享受するに値する。ところが、きみの父親が国民に強烈な不信感を植えつけてくれたおかげで、NASAは政治的に厄介な立場へ追いやられ、わたしの勤勉な部下たちは、寄せ集めの民間の科学者数人や、われわれをつぶしにかかっている男の娘と、栄光を分かち合う羽目になった」

わたしと父をいっしょにしないで。レイチェルはそう叫びたかった。しかし、いまここでNASAの長官と政治論議を戦わせても意味がない。「栄光を目当てにここまで来たわけじゃありません」

　エクストロームはにらんだ。「自分が望まなくてもそうなるんだよ」

　それを聞いて驚いた。ハーニー大統領は表向きにどんな手助けをするかについて具体的に述べなかったが、ピカリング局長はレイチェルが政争の駒にされるのではとあからさまに懸念していた。「わたしの役目を教えていただきたいです」

「それはお互いさまだ。わたしも知らされていない」

「なんですって？」

「わたしが命じられたのは、きみが着きしだい、われわれの発見について逐一説明せよということだけだ。大統領がこのサーカスできみにどんな芸をさせるつもりであれ、わたしは関知していない」

「地球観測システム《EOS》がある発見をしたということでしたが」

　エクストロームは横目でレイチェルを見た。「EOSのプロジェクトについてどの程度知っている？」

「EOSは五つの衛星の集合体で、さまざまな手法によって地球を精密に調査します。

海洋地図の作製、地質断層分析、極地氷解観測、化石燃料鉱床の探査——」

「よかろう」エクストロームは感心した様子もなく言った。「なら、ＥＯＳに加わった最新の衛星のことも知っているだろう。ＰＯＤＳと呼ばれるものだ」

レイチェルはうなずいた。極軌道型密度走査衛星（ＰＯＤＳ）は地球温暖化の影響を調査する目的で設計された。「たしか極地の氷冠の厚さと硬度を観測する衛星でしたね」

「基本的にはそうだ。スペクトル分析技術によって広域にわたる複合的な密度走査をおこない、地球温暖化の指標となる氷の硬度異常——部分的な解氷、内部の解氷、大きな亀裂《きれつ》など——を探知する」

レイチェルは密度走査についてはよく知っていた。それは超音波を用いた地下探査に似ている。ＮＲＯの衛星はかつて同種の技術を使って東欧の各所の地下密度を調べ、某国の大統領による民族浄化が現実におこなわれていたことを裏づける集団埋葬地を発見した。

「二週間前」エクストロームは言った。「ＰＯＤＳがこの棚氷を走査し、われわれのまったく予想していなかった密度異常を発見した。地下二百フィートの氷に完全に埋まった形で、直径十フィートほどの球状の物体が見つかったんだ」

「水塊ですか」レイチェルは言った。

「ちがう。液体ではない。奇妙なことに、その部分は周囲の氷よりも硬かった」

レイチェルは少し考えた。「なら……球状の岩か何かでは？」

エクストロームはうなずいた。「だいたいそんなところだ」

話の落ちを待ったが、いっこうに訪れない。わたしを呼びつけたのは、氷のなかに大きな岩を見つけたからなの？

「PODSがその岩の密度を測定した結果は驚くべきものだった。われわれはすぐに分析チームをここへ送りこんだ。そして、この下の氷に埋まっていた岩は、ここエルズミア島で見られるどんな種類の岩と比べても格段に密度が高いことが判明した。この島どころか、半径四百マイル以内で見られるどんな岩よりもだ」

レイチェルは足もとの氷へ目をやり、地下のどこかに眠る巨岩を思い浮かべた。

「だれかがその岩をここへ移したとおっしゃるんですか」

エクストロームはどことなく楽しんでいるふうだ。「その岩の重量は八トン以上ある。それが地下二百フィートの氷中に埋まっていたということは、三百年以上のあいだ手つかずでそこに存在していたことを意味する」

疲労を覚えながらも、レイチェルは武装して警備にあたるふたりのNASA局員のあいだを抜け、エクストロームにつづいて細長い通路へ足を踏み入れた。長官に視線を向ける。「その岩がここにあることについて……それに、ここまで隠し立てなさることについても、納得のいく説明をつけていらっしゃるんでしょうね？」

「もちろんだ」エクストロームは淡々と言った。「PODSが発見した岩は隕石《いんせき》なんだよ」

　レイチェルは通路の途中ではたと足を止め、長官を見つめた。「隕石？」どっと失望に襲われた。大統領から大仰な前口上を聞かされたことを考えると、まったくの拍子抜けだった。その程度の発見で、NASAのいままでの浪費や失態がすべて正当化されるとでも？　大統領は何を考えているのか。隕石が地球上で最も稀少《きしょう》な岩石であるのは認めるが、NASAにとっては隕石の発見など日常茶飯事だ。

「その隕石はこれまでに発見された最大級のものだ」毅然《きぜん》とレイチェルの目を見て、エクストロームは言った。「一七〇〇年代に巨大な隕石が北極海に落下したという史料があり、これはその断片だとわれわれは確信している。おそらく、衝撃で散乱したかけらのひとつがミルン氷河に落ち、そこに三百年にわたって雪が降り積もったのだろう」

　レイチェルは眉《まゆ》をひそめた。その発見で何が変わるというのか。いま目のあたりにしているのは、NASAとホワイトハウスによる破れかぶれの誇大宣伝ではないかという思いが頭をもたげた。息も絶えだえのその二者が、ひと筋の光明を起死回生の大勝利に化けさせようとしている気がしてならない。

「あまり感心したようには見えないな」エクストロームは言った。

「何かもっと……別のものを期待していたんだと思います」

エクストロームの目が険しくせばまった。「ミズ・セクストン、その大きさの隕石が見つかることはきわめてまれなんだよ。これより大きなものは世界に数点しかない」

「それは承知して――」

「だが、われわれが騒いでいるのは、隕石の大きさのせいではない」

レイチェルは目をあげた。

「最後まで聞いてもらえればきみにもわかるだろうが」エクストロームは言った。「その隕石には、大小を問わず、ほかのどんな隕石にも認められなかったある驚くべき特徴が見られる」そう言って通路の向こうを手で示した。「あちらで、この発見の解説をするにあたってわたしより適任の人物を紹介しよう」

レイチェルはとまどった。「NASAの長官以上の適任者がいるんですか？」

エクストロームの北欧人らしい瞳《ひとみ》がこちらを見据えた。「そうだよ、ミズ・セクストン。ただし民間人だ。きみは情報分析の専門家だから、偏見のない人間から情報収集したいだろうと思ってね」

やられたわ。レイチェルは負けを悟った。

エクストロームについてせまい通路を進んでいくと、突きあたりにどっしりした黒いカーテンが掛かっていた。カーテンの向こうは、まるで巨大なロビーでもあるかのように、おおぜいの話し声が低く響き渡っている。

エクストロームは無言のままそこへ近づいて、カーテンを脇へ引いた。まばゆいばかりの明るさに、レイチェルはしばし目をくらまされた。おそるおそる足を踏み出し、まばゆい空間を凝視する。明るさに慣れると、目の前にひろがる壮大な光景を見渡して、驚きに息を呑《の》んだ。

「すごい」思わずつぶやいた。ここはいったいなんなの？

20

ワシントンDC郊外にあるCNNの番組制作施設は、ターナー・ブロードキャスティング・システム社が世界各地に設置した二百十二の放送スタジオのひとつであり、同社のアトランタ本部と衛星ネットワークでつながれている。

午後〇時四十五分、その駐車場へセジウィック・セクストン上院議員のリムジンが現れた。セクストンは自信満々の様子で車をおり、玄関口へ向かっていった。ガブリエールとともに、大げさな笑顔をまとった太鼓腹の番組プロデューサーに迎えられた。

「セクストン上院議員」プロデューサーは言った。「ようこそ。大ニュースがありますよ。ホワイトハウスがあなたの相手にだれを選んだのかがわかりました」不気味な笑みを浮かべる。「気を引き締めてかかられたほうがよさそうです」そう言って、ガラスを隔てたスタジオのなかを手で示した。

セクストンはガラスの向こうを見て、腰を抜かしかけた。煙草の薄煙に包まれて視線を返してきたのは、政界で最も醜悪な顔だった。

「マージョリー・テンチ？」ガブリエールは思わず言った。「あの人、ここで何をしてるのかしら」

セクストンにもわからなかったが、理由はどうあれ、テンチがここに現れたというのは願ってもない朗報だ。大統領は自棄に陥っているにちがいない。それ以外に上級顧問を最前線へ送る理由などあるだろうか。相手が大物を出してきたのが好都合に感じられた。

敵が大きければ大きいほど、倒れ方も激しい。

テンチが油断ならない敵であるのは明らかだが、いま見るにつけ、大統領が重大な判断ミスを犯したとセクストンは思わずにいられなかった。マージョリー・テンチの風貌《ふうぼう》は実におぞましい。前かがみで椅子に腰かけ、右手に持った煙草を薄い唇へ気怠《けだる》げに運んでは離すその姿は、まるで獲物をむさぼる巨大なカマキリだった。

どう見たってラジオ出演だけにしておくべき顔だな、とセクストンは思った。ほんの数回、あの黄色い面相を雑誌で目にしたときも、それがワシントンの政界でも指折りの立役者だとは信じがたかったものだ。

「いやな予感がします」ガブリエールがつぶやいた。

セクストンはろくに聞いていなかった。考えれば考えるほど、風向きがよいと思えた。テンチの容貌がテレビ向きでないことはもちろん、それ以上に、ひとつの重要な争点について相手が得ている世評もまた幸いだった。マージョリー・テンチは、アメリカが今後も世界の主導者の地位を守っていくには科学分野で優位に立つことが不可欠だと声高に主張し、政府のハイテク関連機関の研究開発プログラムを熱心に支持してきた。その筆頭がＮＡＳＡである。斜陽の宇宙開発機関を大統領があれほど律儀に擁護しつづけているのは、テンチが強くあと押ししているせいだと考える者も多い。

もしかすると大統領は、ＮＡＳＡの件でろくでもない助言を受けてきた腹いせに、テンチを罰するつもりなのではないかとさえセクストンは思った。上級顧問を生《い》け贄《にえ》にしようという魂胆なのか？

ガブリエール・アッシュはガラス越しにマージョリー・テンチを見つめながら、不安を募らせていた。相手は恐ろしく頭が切れるうえに、まったく予想外の闖入者《ちんにゅう》だ。そのふたつを考え合わせると胸騒ぎがした。ＮＡＳＡにまつわるテンチの立場を考えると、セクストンとの対戦相手に選んだ大統領は思慮が足りないようにも思える。しかし、ザック・ハーニーはけっして愚かではない。この討論がまずい展開になりそうな気がしてならなかった。

セクストンが自信満々なのにも気づいたが、ガブリエールの不安はほとんど静まらなかった。調子づいているとき、セクストンは勇み足を踏むきらいがある。ＮＡＳＡの問題は世論調査で喜ぶべき効果をあげているが、ガブリエールが思うに、セクストンは近ごろその線を強く押し出しすぎていた。ただ最終ラウンドまで戦い抜けばいい場面で、候補者がノックアウトを狙ったために、それまでの選挙活動が水泡に帰した例はいくらでもある。

プロデューサーは、まもなくはじまる流血戦が待ちきれない様子だ。「上院議員、そろそろスタンバイを」

スタジオへ向かうセクストンの袖《そで》をガブリエールは引っ張った。「考えていらっしゃることはわかります」小声でささやく。「でも冷静に。行きすぎは禁物です」

「行きすぎ？　わたしが？」セクストンは微笑んだ。

「相手はこの道の達人だということをお忘れなく」

セクストンは意味ありげな笑みを漂わせた。「それはこっちもだ」

21

ハビスフィアの中枢にあたる広大なその空間は、地球上のどこにあろうと異様に見えるだろうが、それが北極の棚氷に存在しているせいで、この上ない違和感をレイチェル・セクストンに与えた。

三角形の白いパッドを継ぎ合わせて造られた未来的なドームを見あげながら、レイチェルは巨大なサナトリウムに足を踏み入れたかのように感じていた。傾斜した壁の下の氷の床には、おびただしい数のハロゲンランプが歩哨《ほしょう》よろしく一円に配され、天井を明るく照らして部屋全体に白々とした光をみなぎらせている。

氷の床を這《は》うように敷かれた黒い発泡ゴムの列は、移動式の科学研究室のあいだを蛇行する遊歩道を思わせた。電子機器に囲まれて、白衣を着た三、四十人のＮＡＳＡ局員が仕事に励んでおり、興奮気味に嬉々《きき》として意見を交わしている。部屋に強烈な活気が満ちているのをレイチェルはすぐさま察知した。

新発見がもたらした熱狂だろう。

エクストロームとともにドームの端を一周しているとき、こちらの姿を認めた局員たちの顔を驚きと不満の表情がよぎるのに気づいた。反響しやすいその空間で、ささやき声がはっきりと耳に届いた。

〝セクストン上院議員の娘じゃないのか？〟

〝あの女、いったい何しにきたの？〟

〝長官があいつと口をきくことさえ信じられないな！〟

父を呪ったブードゥー教の人形がそこらじゅうに吊《つる》されていてもおかしくないと、

レイチェルは半ば覚悟していた。けれども、感じとれる敵意のなかには、漠然とした悪感情だけでなく、最後に笑うのがだれかは明白だとでも言いたげな強烈な自負も含まれている気がした。

エクストロームに導かれ、レイチェルはテーブルをいくつか並べた一角に着いた。ワーク・ステーションの前に男がひとり腰かけている。ほかのおそらく全員が身につけているそろいの全天候型スーツではなく、黒いタートルネックのセーターに太畝《ふとうね》のコーデュロイパンツ、堅牢《けんろう》なデッキシューズといういでたちだ。局員たちには背を向けている。

エクストロームはレイチェルを待たせてその男に歩み寄り、声をかけた。しばらくのち、その男は愛想よくうなずいて、コンピューターの電源を切った。エクストロームがもどってくる。

「あとはミスター・トーランドにまかせる。大統領から引き抜かれた者同士だから、仲よくやってくれ。わたしもあとで加わる」

「ありがとうございました」

「マイケル・トーランドと言えば、聞き覚えがあるんじゃないか」

目新しい光景になおも気をとられたまま、レイチェルは肩をすくめた。「わかりません」

タートルネックの男がにこやかに近づいてきた。「ぼくを知らない？」よく響く、親しみやすい声だ。「それはきょう聞いたなかで最高のニュースだな。もうだれにも初対面と感じてもらえないかと思ってたから」

目をあげたとたん、レイチェルは足をすくませた。その男のハンサムな顔を思い出したからだ。アメリカで知らない者はいない。

「ああ」レイチェルは赤面しつつ握手に応じた。「あのマイケル・トーランドね」

NASAの発見の信憑《しんぴょう》性を立証するために一流の民間人科学者を集めたと大統領から聞かされたとき、レイチェルが頭に浮かべたのは、イニシャル入りの計算機を手にした貧相な専門ばかの一団だった。マイケル・トーランドはその対極にいる人物だ。今日のアメリカで最も知られた〝科学界の有名人〟のひとりであり、海洋にまつわる興味深い現象――海底火山や、体長十フィートの環形動物、大津波など――を視聴者にわかりやすく紹介する連続ドキュメンタリー番組〈驚異の海〉の司会をつとめている。〈驚異の海〉が視聴率調査の首位に躍り出ると、トーランドのたしかな知識や、嫌味のない熱意や、旺盛《おうせい》な冒険心は、海洋探検家のジャック・クストーと科学者のカール・セーガンを髣髴《ほうふつ》させるとして、メディアに絶賛された。もちろん、二枚目ながらも素朴なルックスや、独特の控えめな魅力が女性視聴者の獲得に貢献しているであろうことも、多くの批評家が認めている。

「ミスター・トーランド……」レイチェルは一瞬ことばに詰まった。「レイチェル・セクストンです」

トーランドは愉快そうに顔をほころばせた。「やあ、レイチェル。マイクと呼んでくれないか」

レイチェルはなぜか口がきけなくなっている自分に気づいた。神経に負担がかかりすぎているのだろう。ハビスフィア、隕石《いんせき》、重大な秘密、そしてテレビの人気者との思いがけない対面。「こんなところでお目にかかるとは意外です」平静を取りもどそうとして言う。「NASAの発見を裏づける民間人科学者を雇ったと大統領にうかがったので、てっきり……」そこで躊躇《ちゅうちょ》した。

「本物の科学者に会えると?」トーランドは大きな笑みを浮かべた。

きまり悪さにレイチェルはさっと赤面した。「そんなつもりじゃありません」

「気にしなくていいさ」トーランドは言った。「ここに着いて以来、そう言われどおしだから」

エクストロームはあとでもどると約束して、その場を離れた。トーランドは興味津々という顔でレイチェルに向きなおった。「長官が言ってたけど、きみのお父さんはセクストン上院議員だって？」

レイチェルはうなずいた。そうよ、残念ながら。

「敵陣の背後に送りこまれたスパイだとでも？」

「戦陣は意外なところに敷かれることもあるからな」

気まずい沈黙。

「じゃあ訊《き》きますけど」レイチェルは早口で言った。「世界に名だたる海洋学者がNASAのロケット屋たちといっしょになって、氷河の上で何をしてるわけ？」

トーランドはくすくす笑っている。「実は、大統領にそっくりの男から、手助けしてくれって頼まれたんだ。で、〝お呼びじゃないさ〟って言うつもりだったのに、どういうわけか〝はい、喜んで〟と口走ってた」

レイチェルはこの朝はじめて声をあげて笑った。「わたしもよ」

有名人はたいてい、実際に会ってみると小さいものだが、この相手はむしろ大きく見えた。褐色の瞳《ひとみ》はテレビの印象どおりに鋭くひたむきで、声からも同様に穏やかなあたたかみと情熱が感じとれる。健康的に日焼けした四十五歳のマイケル・トーランドは、粗い黒髪をいつもぞんざいに額へ垂らしていた。頑丈な顎《あご》と気負いのない態度に自信が表れている。握手のときにふれたごつごつした手のひらは、よくいる〝ソフトな〟テレビタレントではなく、鍛えあげられた海の男、実地調査のプロであることを物語っていた。

「正直なところ」トーランドはためらいがちに言った。「ぼくにお呼びがかかったのは、学識よりも宣伝力を買われてのことだと思う。ここへ来てドキュメンタリーを作れと大統領から頼まれたんだ」

「ドキュメンタリーを？　隕石の？　あなたは海洋学者なのに」

「まさにそのことばを返したさ！　そうしたら、どのみち隕石専門のドキュメンタリー屋なんて聞いたことがない、ときた。ぼくがかかわることでこの発見に大きく真実味が加わるんだそうだ。どうやら、今夜大々的な記者会見で事を公にするときに、そのドキュメンタリーを使うつもりらしい」

有名人のスポークスマンというわけね。レイチェルはザック・ハーニーの抜け目ない政治手腕を見せつけられた気がした。NASAの発表は一般人にはわかりづらいとよく言われるが、今回はちがう。アメリカ人ならだれもが知っていて科学分野では信用のある、解説の達人を起用するのだから。

ドームの斜向《はす》かいの端に設営されつつある会見エリアを、トーランドは指し示した。

氷上に敷かれた青い絨毯《じゅうたん》や、テレビカメラや、照明器材や、数本のマイクを据えつけた長テーブルが見える。背景用の巨大なアメリカ国旗が、ちょうど吊《つる》されようとしているところだ。

「今夜の準備だよ」トーランドは説明した。「ホワイトハウスと衛星生中継でつながれて、NASAの長官と直属の科学者数名が、大統領の八時の会見に加わる予定だ」

悪くないわね。ザック・ハーニーが発表の際にNASAを除け者にしないつもりだと知って、レイチェルはうれしかった。

「じゃあ」レイチェルはため息混じりに言った。「その隕石のどこがそれほど特別なのか、そろそろ説明してもらえるのかしら」

トーランドは眉《まゆ》をあげ、謎めいた笑みを見せた。「その隕石がどう特別なのかは、説明するより見てもらうのがいちばんいい」そう言って隣の作業エリアを示す。「あっちにいるやつが山ほど標本を持ってる」

「標本？　ほんとうに隕石の標本があるの？」

「ああ。ずいぶんたくさん採掘したよ。実は、この発見の重要性をNASAに気づかせた最初の錐芯試料《コア・サンプル》なんだ」

どういうものを期待していいのかわからないまま、レイチェルはトーランドにつづいて隣の区画へ移った。だれもいないようだ。岩石標本や測径器やさまざまな分析器具が散らばった机に、コーヒーのはいったカップが載っていた。まだ湯気が立っている。

「マーリンソン！」トーランドは叫んで、あたりを見まわした。返事がない。あきれたようにため息を漏らし、レイチェルのほうを向いた。「きっとコーヒーのクリームを探しにいって迷子になったんだろう。プリンストンの大学院でいっしょだったんだが、ここだけの話、寮のなかでもよく迷子になったやつでね。それがいまや、宇宙物理学で米国科学賞を受賞したっていうんだから。不思議でたまらないよ」

レイチェルははっとした。「マーリンソン？　まさか、あのコーキー・マーリンソンじゃないわよね？」

トーランドは笑った。「そのまさかだよ」

レイチェルは呆然《ぼうぜん》とした。「コーキー・マーリンソンがここに？」重力場《じゅうりょくば》に関する彼の考察は、NROの衛星技術者のあいだで伝説となっている。「マーリンソンも大統領に引き抜かれた一員なの？」

「ああ、本物《ヽ》の科学者のひとりさ」

本物のなかの本物だ、とレイチェルは思った。コーキー・マーリンソンと言えば、名実ともに超一流の科学者だ。

「コーキーは恐るべき矛盾をはらんだ人間でね」トーランドは言った。「アルファ・ケンタウリ星までの距離をミリメートル単位で暗唱できるのに、自分のネクタイすら結べない」

「だからクリップ式のを使ってるさ！」近くで、気のよさそうな鼻にかかった声が響いた。「マイク、効率は様式をしのぐんだ。おまえさんみたいなハリウッド・タイプにはわからないだろうがね！」

レイチェルとトーランドが振り返ると、山をなす電子機器の後ろから男が出てきた。ずんぐりと太っていて、泡のような瞳と梳《す》いてなでつけた薄い髪はパグ犬に似ている。トーランドがレイチェルと並んでいるのを見ると、ぴたりと足を止めた。

「なんだよ、マイク！　北極くんだりで凍えてるさなかにも、別嬪《べっぴん》さんに不自由しないんだな。おれもテレビに出てりゃあよかったよ！」

トーランドは見るからに困惑している。「ミズ・セクストン、ドクター・マーリンソンをどうか許してやってくれ。こいつの頭は役に立たない宇宙の知識がぎゅう詰めで、デリカシーのはいる隙間がないんだ」

コーキーが近寄ってきた。「はじめまして、お嬢さん。まだお名前をうかがってませんね」

「レイチェル……レイチェル・セクストンです」

「セクストン？」コーキーは大げさなあえぎ声を出した。「あの目先のきかない堕落した上院議員とは無関係だと言ってくれよ！」

トーランドは顔をしかめた。「コーキー、レイチェルはセクストン上院議員の娘さんだ」

コーキーは笑うのをやめ、肩を落とした。「わかったろう、マイク。このざまじゃ、ご婦人に縁がなくて当然だよな」

22

米国科学賞に輝く宇宙物理学者のコーキー・マーリンソンは、レイチェルとトーランドを自分の作業エリアへ迎え入れ、器具や標本を選り出しはじめた。その動きは、きつく巻いたぜんまいを解き放す瞬間を連想させる。

「それでは」上機嫌で身を震わせて言う。「ミズ・セクストン、コーキー・マーリンソンの〝三十秒隕石《いんせき》早わかり講座〟を、しばしご静聴あれ」

トーランドはすまなそうにレイチェルに目くばせした。「辛抱してやってくれ。もともと俳優志望だったんだ」

「そうさ。で、マイクのほうはご立派な科学者志望だった」コーキーは靴箱のなかを掻《か》きまわして小ぶりな岩石標本を三つ取り出し、それらを机に並べた。「地球上で見られる隕石にはこの三種類がある」

レイチェルは三つの標本を見つめた。どれもゴルフボール大のいびつな楕円《だえん》の球体で、半分に切られて断面が見えるようになっている。

「すべての隕石には」コーキーは言った。「ニッケルと鉄の合金、ケイ酸塩、そして硫化物がさまざまな割合で含まれている。隕石は金属とケイ酸塩の比率をもとに分類されるんだよ」

レイチェルはすでに、〝早わかり講座〟が三十秒で終わりそうもないと確信していた。

「このひとつ目の標本は」コーキーは光沢のある真っ黒な石を指した。「鉄隕石という。とても重い。こいつは数年前に南極大陸に落下したものだ」

レイチェルはその隕石を観察した。外殻が黒く焦げた重い灰色の鉄塊は、まぎれもなく別世界のものに見える。

「この炭化した外側の層は溶融殻と呼ばれる」コーキーは言った。「流星体が大気中を落下する際の極度の高熱に起因するものだ。どんな隕石にもこの炭化層は見られる」コーキーはただちにつぎの標本へ移った。「ふたつ目のこれは石鉄隕石と呼ばれる」

レイチェルはその標本に目を移し、同じように外側が炭化しているのを見てとった。けれども、こちらは全体に薄緑の色合いを帯び、色とりどりの角片を貼り合わせたようなその断面は万華鏡を思わせる。

「きれいね」レイチェルは言った。

「麗しいと言ってもらいたいな！」その隕石が緑色に輝いているのは橄欖石《かんらんせき》の含有量が高いためであることを一分間にわたって説明したのち、コーキーは最後に控える三つ目の標本を仰々しく手にとって、レイチェルに渡した。

レイチェルは最後の隕石を手のひらに載せた。こちらは花崗岩《かこうがん》に似たくすんだ褐色だ。地球の石よりも重く感じられるが、大きな差はない。ふつうの岩石とのちがいと呼べるものはその溶融殻——焦げた外側の表面——だけだった。

「これは」コーキーははっきりと言った。「石質隕石と呼ばれている。三種のなかで最もありふれたものだ。地球に落下する隕石の九十パーセント程度はここに分類される」

レイチェルは意外に思った。これまで頭に描いていた隕石は、ひとつ目の標本に近いもの――金属っぽく、いかにも異星のものらしい小塊――だった。いま手の上にある隕石は、地球外のものにはとても見えない。外殻が炭化しているとはいえ、浜辺に落ちていても見過ごしそうな石だ。

コーキーの目は興奮で大きく見開かれている。「ここミルンの氷に埋もれていたのは石質隕石だ。あんたが手にしてるそれとよく似たやつさ。石質隕石の外観は地球にある火成岩とほとんど同じだから、見つけるのがむずかしい。多くは、軽量のケイ酸塩鉱物である長石、橄欖石、輝石が混じり合ってる。特に珍しいものじゃない」

そのとおりね、と思いつつ、レイチェルは標本を差し出した。「暖炉にほうりこまれて焦げた石みたい」

コーキーは大笑いした。「並みの暖炉じゃないぞ！　どんなに強力な溶鉱炉も、流星体が大気圏に突入するときの熱はぜったいに再現できない。炉のほうがやられちまう！」

トーランドはレイチェルに同情するような笑みを向けた。「ここからが見ものだぞ」

「想像してみるといい」コーキーはそう言って、標本を受けとった。「こいつが家ぐらいの大きさだとしよう」標本を頭上高く掲げる。「いいか……ここは宇宙だぞ……太陽系を横切る……宇宙の温度で体じゅう冷えきったまま、摂氏マイナス百度の世界に近づいて……」

トーランドは忍び笑いをしている。コーキーによる隕石のエルズミア島到達の再現劇を、すでに鑑賞済みらしい。

コーキーは標本を降下させはじめた。「われらが流星体は地球へ近づく……間近に迫ったところで重力につかまる……加速する……さらに加速する……」

レイチェルが見守るなか、コーキーは重力による加速を模して標本をぐんぐん動かした。

「すごいスピードだ」コーキーは叫んだ。「秒速十マイル――時速三万六千マイルを超えた！　地球から百三十五キロメートルの地点で、流星体は大気による摩擦を受ける」標本を激しく揺らしながら、氷の床へ向けておろしていく。「地上百キロメートルを切ったら、白熱の世界だ！　大気の密度が増しているから、その摩擦たるやすさまじい！　流星体の表面の物質は熱で溶け、まわりの空気が発光しだす」燃焼の効果音がコーキーの口から発せられる。「地上八十キロメートルを切ると、表面温度が摂氏千八百度を超える！」

大統領から褒賞された宇宙物理学者が、標本をますます荒々しく揺り動かして子供じみた効果音をがなり立てる姿を、レイチェルは呆気《あっけ》にとられて見つめた。

「六十キロメートル！」コーキーはいまや絶叫していた。「われらが流星体は大気の壁に突入する。空気はとてつもなく濃密だ！　重力の三百倍以上の力で急激に減速！」甲高いブレーキ音を叫んで、一気に降下速度をゆるめる。「流星体はあっという間に冷えて発光を止める。暗黒のフライトがはじまった！　溶けた表面が固まって、炭化した溶融殻となる」

コーキーが氷にひざまずき、最後の締めくくり――地球との衝突――の体勢にはいると、トーランドのうめき声が響いた。

「さあ」コーキーは言った。「われらが巨大隕石は低い気圏を舞い落ちる……」両膝《ひざ》を突き、標本を軽く傾けてゆるやかに地表へ近づける。「こいつは北極海へ向かってる……斜めに……落ちていく……海上の空を切り裂くように……落ちる……そして……

…」標本が着氷する。「ドカーン！」

レイチェルは飛びあがった。

「この衝撃はとてつもない！　隕石は粉々だ。かけらが飛び散って、海を駆けめぐる」コーキーはスローモーションに切り替えて、目に見えぬ海の上で標本をのたうちまわらせながらレイチェルの足もとへ迫った。「かけらのひとつが水面を滑るように転がって、エルズミア島にたどり着く……」標本がレイチェルの靴先に載せられる。「海を飛び出して、地上へ跳ねあがる……」さらに舌革の上を転がされ、足首の近くで止まる。「そしてついにミルン氷河の高みで動きを止める。たちまち雪と氷に覆われ、空気による腐食から守られる」コーキーはにっこり笑って立ちあがった。

あいた口がふさがらずにいたレイチェルは、感じ入ったふうな笑い声を漏らした。

「あの、ドクター・マーリンソン、いまのご説明はとっても……」

「明快だったかい」

レイチェルは微笑んだ。「ええ、まあ」

コーキーは標本をまた手渡した。「断面を見て」

レイチェルは石の内側を凝視したが、何も気がつかなかった。

「光にあてるといい」トーランドが温和な声で促した。「それからよく見てごらん」

レイチェルは石を目に近づけ、頭上で輝くハロゲンランプのまぶしい光へ向けた。すると見えた——小さな金属の粒が表面できらめいている。直径一ミリほどしかない何十個もの粒が、水銀の微小な滴のように断面全体に散っているらしい。

「この気泡みたいなやつは〝球粒〟と呼ばれてる」コーキーが言った。「隕石《いんせき》に特有の物質だ」

レイチェルは目を細めてその粒を見た。「たしかに、地球の岩でこんなものはいままで見たことがないわ」

「これからもないさ！」コーキーは断じた。「地質学的組成から見て、球粒は地球上にはぜったいに存在しない物質のひとつだ。とてつもなく古くて、宇宙の黎明《れいめい》期にできたと推定されるものもある。きみがいま持っているやつなんかはひどく新しい。そいつに含まれる球粒は約一億九千万年前のものだろう」

「一億九千万年前のが新しいですって？」

「そうとも！　宇宙の基準で言えば、そんなのはきのうみたいなものさ。とにかく、いま言いたいのは、球粒が含まれる以上、そいつは隕石にちがいないってことだ」

「なるほど」レイチェルは言った。「球粒が決め手なのね。わかった」

「そして最後に」コーキーは深く息をついた。「溶融殻と球粒だけでは信用できない場合、おれたち天文学者には隕石か否かをたしかめる絶対確実な方法がある」

「どんな方法？」

コーキーは小さく肩をすくめた。「岩石偏光顕微鏡や、蛍光X線分光計や、中性子放射化分析器や、誘導結合プラズマ分光計なんかを使って、強磁性体比率を測定すればいいのさ」

トーランドが不満げにうなった。「得意がるなよ。要するに、コーキーが言いたいのは、隕石であることを立証するには含有成分を調べればいいってことなんだよ」

「おい、海の冒険野郎！」コーキーはさえぎった。「科学のことは科学者にまかせてもらいたいな」すばやくレイチェルに向きなおる。「地球上の岩石には、ニッケルがきわめて高い割合か、またはきわめて低い割合で含まれている。中間はない。ところが、隕石の場合は中ぐらいの数値を示す。だから、標本を分析してニッケルの含有率が中間値を示せば、それは隕石だと疑問の余地なく立証できるわけだ」

レイチェルは苛立《いらだ》ちを覚えた。「溶融殻、球粒、中程度のニッケル含有率。その三つが宇宙から来た証拠なのね。よくわかった」コーキーの机に標本をもどす。「でも、わたしがそれを知ってどうなるの？」

コーキーは大げさにため息をついた。「ＮＡＳＡがこの下の氷から発見した隕石の標本を見せようか」

ここで朽ち果てる前に、ぜひそうして。

コーキーは胸のポケットへ手を伸ばし、小さな円盤状の石を取り出した。厚さ半インチのCDといった感じで、組成はいま見た石質隕石と同じようだ。

「きのう採掘したコア・サンプルをスライスしたものだ」コーキーはその円盤をレイチェルに手渡した。

見た目はどうということはなかった。オレンジがかった白い石で、重みがある。外殻らしきへりの一部が黒く焦げている。「溶融殻があるわ」

コーキーはうなずいた。「ああ、そいつは隕石の外側近くを削りとったものだから、外殻が残ってる」

レイチェルは円盤を光にあて、ごく小さな金属の粒を見つけた。「それに球粒も」

「いいぞ」コーキーの声は興奮でうわずっている。「さらに言えば、岩石偏光顕微鏡で調べたんだが、そいつのニッケル含有率は中間値だった。だから地球で生まれたものじゃない。おめでとう、きみの手のなかのその石が宇宙から来たことを無事確認できたよ」

レイチェルはわけがわからず、目をあげた。「ドクター・マーリンソン、これは隕石だわ。たしかに宇宙から来たものでしょうよ。で、わたしは何か見落としてるのかしら」

コーキーとトーランドは含みのある視線を交わした。トーランドはレイチェルの肩に手を置き、小声で言った。「裏返してごらん」

レイチェルは円盤をひっくり返して裏側を見た。一瞬ののち、目に見えたものを脳が認識した。

そして、トラックに轢《ひ》かれたような衝撃を受けた。

ありえない！　息を吞《の》んでその石を見つめながら、自分にとっての〝不可能〟の定義がたったいま変わったことを悟った。これが地球上の岩石の標本なら驚きもしないだろうが、隕石にそんなものが埋まっていようとは、まったく想像もしなかった。

「これは……」つぎのことばがなかなか出てこない。「これは……虫だわ！　この隕石には虫の化石がはいってる！」

トーランドとコーキーはともに満面の笑みを見せた。「未知の世界へようこそ」コーキーが言った。

ほとばしる感情に呑まれて、レイチェルはしばし口をきけなかったが、そんな混乱のなかでさえ、この化石がかつて命を宿した生き物だったことをはっきり見てとった。化石の全長は三インチほどで、ある種の大型のカブトムシか、這《は》って進む昆虫の腹側ではないかと思えた。アルマジロの甲のように帯状に分かれた硬い外殻の下に、七対の脚がついている。

レイチェルはめまいを覚えた。「宇宙に昆虫が……」

「等脚類だよ」コーキーは言った。「昆虫なら脚は三対だが、これには七対ある」

レイチェルはろくに聞いていなかった。目の前の化石を注視しながらも、頭は目まぐるしく回転していた。

「見てわかると思うが」コーキーはつづけた。「背面の殻は地球で言うダンゴムシのように帯状に分かれている。さらに、尻尾《しっぽ》の恰好《かっこう》で飛び出た二本の付属肢があることから、ワラジムシに近い種《しゅ》に分類できる」

レイチェルはすでにコーキーを意識の外へ追いやっていた。細かい種別などどうでもよい。いまや、パズルのピースがすさまじい勢いではまっていく――大統領の異常なまでの警戒、興奮に沸くNASA……

この隕石には化石が含まれている！　細菌や微生物ではなく、もっと進化した生物の化石が！　宇宙のどこかにたしかな生命がある証拠だ！

23

ＣＮＮ討論がはじまって十分が過ぎたころ、セクストン上院議員は、先刻までの危《き》惧《ぐ》はいったいなんだったのかと思っていた。論客としてのマージョリー・テンチを買いかぶりすぎたらしい。冷酷なまでの明敏さで評判だったにもかかわらず、実際相手にしてみると、テンチは不足のない敵どころか生《い》け贄《にえ》の子羊同然だった。

たしかに論戦の序盤では、中絶合法化に反対するセクストンの方針を女性差別だときびしく非難して機先を制したが、その後主導権を握ろうとしたテンチは、うかつな誤りを犯した。増税なしに教育改善に着手するなら費用をいかにして捻《ねん》出《しゅつ》するのかと責めた勢いで、セクストンがつねにＮＡＳＡを悪者に仕立ててきたことを揶《や》揄《ゆ》したのだ。

もとよりセクストンは終盤でＮＡＳＡを論題として持ち出すつもりだったが、マージョリー・テンチは自分から早々にきっかけを作ってくれた。まぬけな女だ！

「ＮＡＳＡと言えば」セクストンはさりげなく論点を移した。「最近新たな失敗を犯したと噂されていますが、それについて説明していただけませんか」

マージョリー・テンチは顔色を変えなかった。「そんな噂は耳にしていませんけど」愛煙家であるその声はざらついている。

「では、ノーコメントですか」

「そういうことです」

セクストンはほくそ笑んだ。抜粋を多用するメディアの世界では、〝ノーコメント〟は往々にして〝告発どおり有罪〟と解釈される。

「わかりました」セクストンは言った。「では、大統領とNASA長官のあいだで極秘の緊急会談が持たれたという噂についてはどうですか」

こんどはテンチも驚いた顔をした。「どの会談のことでしょうか。大統領は多くの会談をこなしていらっしゃいますから」

「むろん、そうでしょう」セクストンは単刀直入に行こうと決めた。「ミズ・テンチ、あなたはNASAの活動を強く支持しておられますね」

セクストンの得意の話題にうんざりといった様子で、テンチはため息を漏らした。「軍事、産業、情報、通信のすべての分野において、アメリカは技術上の優位を保たなくてはならないとわたしは信じています。その意味でNASAは不可欠の機関ですから、答はイエスです」

制作ブースで、ガブリエールが自重しろと目で訴えているのが見えたが、セクストンは勝利の味を占めていた。「ぜひ知りたいんですが、明らかに不振にあえいでいるあの機関を大統領がいつまでも支援しつづけているのには、あなたの影響があるのでは？」

テンチはかぶりを振った。「ありません。大統領もまたＮＡＳＡの忠実な支持者なのです。決断はすべてご自身でなさるかたです」

セクストンはおのれの耳が信じられなかった。与えてやったこの好機に、ＮＡＳＡへの資金援助の責任は自分にもあると認めれば、大統領への非難は軽減されただろうに、マージョリー・テンチはそれを大統領に丸投げした。〝決断はすべてご自身でなさるかたです〟。窮地に陥った選挙戦から早くも手を引こうというのだろうか。驚くにはあたらない。どのみち、この選挙が終わったら新たな職を探すつもりなのだろう。

それから数分にわたって、セクストンとテンチは攻防を繰り返した。テンチが論題を変えようと弱腰で試みる一方、セクストンはＮＡＳＡの予算について執拗《しつよう》に攻め立てた。

「上院議員」テンチが言った。「ＮＡＳＡの予算を削減したいとおっしゃいますけど、実行したらどれだけのハイテク技術者が路頭に迷うかお考えになったことはありますか」

セクストンは面と向かって哄笑《こうしょう》するところだった。この小娘がワシントン一の切れ者だって？　テンチはこの国の人口統計を少しばかり学んだほうがいい。ハイテク技術者など、アメリカを支える膨大な数のブルーカラー労働者に比べたら物の数ではない。

セクストンは切り返した。「マージョリー、いま論じているのは十億ドル単位の予算の節減についてですよ。その結果、NASAの科学者たちが、愛車のBMWに乗って技術をそこらじゅうへ売りこみにいく羽目になったとしても、それはしかたがないでしょう。断固として乱費を許すわけにはいきません」

最後のパンチに打ちのめされたかのように、テンチはだまりこんだ。

CNNの司会者は先を促した。「ミズ・テンチ？　反論はありませんか」

テンチはようやく咳《せき》払いをして口を開いた。「ミスター・セクストンがなぜこれほど頑強にNASA批判派の立場をとろうとなさるのか、不思議でなりません」

セクストンは目を鋭く細めた。いい根性じゃないか。「わたしはNASA批判派ではありませんし、そのように非難されるのは心外ですね。わたしはただ、大統領が容認なさるせいでNASAの予算は歯止めなく増大していると申しあげているだけです。

スペースシャトルは五十億ドルで製造できるという話だったが、結局百二十億ドルかかった。宇宙ステーションは八十億ドルだと言っていたのに、いまや一千億ドルですよ」

「アメリカは指導者の国です」テンチは反撃を試みた。「それは、わたしたち国民が気高い目標を設定し、苦境に屈せず邁進《まいしん》するからです」

「国家の誇りなどという戯言《たわごと》はわたしには効かないよ、マージ。NASAは過去二年間に三度も予算を超過し、大統領に泣きついては失策をつくろわせてきた。国家の誇りが聞いてあきれる。そういう話がしたいなら、教育の強化や、万人のための医療について話そう。チャンスの国で育ちゆく優秀な子供たちについて話そう。それこそが国家の誇りというものだ！」

テンチは鋭くにらみつけた。「率直にお尋ねしていいかしら」

セクストンは返答せず、黙して待った。

つづくことばは、にわかに生気が吹きこまれたかのように悠然と発せられた。「上院議員、もし現状よりも少ない費用で宇宙探査をおこなうのは不可能だと申しあげたら、あなたはNASAそのものの撤廃に乗り出すおつもりですか？」

その質問は、膝《ひざ》に落ちてきた大きな岩のごとくセクストンには感じられた。テンチはやはり愚かではなかったようだ。意表を突いて、いきなり〝フェンス破壊弾《バスター》〟――塀際で様子を見る敵にイエスかノーかの選択を迫って、きっぱりと態度を決めさせる、よく練られた質問――を繰り出してきた。

セクストンは無意識に確答を避けた。「当然ですが、適切な運営がともなえば、宇宙探査の費用は現状よりも大幅に少なく――」

「セクストン上院議員、質問に答えてください。宇宙開発は莫大《ばくだい》な費用を必要とする危険な事業です。旅客機を製造する場合と同じですよ。完璧《かんぺき》に成功するか、さもなくば大失敗か。リスクの大きさは計り知れません。もう一度お訊《き》きします。あなたがもし大統領になったら、NASAへ現状どおりの資金投入をつづけるか、わが国の宇宙計画をすべて破棄するかの決断を迫られることになりますが、そのどちらを選択なさいますか」

くそっ。セクストンはガラス越しにガブリエールを見やった。その表情からは自分と同じ考えが読みとれた。道はひとつ。堂々と。はぐらかしてはだめよ。セクストンは顎《あご》をぐいと持ちあげた。「わかりました。そうした決断を迫られれば、NASAの現在の予算をまるごと教育予算へつぎこむつもりです。わたしは宇宙よりも子供たちを選びます」

マージョリー・テンチは露骨なあきれ顔を見せた。「驚いたわ。いまのはわたしの聞きまちがいでしょうか。大統領になられた暁には、わが国の宇宙計画を全廃するおつもりだと？」

セクストンは怒りが湧きあがるのを感じた。いまやテンチはこちらのことばを操っている。反駁《はんばく》しようとしたが、相手に先んじられた。

「上院議員、あなたは人類を月へ送った機関を廃止することを公約なさっているのですね」

「宇宙開発競争はもう終わったと言っているんです！　時代は変わりました。NASAはもはや国民生活に重要な役割を果たしていないのに、われわれはそれに気づかぬふりをして資金を投入しつづけています」

「では、宇宙に未来はないとお考えなのですか」

「もちろん宇宙には未来がありますが、NASAは過去の遺物ですよ！　宇宙探査は民間の事業者にまかせればいい。ワシントンの技術者が木星の写真を撮るのに十億ドル入り用だと言うたびに、納税者が自分の財布を開く必要はありません。巨額の費用をむさぼってわずかな成果しか残さない前時代的な機関へ、子供たちの将来をなげうってまで投資することに、国民はうんざりしているんです！」

テンチは大仰に息をついた。「わずかな成果？　SETI計画はおそらく例外として、これまでNASAは莫大な成果をあげていますよ」

テンチの口から〝SETI〟ということばが漏れたことに、セクストンは驚いた。喜ばしい大失態だ。思い出させてくれてありがとう。地球外文明探索（SETI）計画と言えば、NASA史上最悪の金食い虫だ。NASAはその計画名を〝オリジン〟と改めて若返りを図ったり、探索目標を何度か変えてみたりしたが、負けつづきの博《ばく》打《ち》であることに変わりはなかった。

「マージョリー」セクストンはすかさず言った。「SETIの話が出たついでに言わせてもらいたい」

妙なことに、テンチはそのことばを待ち望んでいたように見えた。

セクストンは咳払いをした。「一般にはあまり知られていませんが、NASAは三十五年前から地球外生命体《E・T》を探しつづけています。しかもその宝探しはやたらと金がかかる――パラボラアンテナの森や、巨大な無線機や、何も録音されていないテープに暗がりで聞き入る科学者への何百万ドルもの給与。無駄づかいもいいところです」

「SETI計画は無意味だとおっしゃるのですか」

「もしほかの政府機関なら、三十五年で四千五百万ドルもの資金を費やして、ただのひとつの結果も生み出せないようであれば、とうに切り捨てられておかしくないと言っているんです」ひと呼吸置き、台詞《せりふ》に重みを持たせる。「三十五年もかけて何も出てこなかったんですから、地球外生命体が今後も見つからないことは明々白々だと思いますがね」

「もしあなたがまちがっていたら？」

セクストンは目をくるりと動かした。「やれやれ。ミズ・テンチ、もしわたしがまちがっていたら、帽子を食べてみせますよ」

マージョリー・テンチは黄色い目でセクストンを見据えた。「上院議員、いまのお答をわたしは忘れませんよ」そこではじめて笑顔を見せる。「おそらく、全国民の記憶に残るでしょう」

六マイル離れた大統領執務室で、ザック・ハーニー大統領はテレビを消して酒を一杯注いだ。マージョリー・テンチが請け合ったとおり、セクストン上院議員は餌に食いついて――みごとに罠《わな》に掛かった。

24

化石入りの隕石《いんせき》を手に呆然《ぼうぜん》とたたずむレイチェル・セクストンを見て、マイケル・トーランドはおのずと顔がほころぶのを感じた。レイチェルの垢《あか》抜けした美しい顔は、いまや純粋な驚きの表情――はじめてサンタクロースを目にした少女のそれ――をたたえつつある。

どんな気持ちかよくわかる、とトーランドは思った。

トーランド自身も四十八時間前に同じ衝撃を受けたばかりだった。やはりショックで口がきけなかった。いまもまだ、この隕石が持つ科学的、そして思想的な重みに圧倒されており、これまでの自然に関する認識のすべてを改めなくてはいけないと痛感していた。

トーランドが海洋調査で発見したなかにも未知の深海生物がいくつかあったが、この〝宇宙の虫〟はまったく別の次元の大発見だ。ハリウッドは地球外生命体を緑色の人間として描くことが多いけれど、宇宙生物学者やマニアのあいだでは、地球に生息する昆虫の数の多さと適応性の高さから考えて、地球外生命体が見つかるとしたら虫のたぐいだろうというのが定説となっている。

昆虫は節足動物——硬い外殻と、関節を備えた脚を持つ生物——の一種である。地球に存在する〝虫〟の種類は既知のものだけで百二十五万種を超え、未分類のものも五十万種いると推定されており、その数はほかのすべての動物の合計よりも多い。虫だけで地球上の生物種の九十五パーセントを占め、驚くことに、生物量でも地球全体の四十パーセントを占めている。

だが真に驚くべきは、虫の数の多さよりもその適応力だろう。南極に住むカブトムシから酷暑のデス・ヴァレーに住むサソリに至るまで、どれほど苛酷《かこく》な気温や湿度や気圧の条件下にあっても虫はうまく適応する。そして、宇宙で最も致死力が高いとされる放射能に対してすら、耐性を身につけてしまった。一九四五年におこなわれたある核実験のあと、放射能防護服を着用して爆心地の調査にあたった空軍将校が見つけたのは、何事もなかったかのように動きまわるゴキブリとアリばかりだった。天文学者の考察によれば、放射能濃度が高すぎてほかの生物が生きられない数々の惑星でも、体表を保護する外骨格を持つ節足動物ならば生存が可能であるらしい。

宇宙生物学者は正しかったわけか、とトーランドは思った。地球外生命体はたしかに虫だった。

レイチェルは脚の力が抜けていくのを感じた。「信じ……られない」そうつぶやいて、手のなかの化石を動かす。「こんなことって……」

「少ししたら受け入れられるさ」トーランドがにこやかに言った。「ぼくの場合、体の下に足がもどるまでに二十四時間かかったけど」

「新しいかたがおいでのようですな」アジア人には珍しく長身の男がやってきて、一座に加わった。

その男が登場したとたん、コーキーとトーランドは元気を失ったように見えた。魔法の瞬間が台なしになったとでも言いたげだ。

「ドクター・ウェイリー・ミンです」男は自己紹介した。「UCLAで古生物学部長をつとめております」

その男はルネサンス時代の貴族さながらの尊大な堅苦しさを漂わせ、膝《ひざ》まであるキャメルのコートの下に着けた場ちがいな蝶《ちょう》ネクタイをしきりにさすっていた。辺境の地にあっても、ウェイリー・ミンはきまじめな身なりを崩さないらしい。

「レイチェル・セクストンです」ミンのなめらかな手を握るとき、まだ手が震えていた。この男も大統領が呼び寄せた民間人のひとりだろう。

「ミズ・セクストン、喜んでお教えしますよ」ミンは言った。「この化石について知りたいことがあればなんなりと」

「知りたくないこともたくさんな」コーキーがぼそりと言った。

ミンは蝶ネクタイをなでた。「わたくしの専門は、絶滅した節足動物とトタテグモでしてね。この化石の生物に見られる最も顕著な特徴は――」

「――得体の知れない惑星から来たってことさ!」コーキーが割りこんだ。

ミンは渋面を作って咳《せき》払いした。「この生物の最も顕著な特徴は、進化論に基づく地球上の生物分類に完璧にあてはまることです」

レイチェルは目を見開いた。これを分類できるの?「つまり、界とか、門とか、種とか?」

「そうです」ミンは答えた。「これがもし地球で発見されていたら、等脚目の、二千種のワラジムシが属する科に分類されるでしょう」

「ワラジムシ?」レイチェルは言った。「こんなに大きいのに」

「分類学では大きさを問題としません。家猫も虎も同じネコ科です。分類は生理学に基づいているのですよ。この生物はワラジムシの仲間にまちがいありません。平たくつぶれた胴、七対の脚、それにワラジムシ、ダンゴムシ、ハマトビムシ、キクイムシなどの雌に見られる育房を有しています。ほかの化石が示しているのはさらに特殊な――」

「ほかの化石？」

ミンはコーキーとトーランドを見やった。「このかたはご存じではないのか」

トーランドは首を振って知らないと伝えた。

ミンの顔が急に明るくなった。「ミズ・セクストン、ここからが興味深いところなのです」

「化石はまだあるんだ」ミンの先を越そうと、コーキーが口をはさんだ。「わんさとある」大判のマニラ封筒へあわただしく手を伸ばし、そこから折りたたまれた特大の紙を引っ張り出して、レイチェルの前の机にひろげる。「コア・サンプルをいくつか掘り出したあと、その穴にX線カメラをおろしたんだよ。これは断面の透視画像だ」

机上のX線写真を目にしたとたん、レイチェルは椅子にへたりこんだ。隕石の立体画像の断面に、数十の虫の姿が見てとれる。

「古生物の化石は」ミンは言った。「たいがい一か所からまとめて発見されます。多くの場合、泥流が生物とその住みかをまるごと呑《の》みこむものですから」

コーキーは微笑んだ。「この隕石のなかの一群はひとつの家族だとおれたちは考えてる」そう言って、写った虫の一匹を指さす。「ここにいるのがおっかさんだな」

その虫に目を向け、レイチェルはあんぐりと口をあけた。体長二フィートはあるだろうか。

「ばかでかいワラジムシだろ?」コーキーは言った。

レイチェルは物も言えずにうなずきながら、どこか遠くの星で一塊のパンほどの大きさのワラジムシがぞろぞろと歩きまわるさまを思い浮かべた。

「地球では」ミンが言った。「重力によって抑えられていますから、虫は比較的小さいのです。外骨格で支えられる以上には大きくなれません。しかし、重力の小さい惑星では、虫ははるかに大型に進化できるでしょう」

「コンドルほどの大きさの蚊を叩《たた》き落とすところを想像するといいさ」コーキーはからかいながら、レイチェルから標本を引きとってポケットへもどした。

ミンは顔をしかめた。「それをくすねる気を起こさないことですな!」

「堅いこと言うなよ」コーキーは言った。「あと八トンも残ってるんだぜ」

いつもの習慣で、レイチェルは眼前の情報を忙しく分析していた。「でも、宇宙から来た生物がなぜこんなに地球上の生物と似てるのかしら。この虫は進化論に基づく分類と一致するんでしょう?」

「完全にね」コーキーは言った。「信じられないかもしれないけど、地球外生命体が発見されるとしたら地球上のものに酷似してるだろうと、天文学者の多くが予測していたんだよ」

「でもどうして？」レイチェルは食いさがった。「まったくちがう環境にいたのに」

「パンスペルミア説さ」コーキーは大きな笑みを浮かべた。

「なんですって？」

「この地球に暮らす生物の種《たね》がほかの星にあるってことだよ」

レイチェルは立ちあがった。「わけがわからないわ」

コーキーはトーランドに顔を向けた。「マイク、原始の海はおまえさんの十八番だったな」

トーランドは楽しそうに口を開いた。「レイチェル、地球はかつて生物のいない惑星だったんだ。それが突然、一夜のうちに爆発したかのように生命が息づいた。生物学者の多くは、原始の海の成分が理想的な状態になったために、魔法のごとく命が宿ったと考えている。でも、それを実験室で再現することはいまだにできていない。宗教学者は、その試みが成功しないのは神が実在する証《あかし》だと考える。神が原始の海にふれて命を吹きこんだからこそ、生き物が存在するのだと言ってね」

「だけどおれたち天文学者は」コーキーが言った。「地球上での突然の生命の爆発について、別の解釈を見つけ出した」

「それがパンスペルミア説なのね」話の内容をようやく理解して、レイチェルは言った。その説は以前耳にしたことがあったが、そういう名前だとは知らなかった。「隕《いん》石《せき》が〝原始スープ〟に飛びこんで、最初の微生物の種を地球にもたらしたという説ね」

「ビンゴだ」コーキーは言った。「その種が刺激を受けて、生命誕生と相成ったわけだ」

「それが事実なら、地球の生き物も地球外生命体も祖先は同じということになるわ」

「またビンゴ」

パンスペルミア説。つながりをまだ理解しきれないまま、レイチェルはそのことばを胸の内で繰り返した。「つまりこの化石は、宇宙のどこかに生命が存在することを裏づけるだけじゃなく、宇宙のどこかから地球に生命がもたらされたというパンスペルミア説の正しさを立証するものだと言ってもいいのね」

「またまたビンゴ」コーキーは力強くうなずいた。「厳密に言えば、おれたちはみんな、地球外生命体かもしれないんだ」そう言って指を二本のアンテナのように頭の上に立て、両目を寄せ、何かの昆虫を真似て舌を動かした。

トーランドが苦笑しつつレイチェルを見た。「で、進化の頂点にいるのがこの男なんだよ」

25

夢さながらの霧に包まれた心地で、レイチェル・セクストンはマイケル・トーランドと並んでハビスフィアを歩いていた。コーキーとミンがすぐ後ろにつづいている。

「だいじょうぶかい」レイチェルをしげしげと見てトーランドが言った。

レイチェルは疲れた笑顔を向けた。「ありがとう。ただ……ものすごかったから……」

脳裏に、悪名高い一九九六年のＮＡＳＡの発見が呼び起こされた。火星から飛来した隕石のＡＬＨ８４００１に、化石化した細菌の痕跡《こんせき》が見つかったというものだ。不幸にも、ＮＡＳＡが意気揚々と記者会見をおこなったわずか数週間後、数名の民間人科学者たちが、その〝生命のしるし〟が地球の汚染物質による混合有機物にすぎない証拠を突きつけた。この大失態はNASAの信用を地に落とした。《ニューヨーク・タイムズ》紙はここぞとばかりに、NASAという略称を辛辣《しんらつ》にもじってみせた。ナット・オールウェイズ・サイエンティフィカリー・アキュレイト――かならずしも科学的に正しいわけではない。

その日の紙面で、純古生物学者のスティーヴン・ジェイ・グールドはALH84001に関する問題点をあげつらい、隕石に含まれていた細菌は、骨や貝殻などの〝確たる〟証拠とちがって、変化を受けやすく根拠に乏しいものだと指摘した。

だが、今回NASAが発見した証拠は反駁《はんばく》の余地がないものだ。どんなに疑い深い科学者もこれほどの化石には文句をつけられないだろう。NASAはもう、顕微鏡でしか見えない細菌らしきもののぼやけた拡大写真をばらまく必要はなく、肉眼で見える生物が埋まった隕石標本を展示すればいい。足の大きさのワラジムシを!

子供のころ、〝火星から来たクモ〟について歌ったデヴィッド・ボウイの曲が大好きだったことが頭に浮かび、レイチェルは思わず笑った。宇宙生物学上の歴史に残る一大事を、イギリスの美麗なポップスターがここまで正しく予見するとは、だれも想像しなかったにちがいない。

心のなかでおぼろげなメロディをたどっていると、コーキーが足を速めてそばに来た。「マイクはドキュメンタリーのことをもう自慢したかい？」

レイチェルは答えた。「まだだけど、ぜひ聞きたいわ」

コーキーはトーランドの背中を思いきり叩《たた》いた。「さあ話せよ、坊や。大統領がなぜ、科学史上最も重要な瞬間を、シュノーケルでおなじみのテレビスターに委《ゆだ》ねることにしたのか」

トーランドはうなり声を発した。「コーキー、かわりに説明してくれ」

「いいさ」コーキーはふたりのあいだに割ってはいった。「ミズ・セクストン、たぶん聞いてると思うけど、大統領は今夜、記者会見を開いて隕石のニュースを公表する予定だ。でも、世の大多数の人間は低能だから、大統領はマイクを呼び寄せて、ばかでもわかるように嚙《か》み砕いてくれって頼んだのさ」

「ありがとうよ、コーキー」トーランドは言った。「最高の説明だ」そしてレイチェルを見た。「コーキーが言わんとしてるのはこういうことだ。伝えるべき科学情報が多すぎるから、隕石についての短い映像ドキュメンタリーがあれば、宇宙物理学で修士号や博士号を取得していないふつうのアメリカ人にも理解しやすくなる。大統領はそう考えたんだよ」

「知ってたかい」コーキーはレイチェルに言った。「おれの聞いたところじゃ、わが国の大統領は〈驚異の海〉の隠れファンらしい」嘆かわしげに首を振る。「自由世界の支配者たるザック・ハーニーが、長い一日のあとの息抜きのために、マイクの番組を秘書に録画させてるんだぜ」

トーランドは肩をすくめた。「大統領にだって好みはある。とやかく言うことじゃないさ」

大統領の計画がいかにすぐれているかをレイチェルは悟りはじめていた。政治はメディアを駆使するゲームだ。テレビ画面にマイケル・トーランドが登場することで、記者会見が活気を帯び、情報に信憑《しんぴょう》性が加わるであろうことは容易に想像できる。ザック・ハーニーは愛《いと》しいNASAの大手柄を宣伝するのにうってつけの人間を引き入れたわけだ。高名な民間人科学者たちと国民的科学番組の司会者の折り紙つきとなれば、懐疑論者たちも大統領の発表に異論をはさみづらいだろう。

コーキーは言った。「マイクはすでにおれたち民間人全員と、NASAのトップ技術者のほとんどのコメントを撮り終えてる。つぎはあんたの番にちがいないさ。米国科学賞のメダルを賭《か》けたっていい」

レイチェルはコーキーをまじまじと見た。「わたし？　どうして？　わたしにそんな資格はないわ。ただの情報機関の一員なんだから」

「じゃあ大統領は、なぜあんたをここへ呼んだんだい」

「まだ教えてくれないの」

コーキーの口もとに愉快そうな笑みが浮かんだ。「あんたはホワイトハウス向けの情報分析を担当してるんだったな」

「そうよ、でも科学的な分析はしないわ」

「そして、NASAの宇宙での散財をこきおろしてる議員の娘でもある」

レイチェルは身構えた。

「観念なさい、ミズ・セクストン」ミンが口をはさんだ。「あなたがコメントすれば、ドキュメンタリーにまったく別の側面から真実味を与えるはずですよ。大統領がお呼びになったのは、なんらかの形であなたをかかわらせるつもりだからにちがいない」

ウィリアム・ピカリングが言っていた、利用されるのではないかという懸念が、またもレイチェルの脳裏をよぎった。

トーランドが腕時計をたしかめた。「急いだほうがいい」そう言って、ハビスフィアの中央へ歩いていく。「もうそろそろだ」

「何がもうそろそろなの?」レイチェルは尋ねた。

「引きあげの時間さ。NASAが例の隕石を水面まで持ちあげるんだ。いまにもお目見えするぞ」

レイチェルは肝をつぶした。「地下二百フィートの氷のなかから八トンの岩を抜き、出すの？」

コーキーはおもしろがっている。「まさか、こんな発見をNASAが氷に埋もれさせておくと思ってたわけじゃないだろう？」

「ええ、でも……」ハビスフィアの内部で大型の掘削機を目にした覚えはない。「いったいどうやって隕石を掘り出すつもりなのかしら」

コーキーは一笑した。「心配ご無用。この部屋にはロケット科学者があふれそうなほどいるじゃないか！」

「ばかばかしい」ミンが鼻で笑って、レイチェルに目を向けた。「ドクター・マーリンソンは挑発して楽しんでいるのですよ。実のところ、隕石を引きあげる方法については全員が頭を悩ませました。妙案を考えついたのはドクター・マンゴアです」

「そのかたにはまだお会いしてないわ」

「ニューハンプシャー大学の雪氷学者だ」トーランドが言った。「大統領が引き入れた四人の民間人科学者の、最後のひとりだよ。ミンが言ったとおり、問題を解決してくれた」

「なるほど」レイチェルは言った。「で、ミスター・マンゴアはどんな提案をしたの？」

「ミスターではない」ひどいまちがいだとばかりに、ミンが訂正した。「ドクター・マンゴアは女性です」

「疑わしいがね」コーキーはぼやいて、レイチェルのほうを見た。「それはそうと、ドクター・マンゴアはきみをきらうだろうな」

　トーランドはコーキーを憤然とにらみつけた。

「当然だろ！」コーキーはなおも言った。「張り合うのはごめんだろうよ」

　レイチェルはわけがわからなかった。「なんのこと？　張り合うって」

「気にしないでくれ」トーランドは言った。「かわいそうに、コーキーはこんな大ばか者だってことが災いして、全米科学委員会からもお呼びがかからない。ドクター・マンゴアときみは、きっとうまくやれるよ。プロ意識の高い人物だ。世界でも指折りの雪氷学者と言われてる。南極大陸に渡って、数年間氷河の動きを調査した経験もある」

「おかしいな」コーキーは言った。「ニューハンプシャー大がキャンパスの平穏を保つために、資金援助して彼の地へ追いやったって、おれは聞いたけど」

「ふざけるな」自分が侮辱されたかのように、ミンが鋭く言った。「ドクター・マンゴアは南極で死にかけたのだぞ！　嵐で道に迷い、発見されるまでの五週間、アザラシの脂肪で命をつないだそうだ」

コーキーはレイチェルに小声で言った。「だれも捜そうとしなかったって話だぜ」

26

CNNのスタジオからセクストンの事務所へもどる道のりは、ガブリエール・アッシュには長く感じられた。リムジンの車内で向かいにすわった上院議員は、討論に満悦した様子で窓の外をながめている。

「昼間のケーブル放送にテンチを送りこんでくるとはね」セクストンは凜々《りり》しく微笑んでガブリエールを見た。「ホワイトハウスも血迷ったな」

ガブリエールはあいまいにうなずいた。車で走り去るマージョリー・テンチの顔には、かすかに満足の色がうかがえたものだ。それが気がかりだった。

携帯電話が鳴り、セクストンはポケットからそれを取り出した。多くの政治家と同様、セクストンも相手の重要度に応じていくつかの電話番号を使い分けている。この電話の主がだれであれ、最高の位置づけにある人物であることはまちがいない。ガブリエールでさえかけるのをためらう個人的な番号にかけてきたからだ。

「上院議員《セネター》セジウィック・セクストンです」名前の響きのよさを強調するように、抑揚をつけて応答する。

リムジンの雑音のせいで、ガブリエールには相手の声が聞こえなかったが、セクストンは真剣に耳を傾け、意気ごんで答えていた。「これはどうも。ご連絡いただいて光栄です。六時はいかがでしょう？　よかった。DCのアパートメントへどうぞ。邪魔がはいらないし、くつろげますよ。所番地はご存じですね？　わかりました。お目にかかるのが楽しみです。では、今夜」

セクストンは喜色満面で電話を切った。

「新しい支持者のかたですか」ガブリエールは尋ねた。

「増える一方だよ。いまのは大物だ」

「でしょうね。ご自宅でお会いになるんですか」セクストンは日ごろ、ライオンが最後の隠れ場所を死守するように、自宅のプライバシーを頑《かたく》なに守っている。

セクストンは肩をすくめた。「ああ。手厚い応対をしたくてね。いまの男は最終局面であと押ししてくれるかもしれない。こういう人脈作りは怠らないようにしないとな。信用がすべてだ」

ガブリエールはうなずいて、セクストンのスケジュール帳を取り出した。「予定表に記入しましょうか」

「いや、その必要はない。もともと夜はうちで過ごすつもりだったから」

ガブリエールは予定表を開き、今夜のページにセクストンの手書きで〝PE〟と記されているのに気づいた。その略記が、個人的用件《パーソナル・イベント》、私的な夕べ《プライベート・イブニング》、どいつもこいつも《ピス・オフ・エ》くそ食らえ《ブリワン》のどれにあたるのか、正確にはだれも知らないが、ときおりセクストンは〝PE〟の夜と称してアパートメントにこもり、電話の受話器をはずして無上の楽しみにふける――旧友たちとブランデーのグラスを傾けて、つかの間政治のことを忘れたふりをする。

ガブリエールは驚いた顔をした。「では、前からお決めになっていたPEの時間を仕事でつぶされるんですか？　珍しいですね」

「わたしが時間のある夜にたまたま先方が飛び入りしたんだよ。長居させる気はない。要件を聞くだけだ」

その謎の男がだれなのかを尋ねたかったが、セクストンは明らかにわざとぼかしている。穿鑿《せんさく》すべきではない時機をガブリエールは心得ていた。

環状道路をおりて事務所のあるビルへ向かうあいだ、ガブリエールはスケジュール帳のPEの文字にまた視線を落とし、先刻の電話をセクストンが予期していたのではないかという妙な感覚にとらわれた。

27

NASAのハビスフィアの中央を占める氷の上には、石油掘削装置かできそこないのエッフェル塔かと見まがいそうな、高さ十八フィートの三脚型の足場が築かれていた。レイチェルは観察してみたが、それを使ってどうやって巨大な隕石《いんせき》を引きあげるのかは見当もつかなかった。

足場の下にはウィンチが数台配され、氷に敷かれた鋼板に頑丈なボルトで固定されていた。ウィンチに掛けられたワイヤーケーブルがいくつもの滑車を伝って足場の頂上に達し、下方の氷に掘られた小さな穴へとまっすぐ垂れさがっている。大柄な局員たちがかわるがわるウィンチをまわし、まるで錨《いかり》が引きあげられるかのように、ワイヤーケーブルがひと巻きごとに数インチずつ上方へ動いていく。

何かのまちがいよ、と思いながら、レイチェルはほかの面々とともにその場所へ近づいた。見たところ、隕石を氷から直接吊《つ》りあげようとしているようだ。

「均等に巻きあげて！　まったく最低！」近くで、チェーンソーを思わせる女の叫び声が響いた。

レイチェルがあたりを見まわすと、グリースで汚れた鮮やかな黄色のスノー・スーツ姿の小柄な女が目にはいった。こちらに背を向けているが、それでもこの作業の監督役であることはたやすく察せられる。女は口やかましい教練指導官さながらに、クリップボードに何やら書きつけながら行きつもどりつしている。

「疲れたなんて言わせないよ、お嬢さんがた！」

コーキーが呼びかけた。「ノーラ、気の毒な局員連中をこき使うのはそのくらいにして、おれと仲よくしようぜ」

女は振り向きもしなかった。「マーリンソン、あんたね？　そのガキっぽい声はどこにいてもわかるよ。思春期になってから出なおしておいで」

コーキーはレイチェルに顔を向けた。「ノーラのおかげでいつも和気あいあいさ」

「聞こえてるよ、宇宙おたく」メモをとりつづけながら、ドクター・マンゴアは毒づいた。「もしあたしの尻《しり》にちょっかいを出す気なら、このスノー・パンツは三十ポンド重くなるからね」

「心配すんな」コーキーは大声で言った。「おれが熱をあげてるのはそのマンモスみたいなケツじゃなくて、愛嬌《あいきょう》たっぷりの人柄だよ」

「おだまり」

コーキーはまた笑った。「ノーラ、いい知らせがある。大統領がスカウトした女性はおまえさんひとりじゃないみたいだ」

「そりゃそうさ。あんたもいるんだから」

トーランドが話を引きとった。「ノーラ？　ちょっと人を紹介したいんだが、時間はあるかい」

トーランドの声を聞くなり、ノーラはすぐさま手を止めて振り返った。つっけんどんな態度が瞬時にして消え去った。「マイク！」満面の笑みで、駆け寄ってくる。「ここ何時間か見かけなかったじゃないの」

「ドキュメンタリーを編集してたんだ」

「あたしのパートはどうだった？」

「才気あふれる美人に映ってるよ」

「特殊効果を使ったんだろ」コーキーが言う。

ノーラはそれを無視して、レイチェルによそよそしい一瞥《いちべつ》をくれた。トーランドに向きなおる。「からかってるんでしょ、マイク」

トーランドはたくましい顔をかすかに赤らめて紹介をはじめた。「ノーラ、こちらはレイチェル・セクストンだ。ミズ・セクストンは情報機関に勤めていて、大統領の要望でここへ呼ばれた。セジウィック・セクストン上院議員の娘さんでもある」

紹介を受けたノーラの顔に困惑の色が浮かんだ。「そんな話、理解しようって気にもならないね」手袋をはめたまま、おざなりにレイチェルと握手をする。「世界の頂点へようこそ」

レイチェルは微笑んだ。「ありがとう」ノーラ・マンゴアと対面して驚いたのは、荒々しいその声にそぐわず、いたずら好きなやんちゃ娘のような顔をしていたことだ。大胆に短くカットした茶色い髪には白いものが少し交じり、鋭く澄んだ瞳《ひとみ》はふた粒の氷の結晶を思わせる。鋼《はがね》のような自信に満ちていて、レイチェルはそれを好ましく感じた。

「ノーラ」トーランドが言った。「いまやってることをレイチェルに説明してもらえないかな」

ノーラは眉《まゆ》をあげた。「もうファースト・ネームで呼び合う仲なわけ？　お安くないじゃない」

コーキーがうめいた。「そら見ろ、マイク」

ノーラ・マンゴアは足場の基礎部分をレイチェルに案内した。トーランドとほかのふたりは話しながら後ろをついてくる。

「三脚の下の氷にいくつか穴があいてるのが見える？」ノーラは指さして言った。さっきの不機嫌な調子とは打って変わって、仕事への熱意がみなぎっている。

レイチェルは穴へ目をやってうなずいた。どれも直径一フィートほどで、中にワイヤーケーブルが垂らされている。

「隕石のコア・サンプルを掘り出してX線写真を撮ったときの穴が残っててね。それを挿入口にして、頑丈な丸環《まるかん》ねじをはるか下の隕石にねじこんだの。それから二百フィートほどある太いワイヤーケーブルをそれぞれの穴に垂らして、工業用のフックを丸環ねじに引っかけたあと、ひたすらケーブルを巻きあげてるってわけ。あのお嬢さんがたはもう何時間ももたついてるけど、そろそろ出てくるはずよ」

「腑《ふ》に落ちないことがあるんだけど」レイチェルは言った。「隕石は何千トンもの氷の下にあるのよね。それをどうやって持ちあげるの？」

ノーラは、足場の頂上から真下の氷へ細い光を照射している真っ赤なライトを指さした。レイチェルもそれには気づいていたが、ただのインジケーター――対象物の埋まっている位置を示す指示器――のたぐいかと思っていた。

「ガリウム砒《ひ》素《そ》半導体レーザーよ」

レイチェルが間近で見ると、その光線は氷を融《と》かして小さな穴をあけ、奥へと伸びていた。

「ものすごく熱い光線でね」ノーラは言った。「隕石を熱しながら引きあげてる」

みごとと言うほかないその手法に、レイチェルは感動を覚えた。ノーラはただレーザー光線を下向きに照射したにすぎない。光線はその熱で氷を突き抜けて隕石へと達する。石は密度が高いので融解には至らないが、徐々に熱を吸収しはじめる。熱くなった隕石を局員たちが引きあげると、石の熱と引きあげる圧力とが相まってまわりの氷を融かし、地表への道を切り開く。融けた氷は隕石の表面を伝って下へ落ち、ふたたび穴を埋めていく。

熱いナイフでかちかちのバターを切るようなものね。

ノーラはウィンチをまわす男たちを手で示した。「発電機じゃ微妙な力加減ができないから、手動で引きあげさせてるんだよ」

「嘘つけ！」作業員のひとりが口をはさんだ。「おれたちが汗だくになるのを見たくて手でやらせてるんだろ！」

「かっかしないの」ノーラは叫び返した。「あんたたち、二日前から寒気がするってこぼしてたじゃないか。おかげで治ったろう？　ほら、手を休めないで」

　男たちは笑った。

「あのパイロンはなんのためにあるの？」足場の周辺に一見なんの規則もなく点々と置かれたオレンジ色の円錐《えんすい》を指して、レイチェルは尋ねた。すでにドームのあちらこちらで似たものを目にしていた。

「雪氷学者の必需品よ」ノーラは言った。「仲間うちでは〝シャバ《SHABA》〟って呼んでる。〝ここに踏みこんだら足首を折るぞ《ステップ・ヒア・アンド・ブレイク・アンクル》〟の略よ」パイロンのひとつをどけ、氷河の奥底へと誘う深い井戸のような丸穴をあらわにした。「はまったら大変さ」パイロンをもとへもどす。「氷河構造の連続性を調べるために、そこらじゅうに穴をあけたんだ。一般的な考古学では、ある物質が埋もれていた年数は、発見時にどのくらい地中深くにあったかで推定される。深ければ深いほど、長期間そこにあったってこと。氷のなかから発見された物質の場合は、その上にどれだけ氷が堆積《たいせき》しているかで着氷の時期を特定するわけ。あたしたちの標本の年代測定が正しいことを証明するには、複数の区域を調べて、それが一枚の連続した氷であり、地震や地割れや雪崩で崩壊した形跡がないことをたしかめる必要があるんだよ」

「で、この氷河はどうなの？」

「文句なし」ノーラは言った。「完璧《かんぺき》な一枚氷よ。断層線も反転の跡もない。この隕石は〝静穏落下〟と呼ばれるものでね。一七一六年の着氷時以来、そのままの状態で存在していたんだ」

レイチェルは愕然《がくぜん》とした。「落下した年まで正確にわかるの？」

ノーラはその問いに驚いた様子だ。「もちろんさ。そのためにあたしが呼ばれたんだから。氷のことはなんだって見抜ける」近くに山と積まれた円筒形の氷を手で示した。それらは透明な電柱のような外観で、鮮やかなオレンジ色の札がついている。「このアイス・コアには地質の歴史が刻まれてる」そう言ってレイチェルを近くへ導く。「よく見たら、それぞれにちがった層が重なってるのがわかるよ」

レイチェルがそばにかがみこむと、それらの円筒が輝きや透明度の微妙にちがう氷の層らしきものでできているのがたしかに見てとれた。紙のように薄い層もあれば、四分の一インチほどの厚い層もある。

「毎年、冬になると棚氷《たなごおり》にたくさんの雪が降る」ノーラは言った。「そして春になると一部が融ける。そうやって季節ごとに新しい圧縮層ができるんだよ。だから、最上層――いちばん最近の冬――からはじめて、季節をさかのぼればいいってわけ」

「木の年輪を数えるみたいに」

「そこまで簡単じゃないけどね。何百フィートにも及ぶ堆積層を調べるんだから。明確に判定するために気候の指標も読みとらなくちゃいけない――降水量とか、空気中の汚染物質量とか、そういったものをね」

残りの面々もいつの間にか仲間に加わっていた。トーランドがレイチェルに微笑みかけた。「ノーラは氷のことを知りつくしてるだろう？」

レイチェルはトーランドの姿を見てなぜか心が休まった。「ええ、びっくりよ」

「加えて言っておこう」トーランドはうなずいた。「ドクター・マンゴアの割り出した一七一六年という年代は正確無比だ。NASAはぼくたちがここに到着するより前に、隕石《いんせき》が衝突したのはまさにその年だと推定していたんだ。ドクター・マンゴアはみずから標本を採掘し、独自の試験をおこなって、NASAの推定を裏づけたんだよ」

レイチェルは感心した。

「そして偶然にも」ノーラは言った。「一七一六年は、当時の探検家たちがカナダ北部の空で鮮明な流星を目撃したと言い張った年でもある。その流星体は探検隊のリーダーの名をとって、ジュンガーソル流星として知られてる」

「つまり」コーキーが引きとった。「標本の年代と歴史上の記録が一致したってことは、ここにあるのがまさに、ジュンガーソルが一七一六年に目撃したとされるものの一部だと証明されたも同然なんだよ」

「ドクター・マンゴア！」局員のひとりが声を張りあげた。「ケーブル先端の金具が見えてきました！」

「案内ツアーはおしまい」ノーラは言った。「真実の瞬間が訪れたってわけ」折りたたみ椅子をつかみ、座面にのぼって声をかぎりに叫んだ。「あと五分でご対面だよ、みんな！」

パブロフの犬が餌の時間を告げる鈴に反応したかのように、ドームじゅうの科学者がやりかけの作業をほうり出して集まってきた。

ノーラ・マンゴアは腰に手を置いて縄張りを見渡した。「さあ、タイタニック号を引きあげるよ」

28

「どいて！」ノーラは怒鳴りながら、大きくなる人だかりを掻《か》き分けていった。局員たちの集まるなか、全権を握るノーラがケーブルの張り具合とバランスをこれ見よがしに確認した。

「持ちあげろ！」局員のひとりが叫んだ。ウィンチがまわされ、ケーブルがまた六インチ上昇する。

ケーブルが上へ動くにつれ、周囲の人垣も少しずつ前へせり出すのをレイチェルは感じとった。かたわらで、コーキーとトーランドがクリスマスの日の子供のような表情を浮かべている。穴のはるか向こうにNASAのローレンス・エクストローム長官の巨軀《きょく》が現れ、引きあげ作業の見える位置に陣どった。

「金具だ！」局員が叫んだ。「先端が見えてきたぞ！」

穴から出てくるケーブルが、銀色の組み紐《くひも》から金色の鎖へと変わった。

「あと六フィート！　ペースを守って！」

足場のまわりの人々は静まり返り、神聖な霊の出現を待ち受ける降霊会の見物人さながらに、最初の瞬間を見逃すまいとだれもが息を凝らした。

そしてレイチェルは見た。

徐々に薄くなる氷の層の下に、隕石のおぼろげな輪郭が浮かびあがった。その楕円《だえん》形の暗い影は、はじめはぼやけていたが、氷を融《と》かしてのぼりつづけるうちにみるみる鮮明になった。

「もっとまわせ！」ひとりの技術者が叫んだ。一同がさらにウィンチをまわすと、足場がきしんだ。

「あと五フィート！　力は均等に！」

いままでは、石の上の氷が出産寸前の動物の腹並みにふくれあがるのが見えた。レーザー光線の照射口があるそのふくらみの頂上で、表面の氷が融けはじめて、小さなまるい穴がひろがっていく。

「子宮頸部《けいぶ》が膨張してるぞ！」だれかが叫んだ。「九百センチも！」

こわばった笑い声が静寂を破った。

「よし、レーザーを止めろ！」

スイッチが切られ、光線は消えた。

そして、その瞬間がやってきた。

激昂《げっこう》して立ち現れた旧石器時代の神のように、巨大な岩が蒸気を噴きあげて氷を突き破った。渦巻く霧のなかを大きな影が上昇していく。男たちがなおも懸命にウィンチをまわすと、ついに岩はまとわりつく氷の衣を脱ぎ捨て、熱い表面から滴をしたたらせつつ、煮えたぎる開口部の上にその全貌《ぜんぼう》を現した。

レイチェルは陶然とした。

ケーブルにぶらさがったまま、蛍光灯に照らされて輝く水滴を垂らす隕石の粗い表面は、干からびた巨大なプルーンのように真っ黒で皺《しわ》だらけだった。一部分だけがなめらかでまるみを帯びており、大気中を落下した際に摩擦で削られたものと思われる。

黒く焦げた溶融殻を見ると、すさまじい炎の玉となって地球へ飛来する流星体の姿がありありと目に浮かんだ。信じがたいことに、それは数世紀前の出来事だという。捕らえられた動物はいま、ケーブルに吊《つ》られて滴を落としている。

狩りは終わった。

このときを迎えてようやく、自分がどれほど劇的な場に身を置いているのかをレイチェルは思い知った。目の前にぶらさがっている物体は何百万マイルも離れた別世界から来たものだ。しかも、そこには生命を持つ仲間が地球以外にもいる証拠――決定的な証《あかし》――が封じこめられている。

だれもが等しく無上の幸福感に満たされたかのように、歓声と喝采《かっさい》の嵐が湧き起こった。エクストローム長官までもが熱狂した様子で、つぎつぎに部下の背中を叩《たた》き、ねぎらいのことばをかけている。それをながめているうち、レイチェルの心にNASAを祝福する気持ちが芽生えた。これまで不運つづきだったが、ついに流れが変わりつつある。この瞬間を迎えるに値する人たちだ。

氷に大きくあいた穴は、ハビスフィアの真ん中に出現した小さなプールのように見える。深さ二百フィートのプールの水面は、氷の壁面にぶつかってしばらく揺れていたが、やがて静まった。隕石の塊が取り除かれたうえに、氷が融けて体積が減ったせいで、穴の上端からゆうに四フィートは水位がさがっている。

すぐさま、ノーラ・マンゴアが穴のまわりに〝SHABA〟のパイロンを並べた。あの穴を見落とすはずはないが、好奇心の強いだれかが近づきすぎて、うっかり足を滑らせたら命が危ない。氷の壁面はなめらかで、足掛かりは皆無だから、助けを借りずに這《は》い出すのは不可能だ。

ローレンス・エクストロームが氷の上を静かに歩いてきた。ノーラ・マンゴアにまっすぐ歩み寄って、固く握手を交わす。「ドクター・マンゴア、おみごとだ」

「お褒めのことばは活字でいただきたいんですけど」ノーラは答えた。

「そうするつもりだ」エクストロームはレイチェルのほうを向いた。肩の荷がおりたのか、楽しげに見える。「さて、ミズ・セクストン、疑うことが仕事のきみも納得できたかね？」

レイチェルは思わず笑みをこぼした。「びっくり仰天です」

「よかった。では、ついてきてくれ」

レイチェルがドーム内を導かれていった先には、業務用の輸送コンテナに似た金属製の大きなブースがあった。そこには迷彩柄が描かれ、ステンシルでＰ―Ｓ―Ｃと刷りこまれている。

「このなかで大統領に連絡してもらう」エクストロームは言った。

可動秘密通信室《ポータブル・セキュア・コム》ね、とレイチェルは思った。こうした可動式の通信ブースは戦場ではごくふつうに配備されるものだが、平時にＮＡＳＡが使っているとは意外だった。やはり、エクストローム長官が国防総省出身だからこそ、この手のおもちゃを利用できるのだろう。ＰＳＣを監視する武装したふたりの警備員のいかめしい顔つきから察するかぎり、エクストローム長官の承認がなくては外部と連絡をとれないにちがいない。

通信手段を奪われてるのはわたしだけじゃないようね。

エクストロームはブースの外にいる警備員の一方と手短に話したのち、レイチェルに向きなおった。「じゃあこれで」そう言って立ち去った。

警備員がノックすると、ドアが中から開いた。技術者が出てきて、はいるようにと手招きする。レイチェルはその男を追ってブース内へ進んだ。

PSCの内部は暗く、空気がよどんでいた。一台だけあるコンピューターのモニターから発せられる青白い光のおかげで、かろうじて電話機や無線機や衛星通信装置の並んだラックが見てとれる。レイチェルは早くも閉所への恐怖を覚えた。ここは冬の地下室並みの寒さだ。

「ここに掛けてください、ミズ・セクストン」技術者は回転式のスツールを持ってきて、レイチェルを薄型モニターの前にすわらせた。それからマイクを体の前に配置し、AKG社製の大きなヘッドフォンを頭にかぶせた。暗号化パスワードのコード表を調べ、手近のキーボードで長いキーを打ちこむと、レイチェルの眼前のモニターにタイマーが現れた。

00：60 SECONDS

タイマーが秒読みをはじめると、技術者は満足げにうなずいた。「一分でつながります」そう言ってブースを出ていく。その背後でドアが閉まり、外でかんぬきを掛ける音がした。

やってくれるわね。

薄闇のなかで、のろのろと時を刻む六十秒のタイマーを見つめながら、レイチェルは早朝以来はじめてひとりになれたことに気づいた。けさ目覚めたときには、こんな成り行きは露ほども予想していなかった。地球外生命体。きょうを境に、最もよく知られた現代の神話が、もはや神話ではなくなる。

レイチェルはいま、あの隕石《いんせき》が父の選挙活動にどれほど強烈な打撃を与えるかを考えはじめていた。NASAの資金問題は妊娠中絶権や福祉や医療の問題と同列で論じるべき問題ではないのに、父はあえてそれを試みた。その戦術が木っ端微塵《みじん》になろうとしている。

あと数時間すれば、NASAの巻き返しの大勝利にアメリカじゅうが酔いしれる。夢想家たちは涙し、科学者たちはことばを失い、子供たちは心のままに想像をめぐらす。歴史的大発見の陰で、けちな金銭問題は忘れ去られる。大統領は不死鳥のごとくよみがえり、英雄に姿を変えて賞賛を浴びる。一方、銭金ずくのセジウィック・セクストンは、アメリカ人らしい冒険心に欠ける、狭量でしみったれた守銭奴に一気になりさがるだろう。

コンピューターの警告音が鳴り、レイチェルはわれに返った。

00：05 SECONDS

目の前の画面が急に暗くなり、ぼやけたホワイトハウスの紋章が映し出された。一瞬ののち、ハーニー大統領の顔が現れた。

「やあ、レイチェル」瞳《ひとみ》をいたずらっぽく輝かせて、ハーニーは言った。「おもしろい午後を過ごしたことだろうね」

29

セジウィック・セクストン上院議員の事務所は、連邦議会議事堂の北東に位置する、

Cストリートのフィリップ・A・ハート上院議員会館のなかにある。白い長方形の格子を現代風に並べたデザインのその建物は、オフィスビルというより監獄に見えると巷《ちまた》の不評を買っている。そこで働く人間の多くも同じふうに感じていた。

そのビルの三階で、ガブリエール・アッシュの長い脚がコンピューターの前を落ち着きなく行きつもどりつしていた。モニターには新着のEメールが表示されている。そのメッセージをどう解釈すればいいのか、ガブリエールは思案していた。

最初の二行はこうだ。

CNNでのセジウィックはみごとでした。
あなたに提供する情報がまだあります。

過去数週間にわたって、このたぐいのメッセージが届いていた。返信アドレスはでたらめなものだが、whitehouse. gov のドメインから発信されていることは突き止めた。謎の情報提供者はホワイトハウス内部の者にちがいなく、このところガブリエールはその人物から、NASA長官と大統領の極秘会談の件をはじめとする、あらゆる貴重な情報を得ていた。

当初はそれらのEメールを信用していなかったが、情報の真偽を探ってみると、驚くことにどれも正確かつ有用なものだとわかった。その内容は、NASAの支出過剰や、巨費を要する今後の計画についての極秘情報をはじめ、地球外生命体探索の大幅な資金超過とその無惨な成果を示すデータ、さらにはNASAに起因する有権者の大統領離れを危惧《きぐ》したホワイトハウス内の意見調査資料にまで及んでいた。

セクストンの自分に対する評価を高めたかったガブリエールは、ホワイトハウスの関係者から一方的にEメールが送られてくることは伏せたまま、ただ〝情報源のひとり〟から入手したと言って情報を伝えた。セクストンはつねにそれを歓迎し、情報源とはだれなのかと尋ねたりはしなかった。どうやら色仕掛けを勘ぐっているらしい。困ったことに、セクストンはそれでもいっこうにかまわないようだった。

ガブリエールは足を止め、ふたたび新着メッセージに目を向けた。これまでの一連のメールの意図は明らかだ。セクストンがこの選挙を制することを望むホワイトハウス内の何者かが、NASAへの攻撃材料を提供してこちらに加勢しようと目論《もくろ》んでいるのだろう。

でも、だれが？　なぜ？

沈みかけた船から逃げ出すネズミね、とガブリエールは結論づけた。大統領の退陣を恐れたホワイトハウスの職員が、政権交代後もいま以上の地位を保つべく、有望な対立候補を陰で支援するという話は、ワシントンでは別段珍しいわけではない。だれかがセクストンの勝利を予感して、先物買いを試みているのだろう。

だが、いま画面に出ているメールはガブリエールを不安にさせた。これまで受けとったものとは様相がちがう。最初の二行はさほど気にならなかった。問題は残りの二行だ。

東側入館口に、午後四時三十分。
ひとりで来てください。

この情報提供者が面会を求めてきたことは一度もなかった。たとえそういう機会があっても、一対一の面会はもっと人目につかない場所でするものではないだろうか。東側入館口ですって？　ワシントンで東側入館口と言えば、自分の知るかぎり、あの場所しかない。ホワイトハウスの外？　これは何かの冗談なの？

このメールに返信できないことはわかっていた。いままで何度試しても送信不可としてもどってきたからだ。相手は匿名のアカウントを使っている。意外なことではない。

セクストンに相談する？　即座にその考えは打ち消した。上院議員はいま会議中だ。それに、この件を話せば、過去の一連のメールについても打ち明けざるをえなくなる。情報提供者が日中に公共の場で会おうと申し出たのは、こちらに安心感を与えるためだとガブリエールは決めこんだ。相手はこの二週間、ひたすら支援してくれた。男性であれ女性であれ、味方にちがいない。

最後にもう一度そのメールを読んで、ガブリエールは時計へ目をやった。約束は一時間後だ。

30

隕石が無事に氷から引きあげられたいま、NASAのエクストローム長官はいくぶん緊張をゆるめていた。何もかもうまくおさまる、とつぶやきながら、マイケル・トーランドの作業エリアへ向かう。この流れは何があろうと止められまい、と思った。

「進み具合はどうだね」テレビで人気の科学者の背後へ歩み寄って、エクストロームは尋ねた。

疲れは見えるが興奮した表情で、トーランドがコンピューターから顔をあげた。

「編集はほとんど終わりました。局員たちの撮った隕石《いんせき》引きあげの場面をいくつか追加しているところです。もうすぐ完成しますよ」

「ありがたい」トーランドのドキュメンタリーを一刻も早くホワイトハウスへ転送するよう、エクストロームは大統領から指示されていた。

この計画にマイケル・トーランドを起用するという大統領の意向をエクストロームはずっと疑問視していたが、粗編集されたテープに目を通して考えが変わった。その科学ドキュメンタリーは、テレビスターによる生き生きした解説と民間科学者へのインタビューとがうまく融合した、興味深くわかりやすい十五分番組になっていた。科学上の発見を、気どった印象を与えずに標準的なアメリカ人の知的レベルで解説することをＮＡＳＡは苦手にしているが、トーランドはそれを難なくこなしてみせた。

「編集が終わったら」エクストロームは言った。「完成版を会見場へ持ってきてくれ。ホワイトハウスへデジタル・コピーを転送させるから」

「わかりました」トーランドは作業にもどった。

エクストロームはまた歩いた。ハビスフィアの北側まで来たとき、〝会見場〟がそれらしく整えられているのを見て気分がよくなった。大きな青い絨毯《じゅうたん》が氷上に敷いてある。その中央には数本のマイクを配した会議用の長テーブルが置かれ、NASAの垂れ布と巨大なアメリカ国旗が背景を飾っている。そして視覚的演出の仕上げとして、橇《そり》で運ばれてきた隕石が会議テーブルの真正面の栄誉ある場所に鎮座していた。

エクストロームはそこを包む祝福の雰囲気に満足した。おおぜいの局員が隕石のまわりに集まって、キャンプファイアを囲む群衆さながらに、まだあたたかいその塊に手をかざしている。

いい頃合だろうとエクストロームは判断し、会見場の裏に積まれた段ボール箱のもとへ向かった。けさグリーンランドから取り寄せたものだ。

「わたしのおごりだ！」エクストロームは叫び、狂喜する局員たちに缶ビールを手渡した。

「ありがとうございます！」部下のひとりが叫んだ。「よく冷えてますね！」

エクストロームはめったに見せない笑顔を向けた。「氷の上で冷やしておいたからな」

笑いが湧き起こった。

「ちょっと待った！」別の部下が叫び、楽しげに渋面を作って缶を見た。「こいつはカナダのビールじゃないか！　長官の愛国心はどうなったんです？」

「予算がきびしくてね。これがいちばん安かったんだ」

さらなる笑い声。

「店内のお客さまへお知らせいたします」ＮＡＳＡのテレビ班のひとりがメガフォンで言った。「まもなく放送用の照明に切り替えますので、しばらく真っ暗になるかもしれません」

「暗闇でキスするのはやめとけよ」だれかが叫んだ。「家族向けの放送なんだからな！」

各種照明の最終調整のさなかに飛び出す軽口を、エクストロームはにこやかに聞いていた。

「放送用照明への切り替えまで五秒、四、三、二……」

ハロゲンランプの電源が落とされ、ドーム内はたちまち暗くなった。数秒のうちにすべての照明が消え、漆黒の闇が訪れた。

だれかがふざけて金切り声をあげる。

「お尻《しり》をつねったの、だれ？」と笑いながら叫ぶ者もいる。

つかの間の闇がつづいたあと、スポットライトの強烈な光がひろがった。だれもが目を細めた。これで舞台は完成だ。ハビスフィアの北側の一角はテレビスタジオに変《へん》貌《ぼう》した。いまや残りの場所は空っぽになった夜中の倉庫のようで、放送用照明の漏れ出した光が天井で弱々しく跳ね返って、閑散とした作業エリアに長い影を落とすばかりだった。

エクストロームは暗がりへ引っこみ、明るく照らされた隕石のまわりで浮かれ騒ぐ仲間を満足げにながめた。クリスマス・ツリーを囲んではしゃぐ子供たちを見守る父親の気分だった。

讃《たた》えられるべき者たちだ、とエクストロームは思った。災厄が迫っていることなど知る由もなかった。

31

天候は刻一刻と変わっていた。

間近に迫った戦いをもの悲しく予告するかのように、カタバ風は哀れっぽい叫びをあげ、デルタ・チームのテントに激しく吹きつけた。防風覆いの補修を終えたデルタ・ワンは、仲間ふたりのいるテント内へもどった。こういう嵐は前にも経験した。すぐに過ぎ去るはずだ。

デルタ・ツーが超小型ロボットの発信する生映像を見守っていた。「これを見てくれ」

デルタ・ワンはそこへ歩み寄った。煌々《こうこう》と照らされた北側の演壇のあたりを除けば、ハビスフィアの内部は闇に沈んで、ぼんやりした影絵のようにしか見えない。「騒ぐことはない」デルタ・ワンは言った。「今夜の中継に向けて照明をテストしているだけだ」

「照明じゃない」デルタ・ツーは氷の床の中央に見える黒っぽいしみのようなもの——隕石が引き抜かれたあとの水のたまった穴——を指さした。「問題はあれだ」

デルタ・ワンはその穴へ目をやった。まだパイロンで囲まれており、水面は静かだ。「異状はないようだが」

「よく見ろ」デルタ・ツーはジョイスティックを操り、超小型ロボットをゆるやかに降下させて水面に近づけた。

暗い水たまりをじっと観察しているうち、デルタ・ワンは衝撃に身をすくめた。

「いったいあれは……」

デルタ・スリーもやってきて、それを見つめた。同じく驚愕《きょうがく》している。「驚いたな。あれは採掘坑だろう？　水はあんなふうになるものなのか」

「いや」デルタ・ワンは言った。「ぜったいにありえない」

32

ワシントンＤＣから三千マイル離れた大きな金属の箱のなかにいるにもかかわらず、レイチェル・セクストンはホワイトハウスへ呼びつけられたのと変わらない重圧を感じていた。目の前のテレビ電話の画面には、ホワイトハウスの通信室で大統領の紋章の前に座するザック・ハーニーの姿が鮮明に映し出されている。画像と音声の状態は申し分なく、ごくわずかなずれが生じる点を除けば、相手がすぐ隣の部屋にいるように感じられるほどだった。

気軽で打ち解けた会話がつづいた。ＮＡＳＡの大発見や、好人物のマイケル・トーランドをスポークスマンに抜擢《ばってき》したことをレイチェルが好意的に評すると、ハーニーは誇らしげだったが、少しも意外そうではなかった。終始穏やかで楽しげな様子だ。

「わかってもらえるだろうが」やや真剣な口調で、ハーニーは言った。「完璧《かんぺき》な社会においては、こうした発見は純粋に科学上の問題として波及していくだろう」身を乗り出し、その顔が大写しになる。「不幸にも、われわれが暮らしているのは完璧な社会ではない。だから今回のNASAの快挙は、わたしが発表した瞬間に政争の火種となるはずだ」

「決定的な証拠があって、錚々《そうそう》たる顔ぶれがそれを裏づけていることを考えれば、世間もあなたの対立候補も、この発見を立証済みの事実と認めるほかないように思えますけど」

ハーニーはさびしげに苦笑した。「レイチェル、たしかにわたしの政敵はそれを事実と認めるだろう。しかし、それを気に入るかどうかは別問題なのだよ」

大統領が注意深く父の名前を出さずにいることにレイチェルは気づいた。互いに〝対立候補〟とか〝政敵〟としか口にしていない。「では、単に政治上の理由から、対立候補が陰謀説を主張するとお考えなんですか」

「政界の駆け引きとはそういうものだ。敵はただ、この発見がNASAとホワイトハウスが共謀した作り事のたぐいではないかと、ほんの少しにおわせるだけでいい。そのとたん、わたしは質問攻めに遭う。地球外生命体の存在が立証されたことなどそっちのけで、新聞各紙は陰謀の証拠を探しはじめるだろう。残念ながら、この発見に関しては、わずかな疑いを持たれるだけで、科学にとっても、ホワイトハウスにとっても、NASAにとっても、いやそれどころか、わが国全体にとっても大きな痛手となる」

「だから、じゅうぶんな確認作業を終えて高名な科学者の承認が得られるまで公表なさらなかったんですね」

「わたしの狙いは、公表の段階で議論の余地なしと相手に感じさせて、反撃の芽を摘みとってしまうことだ。今回の発見を、その真価にふさわしく、一点の曇りもない栄誉に浴させたい。NASAの功績はそれに値する」

レイチェルの直感が警鐘を鳴らしていた。わたしに何をさせたいの？

「言うまでもなく」ハーニーはつづけた。「きみはわたしの側の人間のなかでも独特の立場にある。情報分析の経験はもちろん、対立候補との関係から言っても、この発見に絶大な信憑性《しんぴょう》性をもたらす力を持っている」

幻滅の思いが募るのをレイチェルは感じた。自分は利用される……ピカリング局長が言ったとおりだ！

「つまり」ハーニーはさらに言った。「今回の発見について、わたしはきみに個、人、的、に証言してもらいたい。ホワイトハウス向けの情報分析者として……そして、わたしの対立候補の娘として」

案の定だ。はっきりわかった。

大統領はこのわたしに証言を求めている。

ザック・ハーニーがこんな卑怯《ひきょう》な手を使うとは思いもしなかった。公の場でこの自分が証言しようものなら、すぐに父娘の個人的な関係が取り沙汰《ざた》されるのは確実で、そうなるとセクストンは、発見の信憑性に疑問をぶつけるには、愛娘《まなむすめ》を嘘つき呼ばわりせざるをえなくなる。それは〝家族第一〟を謳《うた》う候補者にとって、死刑宣告に等しい。

「正直申しあげて」レイチェルは画面をにらんで言った。「そのようなことをお望みだったとは心外です」

大統領は驚いた顔をした。「乗り気になってくれると思っていたが」

「乗り気？　父との不和はさておき、ご要望はお受けしかねます。衆人環視のなかで決闘の真似事をしなくても、父とはじゅうぶん問題をかかえています。父をきらっていることは否定しませんけど、それでも親にはちがいありませんし、わたしと父を公の場で対決させようとなさるなんて、正直申しあげて卑劣です」

「待ってくれ！」ハーニーは降参したとでも言いたげに両手を掲げて振った。「公の場で、とだれが言ったのかね」

レイチェルは返答をためらった。「八時からの記者会見で、NASAの長官といっしょに演壇に立たせるおつもりではないんですか」

ハーニーの大笑いがスピーカーから響いた。「レイチェル、わたしをどういう人間だと思っているのかね。テレビの全国放送できみに父親を叩《たた》きのめさせるような男だとでも？」

「でも、先ほどのお話だと――」

「それに、NASAの長官とその大敵の娘を栄えある舞台で同席させるとでも？　レイチェル、こう言ってはなんだが、今夜の会見は科学的な発表が主になる。隕石《いんせき》や、化石や、氷の構造についてのきみの知識によって、会見の信頼性が増すだろうか」

レイチェルは顔が赤らむのを感じた。「では……どういった証言をお望みなんですか」

「きみの立場にもっとふさわしいことだ」

「と言いますと？」

「きみの仕事はホワイトハウス向けの情報分析だ。だから、国家の一大事についてわたしのスタッフに概説してもらいたい」

「ホワイトハウスのスタッフに向けて証言しろとおっしゃるのですか」

ハーニーは行きちがいをまだおもしろがっているふうだ。「ああ、そうだよ。わたしのスタッフが募らせている疑念に比べたら、ホワイトハウスの外で生じる疑念など問題にならない。内部では大がかりな反乱が起こっていて、わたしの信用は地に墜《お》ちている。スタッフはNASAへの資金援助を削減するよう訴えていたのに、わたしはそういう声を無視して、自分の首を絞めてきたわけだ」

「これまでは、ですね」

「そう。けさの話にも出たように、この発見のタイミングは政治不信に陥った人間の目には疑わしく映るだろう。いまのわたしのスタッフはその最たる者たちだ。だからこそ、この情報を最初に彼らに伝えるのは――」

「隕石の件はスタッフにも話していらっしゃらないんですか？」

「二、三人の上級顧問に教えただけだ。この発見を秘密にしておくことが最優先だったのだよ」

レイチェルは心底驚いた。反乱を起こされても不思議はないわね。「しかし、この件はわたしの専門ではありません。隕石が情報分析の案件となることはないに等しいですから」

「従来の意味ではそうかもしれないが、きみがふだんの業務で扱うあらゆる要素を含んでいる——概括する必要があるこみ入ったデータや、政治への甚大な影響——」

「わたしは隕石の専門家ではないんですよ。スタッフへの説明はNASAの長官に一任されるべきでは？」

「とんでもない。全員があの男をきらっているよ。スタッフにしてみれば、エクストロームはつぎつぎとわたしに妙な商品を売りつけるいんちきセールスマンだ」

レイチェルは納得した。「コーキー・マーリンソンはどうでしょうか。米国科学賞を授与された宇宙物理学者です。わたしよりはるかに説得力がありますよ」

「レイチェル、わたしのスタッフはみな政治の専門家であって、科学者ではない。きみもドクター・マーリンソンには会ったね。優秀な人物だと思うが、左脳で考える杓子《しやくし》定規なインテリぞろいのわがチームを宇宙物理学者に委《ゆだ》ねても、連中は唖然《あぜん》とするだけだろう。もっと身近に感じられる人間が適任だ。きみがそうだよ、レイチェル。スタッフはきみの仕事ぶりを知っているし、苗字《みょうじ》から判断して、きみのように公正な発言ができるスポークスマンからぜひ話を聞きたいと思うはずだ」

大統領のもの柔らかな説得に、レイチェルは心が動くのを感じた。「対立候補の娘であることも抜擢《ばってき》の理由だと、いちおうは認めてくださるんですね」

ハーニーはきまり悪そうに小さく笑った。「もちろんそれもある。だが承知のとおり、きみがどう決断しようと、わたしのスタッフはいずれだれかから説明を受ける。レイチェル、きみはケーキではなく、それにかぶせる砂糖衣の役割をするのだよ。この件を説明するのに最もふさわしい職にあり、そしてたまたま、ホワイトハウスからわがチームを追い出そうと目論《もくろ》む男の近親者でもある。きみはふたつの理由から抜擢に値するわけだ」

「セールスの仕事をなさるべきです」

「実のところ、セールスマンだよ。きみの父上と同じくね。本音を言うと、たまには契約をまとめたいのだが」ハーニーは眼鏡をはずしてレイチェルの目を見つめた。そのまなざしに、父の持つ力に似たものが感じられた。「レイチェル、きみを見こんで頼みたい。そればかりでなく、これはきみの仕事の範疇《はんちゅう》だとも思っている。さあどうだろう。イエスかノーか。わたしのスタッフにこの件を説明してもらえるかね」

レイチェルはせまいブースに監禁されている気分になった。こんなに鮮やかな売りこみには勝てないわね。三千マイルを隔てていてさえ、ハーニーの強い意志は画面からひしひしと伝わってきた。それに、こちらが気に入るかどうかはともかく、じゅうぶん筋の通った要望であることもたしかだ。

「条件があります」レイチェルは言った。

ハーニーは眉《まゆ》をあげた。「と言うと？」

「スタッフ以外のかたを交えないでください。記者はおことわりです。公式の証言ではなく、あくまでも非公式の概説という形にしていただけますか」

「それは保証する。部外者禁止の会合場所をもう手配してある」

レイチェルはほっと息をついた。「それならお受けします」

ハーニーは晴れやかに笑った。「よかった」

レイチェルは腕時計をたしかめ、すでに四時を少し過ぎているのを見て一驚した。

「ちょっと待ってください」とまどいながら言う。「午後八時に記者会見を開くのなら、時間がありません。ここへ連れてこられたときの荒技を使ったとしても、ホワイトハウスにたどり着くのに最速でもあと数時間はかかります。原稿も準備しなくてはいけませんし――」

ハーニーは首を横に振った。「わたしの説明があいまいだったらしいな。きみにはそこからテレビ会議で概説をしてもらう」

「そうですか」レイチェルはおずおずと尋ねた。「何時ごろを予定されているんでしょうか」

「それなんだが」ハーニーはにこやかに言った。「いまからはどうだろう。すでに全員が集まって、大型テレビの黒い画面をながめている。きみの登場を待っているのだよ」

レイチェルはすくみあがった。「なんの準備もできていません。とてもそんな――」

「ただ事実を話してくれればいい。むずかしくはないだろう？」

「でも――」

「レイチェル」ハーニーは身を乗り出して言った。「忘れたのかね。きみは集めた情報を他人に伝えることで生計を立てている。ふだんの仕事そのものだよ。そちらで起こっていることをありのままに話してくれればいい」そこでビデオ送信装置に手を伸ばし、スイッチを入れかけたところで、いったん手を止めた。「それから、たぶん気に入ってもらえると思うが、きみのために権力の座を用意しておいた」

レイチェルにはその意味がわからなかったが、訊《き》き返す暇はなかった。ハーニーはスイッチを入れた。

目の前の画面が一瞬真っ暗になった。ふたたび現れた画像は、人生でほとんど体験したことのない慄然《りつぜん》たるものだった。映っているのはホワイトハウスの大統領執務室だ。あふれんばかりの人。立ち見の者も多い。ホワイトハウスの全スタッフが集まっているらしい。そして、ひとり残らずこちらを凝視している。それが大統領の机から見た光景であることにレイチェルは気づいた。

権力の座から語るわけね。すでに汗が噴き出していた。

人々の顔つきから、相手もこちらに負けないくらい驚いているのがわかった。

「ミズ・セクストン?」耳障りな声が響いた。

レイチェルは居並ぶ面々から声の主を探し出した。それはたったいま最前列の席についたやせ形の女性だった。マージョリー・テンチ。群衆のなかにいても、その独特の風貌《ふうぼう》は見まがいようがない。

「お会いできて光栄よ、ミズ・セクストン」取り澄ました口調で、テンチは言った。

「大統領によると、あなたから報告があるそうね」

33

薄闇のなかで、古生物学者のウェイリー・ミンは自分の作業エリアにひとり腰かけて、静かに感慨に浸っていた。今夜の記者会見への期待で神経が高ぶっている。もうすぐ自分は世界一有名な古生物学者になるのだろう。マイケル・トーランドが気をきかせて、自分の数々のコメントをドキュメンタリーで大きく採りあげていることを祈った。

得られる名声に思いをはせているとき、足もとの氷にかすかな震動を感じ、ミンは飛びあがった。ロサンゼルス暮らしで察知力が鍛えられたのか、微弱な地面の震えにさえもひどく敏感になっている。けれども、いまの震動はまったく正常なものだと気づき、拍子抜けした。ただの氷塊分離じゃないか、と自分に言い聞かせ、息を大きく吐く。この現象にはいまだに慣れることができない。数時間おきに、氷河のかなたで巨大な氷の塊が海へ崩れ落ち、低いとどろきが夜のしじまを破る。ノーラ・マンゴアがうまい表現をしていた。またひとつ氷山が生まれ落ちた、と。

ミンは立ったまま大きく伸びをした。ハビスフィアを見渡すと、遠くのまばゆいテレビ用照明のもとで祝賀会が開かれているのがわかった。パーティーが苦手なミンは、そちらとは逆の方向へ歩いていった。

人気《ひとけ》のない作業エリアの迷宮は、いまやゴーストタウンのように感じられ、ドーム全体が墓場を思わせる雰囲気に包まれている。冷気がこもっているらしく、ミンは丈の長いキャメルのコートのボタンを上まで留めた。

やがて、採掘坑――歴史上最もすばらしい化石が発掘された場所――が見えてきた。特大の金属の三脚はすでに片づけられ、広大な氷の駐車場にできた深いくぼみに注意を促すかのように、水たまりがパイロンで囲われている。ミンはその穴までゆっくり進み、安全な距離をとって、深さ二百フィートの極寒のプールをのぞきこんだ。だれかがここへ落ちたとしても、すぐに水が凍りついて痕跡《こんせき》を消し去ってしまうにちがいない。

なんと美しい水だろう、とミンは思った。暗闇で見ても美しい。

いや、暗闇ではなおさらだ。

そう考えてミンは躊躇《ちゅうちょ》した。そして思った。

何かがおかしい。

さらに近づいて水に目を凝らしているうちに、これまでの満ち足りた気分が突然の混乱に掻《か》き消された。まばたきをして、もう一度水面を見つめ、それからドームの反対側へ――五十ヤード先の会見場でばか騒ぎしている人々のほうへ――視線を投げかける。この暗さでは、あんな遠くからはこちらの様子は見えまい。

このことをだれかに知らせるべきだろうか。

ミンは水へ視線をもどし、どう伝えるべきかと考えた。これは目の錯覚なのか。ある種の幻視だろうか。

判然としないまま、パイロンのあいだを抜けて穴のへりにしゃがみこんだ。水位が氷面より四フィート低いので、さらに身をかがめてじっくり見た。たしかに妙だ。いままでは見落としようがないけれど、ドームの明かりが落とされるまではわからなかった。

ミンは立ちあがった。なんとしてもだれかに伝えなくては。急ぎ足で会見場へ歩きだしたが、ほんの数歩進んだところではたと足を止めた。まさか！　目を大きく見開いて、穴のほうへ駆けもどった。急にある考えがひらめいたからだ。

「そんなばかな！」ミンは思わず口走った。

しかし、それがただひとつの解釈にちがいない。慎重に考えろ、とミンは心に言い聞かせた。もっと理にかなった説明があるはずだ。けれども考えれば考えるほど、目にしているものに対する確信が募った。ほかの解釈などありえない！　ＮＡＳＡとコーキー・マーリンソンがこの驚くべき現象を見過ごしたとは信じがたいが、不都合とも思わなかった。

この発見はもうウェイリー・ミンのものだ！

興奮に震えながら、ミンは近くの作業エリアまでひと走りしてビーカーを見つけ出した。少しばかり水のサンプルが必要だ。こんなことはだれも信じまい！

34

「ホワイトハウスに向けての資料担当者として」声が震えないようにつとめながら、レイチェル・セクストンは画面を埋める聴衆に語りかけた。「世界じゅうの政治紛争地域へ赴いたり、変わりゆく情勢を分析したり、大統領とそのスタッフへ情報を提供したりすることがわたしの仕事です」

髪の生え際に浮かんだ玉の汗をぬぐいつつ、レイチェルはぶっつけ本番でこの概説をはじめさせた大統領をひそかに呪った。

「今回はこれまでになく風変わりな場所を訪れています」レイチェルは自分のいる窮屈なブースをぎこちなく手で示した。「信じていただけないかもしれませんけど、わたしはいま、北極圏にある厚さ三百フィート以上の氷床の上から皆さんにお話ししているんです」

画面の向こうの面々は困惑と期待の入り混じった表情を浮かべている。なんらかの理由があって大統領執務室に押しこまれたことは承知していても、それが北極での新発見にかかわっているとはだれひとり想像していなかっただろう。

また汗が噴き出してきた。落ち着くのよ、レイチェル。ふだんどおりにすればいいだけ。「今夜こうして皆さんと向き合いながら、わたしは大変な名誉と、誇らしさと……そして何よりも興奮を感じています」

反応はない。

勝手にしなさい、と思いつつ、レイチェルはいらいらと汗をぬぐった。こんなの契約違反よ。そのとき、母がこの場にいたらどう言うかがわかった。〝困ったときは、腹を割れ〟。その古いことわざは母の信条のひとつだった――どんな難局にぶつかろうと、真実をありのままに語ればかならず乗り越えられる。

レイチェルは深く息を吸い、居住まいを正して画面をまっすぐ見据えた。「ごめんなさい、皆さん。北極圏にいて、どうしたらお尻《しり》まで汗だくになれるのかとお思いでしょうね……ちょっとあがってしまって」

その瞬間、目の前の人々が後ろに引いたように見えた。忍び笑いが聞こえる。

「何しろ」レイチェルは言った。「皆さんのボスはわたしの承諾を得てわずか十秒後に、これから全スタッフと対面してもらうとおっしゃったんです。わたしが大統領執務室への初訪問の光景として思い描いていたのは、このような炎の試練ではありませんでした」

笑い声が増した。

「それに」レイチェルは画面の下方へ視線を落とした。「まさか大統領の机を使わせていただけるなんて思いもしませんでした……しかもその上から話すなんて！」

力強い笑い声と大きな笑顔が返ってきた。レイチェルは筋肉がほぐれだすのを感じた。このまま率直にいこう。

「状況をご説明します」レイチェルは持ち前のなめらかで澄んだ声を取りもどした。「ハーニー大統領がこの一週間メディアへの露出を避けていらっしゃったのは、選挙戦に興味をなくされたからではなく、別の問題に専念されていたからです。はるかに重要と判断なさったある問題に」

そこで間を置いて、レイチェルは聴衆と目を合わせた。

「北極のミルン棚氷《たなごおり》という場所で、ある科学上の発見がなされました。大統領は今夜八時に記者会見を開いて、世界に公表なさる予定です。それを発見したのは、ここのところ度重なる不運に耐えてきた、労を慰されるべき勤勉な人々のグループでした。

そう、NASAです。皆さんもご存じのとおり、大統領はたしかな先見の明をもって、いかなるときもNASAを支援する立場を貫いてこられました。ついにその信念が報いられるときが来たんです」

その瞬間になってはじめて、レイチェルはこれがどれほどの歴史的大事であるかを悟った。緊張が喉《のど》もとまでこみあげたが、どうにか抑えて話をつづけた。

「データの分析と検証を専門とする情報機関の一員として、わたしはNASAのデータを検討するよう大統領から要請されました。わたしはそれを自分の目でたしかめるとともに、官民双方の専門家の意見も拝聴しました。いずれも非の打ちどころのない資格を備え、政治的な思惑に左右されないかたがたです。これから皆さんにご紹介する情報がまぎれもない事実であり、公正な見解に基づいていることは、わたしがプロとして保証します。また、ご自身の職務とアメリカ国民に忠実であるがゆえに、大統領が熟慮のすえ、先週にでもおこなえた発表をあえて控えていらっしゃったことも、個人的に言い添えさせてください」

聴衆がとまどいがちに顔を見合わせるのをレイチェルは見守った。全員が向きなおったとき、完璧《かんぺき》に注意を引きつけたと確信できた。

「では、この執務室で明かされるなかでも史上有数の刺激的な情報をお耳に入れましょう。お聞きになれば、皆さんも納得していただけるはずです」

35

ハビスフィアを飛びまわる超小型ロボットから送られてくる映像は、いまや前衛映画コンテストで優勝しそうな趣を呈していた——薄明かりのなか、妖《あや》しく光る採掘坑のそばで、身なりのいいアジア人が氷上に寝そべって、キャメルのコートの裾《すそ》を巨大な翼のようにひろげている。水のサンプルを採るつもりらしい。

「やめさせなくては」デルタ・スリーが言った。

デルタ・ワンも同意見だった。チームはミルン棚氷の秘密を力ずくでも守るよう命を受けている。

「どうやって？」ジョイスティックを握ったまま、デルタ・ツーが疑問をぶつけた。「あの超小型ロボットは武器を装備していない」

デルタ・ワンは顔をしかめた。いま浮遊している超小型ロボットは偵察用のもので、長時間飛行を可能にするためによけいな装備をはずしてある。殺傷力はハエと同程度しかない。

「指揮官に連絡しよう」デルタ・スリーが言った。

デルタ・ワンは採掘坑のへりで危なっかしく動くウェイリー・ミンの映像を一心に見つめた。あたりに人影はない──そして、凍《い》てつくほどの冷水は人が叫ぶ力を奪うはずだ。「ジョイスティックを貸せ」

「何をする気だ」デルタ・ツーが訊《き》いた。

「訓練どおりのことをやる」デルタ・ワンは鋭く言って、操作を引き継いだ。「即興だ」

36

ウェイリー・ミンは採掘坑の脇で腹這《はらば》いになり、右腕を穴のなかへ入れて水のサンプルを採ろうとしていた。自分の目にまちがいはなかった。水面から一ヤードほどまで近づいたいま、何もかもがはっきりと見える。

こいつはすごい！

手に持ったビーカーを水面に届かせるべく、ミンは懸命に腕を伸ばした。あとほんの数インチだ。

それ以上は無理だとわかると、ミンは体をさらに穴へ寄せた。両足のブーツの先を氷に強く押しつけて、左手で穴のへりをしっかりとつかむ。そしてまた、できるかぎり腕を伸ばした。あと少し。さらに近くへすり寄る。やった！　ビーカーのふちが水面にふれた。容器に流れこんだその液体を、ミンは信じられない思いで見つめた。

そのとき、前ぶれもなく、まったく不可解なことが起こった。闇のなかから、銃弾に似た小さな金属片が飛んできたのだ。それは視界の隅に飛びこむなり、ミンの右目を直撃した。

目を守ろうとする人間の本能はあまりに強く、急に動けばバランスを崩すと頭でわかっていながらも、ミンは体をよじった。痛みよりも驚きから生じたとっさの反応だった。顔の近くにあった左手が、攻撃された眼球をかばおうと反射的に持ちあがる。そのさなかにも、ミンは過ちを犯したことを悟った。全体重を前にかけたまま、唯一の支えを突然失って、ミンの体は揺らいだ。もはや体勢を立てなおすには遅すぎる。ビーカーを手から落とし、なめらかな氷をつかんで落下を食い止めようとしたが、あえなく暗い穴へ真っ逆さまに滑り落ちた。

わずか四フィートとはいえ、頭を冷水にぶつけた刹那《せつな》、時速五十マイルで舗道に激突したような衝撃を覚えた。顔面にしみわたる液体はあまりに冷たく、強力な酸を思わせる。すぐさまパニックが訪れた。

闇のなかで逆さになっているせいで、ミンはしばし方向感覚を失い、どちらを向けば水面に出られるかわからなくなった。厚いキャメルのコートが刺すような冷感をさえぎったが、それも一、二秒のことにすぎない。ようやく頭を上にして浮きあがり、空気をむさぼったものの、コートの下からもぐりこんだ水が背中と胸に達し、肺をつぶさんばかりの冷たさで体を圧迫しはじめた。

「助け……てくれ」ミンはあえいだが、うまく呼吸できず、かすかな声にすらならない。空気が失われたかのようだ。

「助け……てくれ！」その叫びは自分の耳にさえ届かなかった。ミンは採掘坑の端までもがいていき、なんとかよじのぼろうとした。目の前にあるのは氷の絶壁だ。つかまるところはない。ブーツで壁を蹴《け》って足掛かりを探ったが、何もなかった。穴のへりをつかもうと懸命に手をあげたものの、わずかに一フィート足りない。

筋肉はすでに反応が鈍くなっていた。両脚を激しく振り動かして浮きあがり、へりに手をかけようと試みる。体が鉛のごとく感じられ、肺がニシキヘビに締めあげられたかのように縮みあがっている気がする。水を吸ったコートがしだいに重みを帯び、体を沈ませる。ミンはそれを脱ぎ捨てようとしたが、厚い生地がまとわりついて離れなかった。

「助けて……くれ！」

恐怖の奔流が押し寄せる。

溺死《できし》は数ある死のなかで最も悲惨なものだと、ミンは何かで読んだ覚えがある。自分がその瀬戸際に立つことになろうとは想像もしなかった。筋肉が言うことを聞かなくなり、水から顔を出すのが精いっぱいだ。水びたしの着衣が重くのしかかるのを感じながら、凍えた指で壁を引っ搔《か》いた。

いまや叫びは心のなかだけに響いていた。

そして、そのときが来た。

ミンは沈みはじめた。意識を保ったまま死の訪れを待つ恐怖が、わが身に降りかかるなんて。しかもこんなふうに……氷の壁に囲まれた深さ二百フィートの穴に吞《の》みこまれていくとは。さまざまな思いが脳裏にちらついた。少年時代のこと。仕事のこと。ここに沈んだ自分をだれかが見つけてくれるだろうか。それとも穴の底で凍りついて……永遠に氷河に葬られるのだろうか。

肺が狂おしく酸素を求めている。ミンは息をこらえ、なおも水面に出ようと水を蹴った。息をしろ！　そう要求する肺に抗《あらが》って、感覚を失った唇を固く結ぶ。息をしろ！　むなしく浮上を試みる。息をしろ！　その瞬間、本能と理性との熾烈《しれつ》な戦いにおいて、呼吸したいという圧倒的な本能が、口をふさいでおく理性を打ち負かした。

ミンは息を吸った。

肺へなだれこんだ水は、繊細な体組織に注がれた熱い油のようだった。体内から焼きつくされていく気がする。残酷にも、水は人をすぐには殺さない。ミンはそれから七秒間、冷水を吸いこむたびに苦痛が増すばかりで、体が渇望するものはけっして得られない生き地獄を味わった。

そしてついに、氷の闇へ滑り落ちながら、意識が遠のいていくのを感じた。いまではそれがありがたかった。沈みゆくミンのまわりで、無数の小さな光の粒がきらめいている。それはこの世で目にした最も美しい光景だった。

37

ホワイトハウスの東側入館口は、財務省と東庭にはさまれた東エグゼクティブ通りに面している。ベイルートでの海兵隊兵舎爆破事件のあとで設けられた鉄筋の塀とコンクリートの車止めが、そこに歓迎とはほど遠い雰囲気をもたらしていた。

入館口の外で、ガブリエール・アッシュは不安を募らせつつ腕時計に目をやった。四時四十五分になるが、まだだれも接触してこない。

――東側入館口に、午後四時三十分。ひとりで来てください。

来たわよ。そっちはまだ?

ガブリエールはあたりをうろつく旅行者たちの顔をながめ、そのうちのだれかが目を合わせるのを待った。数人の男性が視線を返したが、そのまま歩き去った。こんなところに来るべきではなかったのでは、という気がしてきた。守衛室にいるシークレット・サービスの男がこちらを見ているのがわかる。情報提供者はきっと怖じ気《おけ》づいたのだろう。最後にもう一度、頑丈な塀越しにホワイトハウスを見やったのち、ガブリエールはため息をついて身をひるがえした。

「ガブリエール・アッシュさん？」守衛室から男の声がした。

心臓が喉《のど》にせりあがる思いで、ガブリエールは振り返った。いったい何？

男が手招きをした。きまじめな面立ちのやせた男だ。「面会の準備ができたそうです」メインゲートをあけ、館内へはいるよう合図する。

ガブリエールの足はすくんだ。「そのなかへ？」

男はうなずいた。「お待たせして申しわけない、とことづかっています」

開いた入口を見つめながら、ガブリエールはまだ動けずにいた。どういうこと？

こんな事態はまったく予想していなかった。

「ガブリエール・アッシュさんでしょう？」男はもどかしそうに繰り返した。

「ええ、そうですが――」

「では、ついてきてください」

ガブリエールの足は唐突に動きだした。気後れしつつ入口を通過したとたん、背後でゲートが閉まった。

38

二日間日の光を浴びていないせいで、マイケル・トーランドの体内時計にはかなりの誤差が生じていた。腕時計は夕刻前を示しているにもかかわらず、体は真夜中だと訴えている。ドキュメンタリーの仕上げを終えたトーランドは、全編の映像ファイルをおさめたDVDを持って、暗いドームを歩いていた。明るく照らされた会見場に着くと、放送を取り仕切るNASAの担当技師にディスクを手渡した。

「ご苦労さん、マイク」ディスクを受けとって目くばせしながら、技師は言った。「これで〝必見の特番〟の定義が変わるな」

トーランドは力なく笑った。「大統領に気に入ってもらえるといいんだが」

「心配ないさ。ともかく完成したんだ。のんびりくつろいでショーを楽しむといい」

「ありがとう」会見場のまぶしい照明のもと、トーランドはカナダ産の缶ビールで祝杯をあげるNASAの局員たちをながめた。いっしょに騒ぎたい気はするけれど、精根尽き果てていた。レイチェル・セクストンの姿がないかと見まわしたが、どうやらまだ大統領と話しているらしい。

出演交渉か、とトーランドは思った。大統領を責める気はなかった。隕石《いんせき》の会見に加えるなら、レイチェルは申し分ない人材だ。見栄えがするうえに、落ち着きと自信が満ちあふれている。そういう女性は自分のまわりにほとんどいない。とはいえ、トーランドがふだん接しているのは、テレビの世界の女性――血も涙もない女傑か、司《パーソ》会者《ナリティー》と称しつつ個性《パーソナリティー》に欠ける型どおりの美女――ばかりなのだが。

ひしめくNASAの局員たちからそっと遠ざかり、ドームの複雑な通路を進みながら、トーランドはほかの民間人科学者はどこへ消えたのかと考えた。自分の半分でもくたびれているなら、世紀の瞬間に備えて仮眠エリアでうたた寝していてもおかしくない。はるか前方に、だれもいない採掘坑を囲うパイロンが見える。忘却のかなたに眠っていたうつろな声が、頭上の空間にこだました気がする。トーランドはそれに耳を傾けまいとした。

亡霊どもを相手にするな、と心に命じた。やつらはしばしばこうして現れる。疲れたときや孤独なとき。仕事が成功したときや祝いたい気分のとき。彼女といっしょに過ごしたいだろう、とその声はささやく。闇にひとりたたずみ、トーランドは過去へ引きもどされるのを感じた。

シーリア・バーチは大学院時代の恋人だった。ある年のバレンタインデーに、トーランドはシーリアを彼女のお気に入りのレストランへ連れていった。ウェイターが運んできた彼女のデザートは、一輪のバラとダイヤモンドの指輪だった。シーリアはすぐに意味を察した。涙で瞳《ひとみ》を潤ませて、トーランドを無上の幸福へ導くひとことを口にした。

「いいわ」

ふたりは希望に胸をふくらませ、シーリアが科学教師の職を得たパサデナの近郊に小さな家を買った。給料は少なかったけれど、そこは新生活をはじめるにふさわしく、トーランドが憧《あこが》れの地質調査船での仕事に就いたサンディエゴのスクリップス海洋学研究所にも近かった。いったん調査に出ると三、四日は家をあけざるをえなかったが、だからこそ妻のもとへ帰るのはいつでも新鮮な喜びだった。

海へ出ているとき、トーランドは自分の体験をシーリアに見せようと、船上での出来事をビデオに撮って短いドキュメンタリー仕立てにした。ある日持ち帰った粒子の粗い家庭用ビデオは潜水艇の窓から撮影したもので、それまでだれにも存在すら知られていなかった、化学的刺激によって奇異な屈曲を見せるイカをはじめてとらえた映像だった。カメラを構えながら語っているとき、トーランドは興奮のあまり潜水艇の外へ飛び出しそうになったほどだ。

〝誇張ではなく何千もの未発見種がこの深海に生きている！〟トーランドは夢中で言った。〝これはほんの一部にすぎない！　ここにはだれも想像がつかない無数の謎がいっぱいあるんだ！〟

夫の熱意あふれる簡明な解説にシーリアはすっかり魅了された。ふと思いついて、科学の授業でそのビデオを上映したところ、たちまち評判になった。教師仲間がテープを借りたがった。生徒たちの父母がダビングをしたいと言ってきた。だれもがマイケルの次作を待ち望んでいるようだった。シーリアは急にある考えを思いついた。NBCテレビに勤める大学時代の友人に連絡して、テープを送ったのだ。

二か月後、マイケル・トーランドはシーリアをキングマン・ビーチへ散歩に誘った。そこは、ふたりがいつも将来の夢を語り合う特別な場所だった。

「話したいことがある」トーランドは言った。

シーリアは立ち止まり、打ち寄せる波に足を浸したまま夫の手をとった。「どんなこと？」

トーランドはひと息にまくし立てた。「先週、NBCテレビから電話をもらった。海洋ドキュメンタリー番組の司会をやらないかと言われてね。すごいよ。来年にも見本版を撮りたいっていうんだ！　信じられるかい？」

シーリアはにっこり微笑んで、夫にキスをした。「信じるわ。あなたならきっとできる」

六か月後、ふたりでサンタ・カタリーナ島の周辺をセーリングしているとき、シーリアが脇腹の痛みを訴えた。それから数週間は気にせずにいたが、やがて痛みがひどくなり、シーリアは検診に赴いた。

トーランドの夢の生活は瞬時にして崩れ去り、忌まわしい悪夢が訪れた。シーリアは病に冒されていた。重い病に。

「かなり進行したリンパ腫《しゅ》です」医者は説明した。「奥さまの年代では珍しいですが、症例がないわけではありません」

ふたりは数えきれないほどの病院や診療所を訪ね、専門医の診察を受けた。どこでも結果は同じだった。治療不能だという。

あきらめてたまるか！　トーランドはただちにスクリップス海洋学研究所の職を辞し、NBCのドキュメンタリーの件もすべて忘れて、妻の回復のためにありったけの精力と愛情を注いだ。けなげに苦痛に耐えて闘うシーリアの姿を見ると、いっそう愛《いと》しさが募った。トーランドは妻をキングマン・ビーチへ長い散歩に連れ出し、力のつく食事をこしらえてやり、病気が治ったらいっしょに何をするかを話して聞かせた。

しかし、それはむなしい努力だった。

わずか七か月後には、索漠とした病室で死にゆく妻のかたわらに腰かけていた。シーリアの顔に以前の面影はまったくなかった。残忍さにおいて、化学療法は癌に引けをとらない。やせさらばえて骨と皮だけになっていた。最後の数時間が最も耐えがたかった。

「マイケル」しわがれた声でシーリアは言った。「もう逝《い》かせて」

「いやだ」トーランドの目に涙があふれた。

「あなたは生きるのよ」シーリアは言った。「生きなきゃいけないの。新しい愛を見つけると約束して」

「きみのほかには考えられない」それは本心だった。

「いずれわかるわ」

空の澄みきった六月の日曜日の朝、シーリアは息を引きとった。トーランドの心境は、係留場から荒海へほうり出され、方角もわからずに漂う船そのものだった。何週間も自暴自棄に陥っていた。友人たちが力になろうとしてくれたが、自尊心が他人の憐れみを受けつけなかった。

道はふたつにひとつだ、とトーランドはついに悟った。働くか、死ぬか。

腹を決めて、〈驚異の海〉の制作に打ちこむことにした。まさに番組に命を救われたも同然だった。それから四年のうちに、番組は急成長をとげた。その間、友人たちが幾度となく女性を紹介してくれたものの、トーランドがデートに応じたのはほんの数回だった。そのすべてが大失敗か互いに不満足な結果に終わったため、しまいには億劫《おっくう》になり、うまくいかないのは撮影旅行で忙しいせいだと思うようになった。けれども親友たちは、まだ時間が必要なのだと正しく理解していた。

いま、隕石《いんせき》の採掘坑が眼前に迫り、トーランドは苦い回想から引きもどされた。つらい記憶を振り払って、穴へと近づいた。暗いドームのなかで、坑内の水はこの世のものとは思えない美しさをたたえていた。月に照らされた池さながらに水面が美しく明滅している。青緑色の宝石がまき散らされたかのような光の粒に、トーランドの目は吸い寄せられた。そのまましばらく、きらめく水面を見つめた。

どことなく妙な気がした。

最初に見たときは、会見場のスポットライトが映りこんでいるだけだろうと思った。いまはそれがまちがいだとわかる。その光は緑がかっており、生きた水面がみずから発光しているかのように、一定のリズムで脈打っている。

胸騒ぎを覚えつつ、トーランドはもっとよく見ようと囲いのなかへ踏みこんだ。

ハビスフィアの別の一角では、レイチェル・セクストンがPSCから外の闇へ出たところだった。ぼんやりとしか見通せない周囲の暗さにとまどい、一瞬歩みを止めた。ハビスフィアはいまやがらんどうの洞窟《どうくつ》のようで、北側の壁を照らす放送用照明だけがかろうじて光彩を放っている。暗がりにいると落ち着かず、明るい会見場へおのずと足が向いた。

ホワイトハウスのスタッフへの概説がうまくいき、肩の荷がおりた。大統領の無茶な企てに動揺したものの、いったん立ちなおってからは、隕石について自分が知りえたすべてをよどみなく伝えることができた。話を進めるうち、スタッフたちの表情が強い不信から淡い期待へ、そして畏敬《いけい》をこめた肯定へと変わっていくのが見てとれた。「地球外生命体だって？」スタッフのひとりが口走るのが聞こえた。「どういうことかわかるか？」

「ああ」別のスタッフが答えた。「この選挙でおれたちが勝つってことさ」

華やかな会見場へ向かいながら、レイチェルは迫りくる発表の瞬間を思って自問自答せずにいられなかった。父はほんとうに、大統領から不意打ちを食らって一敗地にまみれるべき人間なのだろうか、と。

答は、やはりイエスだった。

父に対して気が咎《とが》めたときは、母を思い出しさえすればよかった。キャサリン・セクストン。父が母に与えた苦痛と恥辱は許しがたいものだった。毎晩遅くに帰宅して、香水のにおいをさせながら何食わぬ顔をしていた父。いざとなると形ばかりの誓いのことばを持ち出し、母がけっして逃げ去らないことを承知のうえで、嘘と裏切りを重ねていた父。

そう、セクストン上院議員は当然の報いを受ける。

会見場にいる一団は楽しげだった。だれもがビールを手にしている。レイチェルは男子ばかりのパーティーにまぎれこんだ女子学生の気分で、人だかりをすり抜けた。マイケル・トーランドはどこへ行ったのだろう。

コーキー・マーリンソンが隣に現れた。「マイクを捜してるのかい」

レイチェルは驚いた。「いえ……まあ……そんなところよ」

コーキーはうんざりしたように頭を振った。「やっぱりな。マイクは消えちまったよ。どこかでひと眠りしてるんじゃないか」そう言って薄暗いドームを一瞥《いちべつ》した。「いや、ちがった」パグ犬のような笑みを浮かべて指を一方へ差し向ける。「水を見るとうっとりしちまう野郎だから」

コーキーの指さす先を目で追うと、ドームの中央で採掘坑を見おろすトーランドの姿があった。

「何をしてるのかしら。あんな危ないところで」

コーキーはにやりとした。「小便でもしてるんだろ。穴に落としてやろうぜ」

レイチェルとコーキーは暗いドームを横切って採掘坑へ向かった。トーランドのそばへ近づくと、コーキーは叫んだ。

「よう、水の申し子！　海水パンツを忘れたのか？」

トーランドが振り返った。似合わしくない深刻な顔つきをしているのが、薄暗いなかでも見てとれた。まるで下から照らされているかのように、その顔は奇妙な輝きを帯びている。

「マイク、だいじょうぶ？」レイチェルは尋ねた。

「そうとは言えないな」トーランドは水面を指さした。

コーキーがパイロンをまたぎ越して、採掘坑のへりでトーランドと並んだ。水へ目を向けたとたん、コーキーの陽気さは影をひそめた。レイチェルもそこへ行ってふたりに加わった。穴をのぞきこむと、驚いたことに、水面に青緑の光の粒がちらちら輝いていた。水中を浮遊する色鮮やかな粉塵《ふんじん》のようだ。緑色に明滅し、とても美しい。

トーランドは地面から氷をひとかけら拾いあげて水に投げ入れた。落ちた瞬間、水は緑のしぶきをあげて光った。

「マイク」コーキーは心配そうに言った。「こいつがなんなのか教えてくれ」

トーランドは眉根《まゆね》を寄せた。「これの正体はわかってる。問題は、なぜここにあるかだ」

39

「鞭毛藻《べんもうそう》だよ」発光する水を見つめて、トーランドは言った。

「便秘症？」コーキーは顔をしかめた。「おまえさんのことだろ」

トーランドが冗談に応じる気分ではないのをレイチェルは察した。

「なぜかはわからないんだが」トーランドは言った。「この水には燐光《りんこう》性の渦《うず》鞭毛藻が含まれてる」

「燐光性の何？」レイチェルは言った。英語を話してよ。

「ルシフェリンという発光基質を酸化させる機能を具有する単細胞プランクトンだ」

いまのも英語？

トーランドは大きくため息をついて仲間を見た。「コーキー、あの穴から引きあげた隕石に生きた生物が付着していた可能性はあるだろうか」

コーキーは噴き出した。「マイク、冗談だろ！」

「まじめに訊《き》いてる」

「ありえないよ、マイク！　どんなものであれ、生きた地球外生命体が付着してる可能性がわずかでもあったら、ＮＡＳＡはあの岩を掘り出して空気にさらしたりするはずがない」

トーランドはいくらか納得したようだったが、さらなる謎にまた表情を曇らせた。「顕微鏡がないと確実なことは言えないけど、これは炎色植物門《えんしょく》に属する燐光性プランクトンじゃないかと思うんだ。北極海にはうようよしてる」

コーキーは肩をすくめた。「じゃあなぜ、それが宇宙から来たのかなんて訊くんだ」

「なぜって」トーランドは言った。「あの隕石は氷河に――降雪によってできた淡水の氷に――埋もれていたわけだろう。この穴の水は、三世紀のあいだ凍っていたその氷が融けたものだ。そこにどうして海の生物がはいりこめる？」

その発言は長い沈黙をもたらした。

レイチェルは穴のへりに立ち、目の前のものについて考えをめぐらせた。燐光性のプランクトンがこの採掘坑にいる。それはどういうこと？

「氷河のどこかに裂け目があったはずだ」トーランドは言った。「ほかに説明のつけようがない。プランクトンは海水が浸入できる氷の亀裂《きれつ》からここにはいったにちがいない」

レイチェルは納得できなかった。「浸入するって、どこから？」アイス・ローヴァーで移動した長い道のりを思い出した。「海はここからゆうに二マイル離れてるのに」

コーキーとトーランドが同時に妙な顔をした。「実のところ」コーキーが言う。「海はおれたちの真下にある。この氷盤は流動してるんだよ」

レイチェルはすっかり混乱してふたりを見つめた。「流動してる？　だけど……ここは氷河の上よね」

「そう、氷河の上だ」トーランドが言った。「でも大地の上じゃない。氷河は大陸から流れ出て海上にひろがることもあるんだよ。氷は水よりも軽いから、氷河は浮かんだまま、巨大な氷のいかだみたいに大洋へ流れていく。流動して海へ張り出した部分だから棚氷《たなごおり》と呼ぶんだ」そこでひと呼吸置く。「実はいまも、海へ一マイルほど流された場所にいる」

レイチェルは愕然《がくぜん》として、にわかに身構えた。自分の置かれた状況にあらためて思い至り、北極海の真上にいるという事実におののいた。

トーランドはその動揺を感じとったらしい。安心させるように氷を踏みつけて言った。「心配は要らない。この氷には三百フィートの厚みがあって、そのうち二百フィートが水中に深々と沈んでる。グラスのなかの角氷と同じで、すごく安定してるよ。超高層ビルだって建てられる」

レイチェルは弱々しくうなずいたが、得心したわけではなかった。不安感はさておき、プランクトンの出所についての説明は呑《の》みこめた。トーランドの考えだと、はるか下の海まで達する裂け目があって、プランクトンはそこからこの穴まであがってきたということらしい。それならわかる、と思いつつ、気にかかる点もあった。ノーラ・マンゴアは、確認のためにコア・サンプルをいくつも採取したうえで、この氷河には傷ひとつないと結論づけていた。

レイチェルはトーランドを見た。「地層年代の決定というのは、氷河構造が完全であることを前提におこなうものだと思ってたわ。この氷河には裂け目や亀裂がまったくないって、ドクター・マンゴアは言ってなかった？」

コーキーが眉をひそめて言った。「氷の女王はしくじったと見えるな」

そんなこと大声で言わないほうがいいわよ、とレイチェルは思った。背中にアイス・ピックを突き立てられるから。

トーランドは青白く光る生物を見つめながら顎《あご》をさすった。「ほかに説明がつかないと言わざるをえないな。裂け目はあるはずだ。浮かんだ棚氷の重みで、プランクトンを豊富に含んだ海水がこの穴まで押しあげられたんだよ」

とんでもない裂け目ね、とレイチェルは思った。この氷盤が三百フィートの厚さで、採掘坑が二百フィートの深さなら、その裂け目とやらは百フィートも切れこんでいることになる。ノーラ・マンゴアの標本にはひとつの裂け目もなかったのに。

「頼みがある」トーランドはコーキーに言った。「ノーラを捜してきてくれないか。この氷河について、ぼくたちが聞かされていない何かをノーラが知っていることを祈ろう。それからミンも呼んでもらいたい。このちっぽけな光る虫たちのことを説明してくれるかもしれない」

コーキーはすぐに歩きだした。

「急げ」トーランドは穴をまた一瞥《いちべつ》し、コーキーの背中に向かって叫んだ。「誓ってもいいけど、発光はすぐに退《ひ》いていくぞ」

レイチェルは穴をのぞきこんだ。たしかに、緑色の光がさっきより鈍っている。

トーランドはパーカを脱いで、穴の近くにうつ伏せになった。

レイチェルは当惑して言った。「マイク？」

「海水がまぎれこんでるかどうかを調べたいんだ」

「上着を脱いで氷の上に横たわれば、それができるの？」

「ああ」トーランドは腹這《はらば》いで穴のへりまで進んだ。パーカの片方の袖《そで》をつかんで採掘坑に垂らし、もう一方の袖口を水に浸す。「世界的な海洋学者たちがよく用いるきわめて正確な塩分検知法さ。〝濡《ぬ》れパーカ舐《な》めまわし法〟と呼ばれてる」

棚氷のかなたでは、デルタ・ワンがジョイスティックを苦心して操り、採掘坑のまわりに集まった数名の上方で、損傷を受けた超小型ロボットをどうにか飛ばしていた。下で交わされている会話の内容から、計画が急速に狂いつつあることを知った。

「指揮官に連絡しろ」デルタ・ワンは言った。「緊急事態だ」

ガブリエール・アッシュは少女時代に見学ツアーでたびたびホワイトハウスを訪れ、いつの日かここに勤めて国の将来を計画するエリート・チームの一員となることをひそかに夢見ていた。けれどもいまは、世界のどこでもいいから別の場所へ行きたいと感じていた。

40

東側入館口にいたシークレット・サービスの男に導かれて豪華なロビーへ足を踏み入れながら、わが匿名の情報提供者はいったい何を企《たくら》んでいるのかと不思議に思った。ホワイトハウスへ自分を招き入れるなんて、正気の沙汰《さた》ではない。だれかに見られたらどうするのか。最近の自分は、セクストン上院議員の右腕として頻繁にメディアに採りあげられている。きっとこの顔に気づく者がいるはずだった。

「ミズ・アッシュ？」

ガブリエールは目をあげた。親切そうな守衛が歓迎の笑みを浮かべている。「あちらをご覧ください」守衛はそう言って指をあげた。「示されたほうを向くと、突然のフラッシュに目がくらんだ。

「ご協力ありがとうございます」守衛はガブリエールをデスクへ案内して、ペンを手渡した。「入館記録にご署名をお願いします」分厚い革製のバインダーを押しやってくる。

ガブリエールは開かれたページを見た。何も書かれていない。ホワイトハウスの入館者は訪問を他者に知られないために、ひとりひとり新しいページに署名するという話を聞いた覚えがある。そこに名前を記した。

秘密の会談と言っても、この程度のものなのね。

ガブリエールは金属探知機をくぐり、さらに小型探知器でのボディーチェックを受けた。

守衛は微笑んだ。「奥へどうぞ、ミズ・アッシュ」

シークレット・サービスの男につづいてタイル張りの廊下を五十フィートほど進むと、ふたつ目の警備デスクがあった。そこでは、ラミネート機から出てきたばかりの来客用の通行証を別の守衛が手にとっていた。それにパンチで穴をあけて紐《ひも》を通し、ガブリエールの首にかける。プラスチックの通行証はまだあたたかく、十五秒前に撮られたスナップ写真が使われていた。

ガブリエールは感心した。お役所は手際が悪いなんて言うのはだれ？

そこからさらに奥へと誘導された。ガブリエールはひと足ごとに不安を募らせた。不可解な招待状を送りつけた人物が何者であれ、自分との会談を内密にする意志がないのはたしかだ。こちらは正式な通行証を発行され、入館記録に署名して、見学ツアー客のひしめくホワイトハウスの一階をこうして堂々と歩いているのだから。

「そしてここが陶器の間です」ツアーガイドが観光客の一団に語りかけている。「一九八一年に派手な散財として論議を呼んだ、ナンシー・レーガンのひとそろい九百五十二ドルの赤縁の食器もここに保管されています」

シークレット・サービスの男はそのツアーを追い越して、広々とした大理石の階段の前へガブリエールを導いた。別のツアーがその階段をのぼっている。「これからお連れするのは、三千二百平方フィートの広さを誇る東の間です」ガイドが説明する。「ジョン・アダムズ大統領の妻アビゲイルが夫の洗濯物を干したと言われる部屋です。そのあと、赤の間へご案内します。ジェイムズ・マディソン大統領の妻ドーリーはその部屋で州の高官たちを酩酊《めいてい》させ、夫に交渉を有利に進めさせたらしいですよ」

観光客たちが笑った。

ガブリエールは男のあとについてそこを通り過ぎ、連なるロープと柵《さく》のあいだを縫って非公開エリアへ進んだ。そして、本やテレビでしか見たことのない部屋にたどり着いた。呼吸が速くなる。

信じられない、ここは地図の間だわ！

どんなツアーもこの部屋には踏みこまない。押すと回転する羽目板張りの壁の向こうに、何層にも重なった世界じゅうの地図がおさめられている。ここはルーズヴェルトが第二次世界大戦の戦略を練った部屋だ。そして人騒がせな話だが、クリントンがモニカ・ルインスキーとの性的関係を認める証言をおこなった部屋でもある。ガブリエールはそうした雑念を頭から締め出した。何より重要なのは、この地図の間がホワイトハウス西館――真の権力者たちが活動するエリア――と直結していることだ。この部屋に呼ばれるとは思ってもみなかった。Eメールの送り主は、あまり重要でない部署で働く野心的な若い実習生か事務官あたりだろうと予想していた。どうやらちがうらしい。

西館へ行くのかしら……

シークレット・サービスの男は絨毯《じゅうたん》敷きの廊下を突きあたりまで進むと、標示のないドアの前で足を止めた。ノックをする。ガブリエールの心臓は高鳴った。

「あいています」中から返答があった。

男がドアをあけて入室を促した。

ガブリエールは中へ進んだ。ブラインドがおろされていて、部屋は薄暗い。暗がりで机に向かっている人物のぼやけた輪郭が見えた。

「ミズ・アッシュ」もうもうと漂う紫煙の向こうから声がした。「ようこそ」

暗さに目が慣れて、意外にもよく知ったその顔を見てとるや、ガブリエールは驚きに体をこわばらせた。送り主はこの人だったの？

「ご足労ありがとう」マージョリー・テンチが冷たい声で言った。

「ミズ……テンチ？」ガブリエールは急に息苦しくなり、ことばを詰まらせた。

「マージョリーでいいのよ」醜い女は立ちあがって、竜のごとく鼻から煙を吐いた。

「あなたとはいい友達になれそうね」

41

トーランド、レイチェル、コーキーと並んで採掘坑のへりに立ち、ノーラ・マンゴアは真っ黒な穴に目を凝らした。「マイク、あんたはいい男だけど、頭がどうかしてる。これのどこが発光してるの？」

ビデオに撮ることを思いついていれば、とトーランドは思った。コーキーがノーラとミンを捜しにいっているあいだに、発光はみるみる弱まった。数分のうちに、輝きはすっかり失われた。

トーランドはもう一度氷のかけらを水に投げ入れたが、何も起こらなかった。緑のしぶきもあがらない。

「どこへ消えたんだ」コーキーが尋ねた。

トーランドにはほぼ見当がついていた。生物発光――自然界で最も精巧な防御機能のひとつ――は、プランクトンが危機に遭遇したときの自然な反応だ。プランクトンは自分より大きな生物に捕食される危険を察知すると、その生物を怯《おび》えさせるさらに大きな捕食生物の注意を引きつけるべく、光を発しはじめる。いまの場合は、氷の裂け目から坑内へまぎれこんだプランクトンが、はじめて淡水の環境に置かれ、その水に命を奪われていくさなかに恐慌をきたして発光したと考えられる。「死んだと思う」

「殺されたってわけ」ノーラはせせら笑った。「復活祭のウサギが泳いできて食べたんだろうね」

コーキーはノーラをにらみつけた。「おれも発光を見たんだぜ、ノーラ」

「ＬＳＤをやる前、それともあと？」

「こんなことで嘘を言ってもしかたないだろ？」

「男は嘘をつく生き物よ」

「ああ、ほかの女と寝たかどうかってときはな。けど、燐光性《りんこう》のプランクトンのことで嘘をついてどうする」

　トーランドはため息を漏らした。「ノーラ、この下の海にプランクトンが生息してることはきみも知ってるだろう」

「マイク」ノーラは目を剝《む》いて言った。「あたしの領分に口出ししないで。はっきり言うけど、北極の棚氷の下には二百種を超える珪藻《けいそう》が暮らしてる。独立栄養の微小鞭《べん》毛藻《もうそう》類が十四種、従属栄養の鞭毛藻類が二十種、従属栄養の炎色植物が四十種、それに後生動物が数種あって、これには多毛類、端脚《たんきゃく》類、橈脚《とうきゃく》類、オキアミ、魚類が含まれる。何か質問は？」

　トーランドは渋い顔をした。「北極の動物相については当然きみのほうがくわしいし、この下にたくさんの生命が存在することもきみ自身が認めてる。それならなぜ、ぼくたちが燐光性のプランクトンを見た話を信じないんだ」

「なぜって、マイク、この採掘坑は閉ざされてるからよ。完全に孤立した淡水の環境よ。海洋プランクトンがはいりこめるはずがない！」

「この水は塩の味がした」トーランドは食いさがった。「ほんのわずかだけど、塩気があったんだ。塩水がなんらかの形で混入してる」

「へえ、そう」ノーラは疑わしげに言った。「塩の味ね。着古して汗のしみたパーカの袖《そで》を舐《な》めただけで、PODSの密度走査や、方々から採取した十五本のコア・サンプルは信用できないと結論づけたってわけ」

トーランドはパーカの濡《ぬ》れた袖口を証拠に差し出した。

「マイク、そんなものを舐める気はないったら」ノーラはそう言って穴をのぞきこんだ。「そのプランクトンとやらが裂け目とやらに押し寄せた理由を聞かせてもらえる？」

「熱じゃないかな」トーランドは思いきって言った。「海洋生物の多くは熱に引きつけられる。隕石《いんせき》を引きあげたとき、熱を照射したじゃないか。おそらくプランクトンは、周囲より急にあたたかくなった坑内へ本能的に移動したんだ」

コーキーはうなずいた。「妥当なところだろう」

「妥当？」ノーラは目をくるりとまわした。「受賞歴のある物理学者と世界に名だたる海洋学者にしては、ふたりともひどく血のめぐりが悪いんだね。たとえ裂け目があるとしたって——ないと断言できるけど——海水がこの穴に流れこむなんて物理的に不可能だと気づいてもよさそうなものだけど」憐れむような目つきでふたりを見る。

「でも、ノーラ……」コーキーが反論しかけた。

「いいかげんにして！　いま立ってる場所は海面より上なのよ」ノーラは足もとの氷を強く踏みつけた。「わかる？　この氷盤は海面から百フィートぶん突き出してるの。棚氷の端の高い崖《がけ》を覚えてない？　ここは海面よりはるかに上にある。この穴まで亀《き》裂《れつ》が走ったのなら、水は流れこむどころか、穴からあふれ出すに決まってる。それが重力ってものよ」

トーランドとコーキーは顔を見合わせた。

「くそっ」コーキーは言った。「そのことは考えなかった」

ノーラは水のたまった穴を指さした。「水位が変化してないことにも気づいた？」

トーランドは自分の愚かさに気づいた。ノーラの言うとおりだ。裂け目があるとしたら、水は流れこむのではなくあふれ出すだろう。しばし無言で立ちつくし、つぎに何をすればいいのかと思案した。

「認めるよ」トーランドは息をついた。「たしかに亀裂説は理屈に合わない。でも発光を目撃したのは事実だ。となると、やはりここは閉ざされた環境ではないと結論するほかない。氷河が一枚の塊であると仮定して、きみが年代を決めたのはよくわかってるが――」

「仮定？」ノーラは明らかに憤慨したようだ。「言っとくけど、年代を決めたのはあたしひとりじゃないのよ、マイク。NASAも同じ結論を導き出した。この氷河が一枚氷だってことはみんなで確認したの。裂け目なんかぜったいにない」

トーランドは会見場の人だかりを見やった。「何が起こってるにせよ、報告する必要があると思うんだ。長官や――」

「ばかばかしい！」ノーラは毒づいた。「この氷河の基質には傷ひとつないって言ってるでしょう？　舐めたら塩辛かったとか、妙ちきりんな幻を見たからって、あたしの判定を疑われるのはごめんよ」そう言って近くの器材置き場へ走り、器具を集めはじめた。「しかるべき水のサンプルをとって、海洋プランクトンなんかいないことを証明してあげる――そいつらが生きていようと死んでいようとね！」

レイチェルとほかのふたりが見守るなか、ノーラは紐《ひも》のついた滅菌済みのピペットを使って水のサンプルを採取した。それから超小型の望遠鏡を思わせる装置に水を数滴垂らし、それをドーム北側の照明に向けて片目で中をのぞいた。数秒後、ノーラは悪態をついた。

れてるよ！」
「信じられない！」その装置を振って、またのぞいた。「嘘だ！　この屈折計はいか
「塩水だったろう？」コーキーがほくそ笑んだ。
ノーラは顔をしかめた。「含まれてる。塩分濃度が三パーセントだって——ぜった
いにありえないのに。この氷河は雪が固まってできてるんだ。混じりけのない淡水だ
よ。塩分が含まれてるはずがない」水のサンプルを顕微鏡のもとへ持っていき、さら
に調べる。うめき声が漏れた。
「プランクトンかい？」トーランドが訊《き》いた。
「ゴニオラクス・ポリエドラさ」ノーラの声には落ち着きがもどっていた。「あたし
たち雪氷学者が棚氷の下の海でよく見かけるプランクトンの一種だよ」トーランドに
顔を向ける。「もう死んでる。塩分濃度三パーセントの環境では長く生きられなかっ
たらしいね」
四人は深い採掘坑のそばで、ことばもなく立ちつくした。
レイチェルはこの矛盾が今回の発見全般にどんな影響をもたらすのかと考えた。隕
石に関する大発見と比べれば瑣末《さまつ》に思えるけれど、情報分析者として、これよりもっ
と小さな問題から理論が根こそぎ覆った例を幾度も目にしてきた。

「こんなところで何をしている」低く重々しい声がした。

全員が目をあげた。暗闇からNASA長官の熊のような姿が現れた。

「坑内の水に少しばかり問題がありまして」トーランドが言った。「解明しようとしているところです」

コーキーがまるで喜んでいるかのように言った。「ノーラの判定がまちがってたんだ」

「くたばっちまえ」ノーラが小声で言う。

長官が濃い眉《まゆ》を逆立てて近寄ってきた。「判定のどこがおかしい」

トーランドはためらいがちに深く息をついた。「採掘坑の水に塩分が三パーセント混じっているのがわかったんです。これは、隕石が完全な淡水でできた氷河に覆われていたという報告と矛盾します」そこで間をとる。「そのうえプランクトンも存在していました」

エクストロームはいまにも怒りだしそうだった。「そんなことはどう考えても不可能だ。この氷河にはひとつの亀裂もない。PODSの走査で証明されている。隕石は一枚の氷塊に封じこめられていたんだ」

レイチェルはエクストロームが正しいと知っていた。NASAの密度走査によれば、氷床は岩並みに硬く、隕石は数百フィートの厚みがある氷にすっぽり覆われていた。裂け目もなかった。しかし、密度走査がどんなふうにおこなわれたかを想像するうち、レイチェルの頭にひとつの奇妙な考えが浮かんだ……

「それだけではない」エクストロームはつづけた。「ドクター・マンゴアのコア・サンプルも氷河が完全に密であることを証明している」

「そのとおりよ！」屈折計を机にほうり投げて、ノーラが言った。「二重の裏づけがあるんだから。氷に断層線なんかなかった。となると、塩水とプランクトンの件はまるで説明がつかない」

「そのことだけど」声の強い響きに自分でも驚きながら、レイチェルは言った。「別の可能性もあるわ」そのひらめきは、まったく意外な記憶の底から訪れた。

全員があからさまな疑いの視線を向けた。

レイチェルは笑みを浮かべた。「塩水とプランクトンが存在する理由を完璧《かんぺき》に説明できると思うの」そこで軽くしかめ面を作って、トーランドを見る。「マイク、正直言って、あなたが思いつかなかったなんて驚きだわ」

42

「プランクトンが氷河で凍った？」コーキー・マーリンソンはレイチェルの説明をまったく信用していないようだった。「ご高説に水を差す気はないけど、生き物はふつう凍ったら死ぬものだ。あのちっぽけな虫どもは威勢よく光ってたじゃないか」

「実のところ」レイチェルを感心したふうに見つめながら、トーランドが言った。「レイチェルの意見は的を射ている。必要に迫られて仮死状態に陥る種はたくさんいるんだ。以前、番組でその現象を採りあげたよ」

レイチェルはうなずいた。「湖が凍結すると自分も凍って、氷が融《と》けたら泳ぎだすカワカマスを紹介してたでしょう？　それから、クマムシとかいう微生物は、砂漠で完全な脱水状態になって何十年もそのまま過ごし、また雨が降ると水分を取りこむんだったわね」

トーランドは含み笑いをした。「すると、ほんとうにぼくの番組を観てくれてたんだな」

レイチェルは照れて肩をすくめた。

「つまり、なんなの？　ミズ・セクストン」ノーラが強く言った。

「つまりだ」トーランドが引きとった。「どうしてもっと早く思い出さなかったのかな。番組の同じ回で紹介したなかに、極地の氷盤に生息するプランクトンの仲間も含まれていてね。毎年冬になると氷のなかで冬眠して、氷が融ける夏になると活動をはじめるんだ」そこでひと息つく。「番組で特集したのはさっき見たような燐光性《りんこう》の生物じゃなかったけど、おそらく同じ現象が起こったんだと思う」

「プランクトンが凍っていたと考えれば」トーランドが強く賛同してくれたことに驚きつつ、レイチェルはつづけた。「ここで見た何もかもに説明がつくわ。過去のある時点でこの氷河に亀裂《きれつ》が走り、そこへプランクトンのたくさん含まれた塩水が流れこんで、その後また凍ったというわけ。この氷河に塩水の凍結した個所があって、凍りついたプランクトンがそこに閉じこめられていたら？　そして、さっき熱い隕石《いんせき》を氷から引きあげるときに、ちょうどその部分を通過したとしたら？　それなら、塩分を含んだ氷が融けて、プランクトンを仮死状態から解き放す一方、淡水だったものに塩分が少し加わったとしてもおかしくないわ」

「ちょっと、勘弁してよ！」ノーラが敵意もあらわに叫んだ。「だれもかれもが急に雪氷学者になったわけ？」

コーキーも疑念をぬぐえないらしい。「けど、塩水の凍結した部分があれば、PODSが密度走査したときに発見されてるはずだろう？　淡水の氷と密度がちがうんだから」

「微々たるちがいよ」レイチェルは言った。

「三パーセントは相当なちがいだよ」ノーラが反論した。

「ええ、実験室のなかではね」レイチェルは答えた。「でもPODSは百二十マイル離れた宇宙から測定するのよ。PODSのコンピューターには、氷と半融けの雪とか、花崗岩《かこうがん》と石灰岩のような、明らかなちがいを読みとる能力しかない」そしてエクストロームに向かって言う。「PODSが宇宙から密度を測定する際、塩水の氷と淡水の氷を判別できない可能性はあるでしょうか」

長官はうなずいた。「たしかにある。三パーセントの相違はPODSの識別許容値より低い。おそらく同一と判定されるだろうな」

トーランドが興奮した様子で言った。「坑内の水位に変化がないこともそれで説明がつく」ノーラを見る。「水中にいたプランクトンの種類はたしか――」

「ゴニオラクス・ポリエドラ」ノーラは言った。「氷のなかで休眠できるかどうかも知りたいんだろう？　よかったね、答はイエスだよ。まちがいない。ゴニオラクス・

ポリエドラは棚氷のまわりにわんさと生息していて、発光もするし、氷のなかで休眠もする。ほかに訊《き》きたいことは?」

全員が顔を見交わした。ノーラの口調からすると、なおも何か言いたげだが、大筋ではレイチェルの説を認めたように聞きとれた。

「じゃあ」トーランドが言った。「ありうるんだな? いまの説は理にかなってると?」

「もちろんさ」ノーラは答えた。「あんたたちがよほどの大まぬけだとすればね」

レイチェルは目を見開いた。「なんですって?」

ノーラはレイチェルをじっと見据えた。「あなたの仕事では、半端な知識は命とりになるんじゃない? 同じことが雪氷学についても言えるんだよ」そう言って、四人のひとりひとりに視線を移した。「一度だけ説明するよ。ミズ・セクストンが言ったように塩水が一部で凍結することはたしかにある。けど、その場合は塩水が一か所に固まるんじゃなくて、人間の毛髪ほどの細さで網状に枝分かれして凍るんだよ。あの隕石がよほど目の細かい網にぶちあたったのでもないかぎり、これだけ深い穴に三パーセントもの塩分を融かし出すことはできない」

エクストロームは顔をしかめた。「で、その可能性はあるのか?」

「とんでもない」ノーラはにべもなく言った。「ぜったいにありえません。だったら、コア・サンプルにも含まれているはずです」

「コア・サンプルはたしか任意の地点から採取したんだったわね」レイチェルは言った。「単に運悪く、その地点には存在しなかったということはないのかしら」

「隕石の真上を掘ったんだよ。しかも、標本それぞれの間隔はほんの数ヤードずつしかない。限界の近さよ」

「いちおう訊いてみたの」

「それに、そもそもその仮説は成り立たないんだって」ノーラは言った。「そういった網状のものは、毎年融けては固まる季節氷にしか発生しない。でも、ミルン棚氷の氷は、山脈で生成し、やがて氷塊ごと分離して海に落ちるまでそこにとどまっている定着氷なんだよ。今回の妙な現象を説明するのに、凍ったプランクトンの説はいかにも有望そうだけど、この氷河にそんなものが張りめぐらされていないことはあたしが保証する」

　一同はふたたび沈黙した。

　自分の説にはっきりした反証があげられたものの、レイチェルの分析的思考はそれを受けつけなかった。足もとの氷河に凍ったプランクトンが存在したというのがこの難問に対する最も単純な答であると、本能が告げている。〟節減の法則〟をふと思い出した。NROの上司たちに叩《たた》きこまれたその法則は、いまも脳裏に刻みこまれている。〟いくつかの解釈が存在する場合、いちばん単純なものがたいてい正しい〟。

分析に誤りがあったとなれば、ノーラ・マンゴアが多くを失うのはたしかだ。もしかしたらノーラはプランクトンを目にした瞬間、氷河に亀裂がないという自説がまちがいだと悟り、いまはただそれをごまかそうとしているのではないかとレイチェルは思った。

「とにかく」レイチェルは言った。「さっきホワイトハウスの全スタッフにこう概説したの。この隕石は純然たる組成の氷から発見されたもので、一七一六年に有名なジュンガーソル流星の一部として地球に落下して以来、外界の影響をいっさい受けずにそこに封じこめられていたのだと。こうなると、それはもう事実とは言いきれないようね」

エクストローム長官は深刻な顔でだまりこんでいる。

トーランドが咳《せき》払いをした。「同感だな。塩水とプランクトンは現に存在した。どう解釈するにしても、この採掘坑が閉ざされた環境にないのはたしかだ。事実は曲げられない」

コーキーは困惑した面持ちだ。「なあ、宇宙物理学者らしからぬ言い草かもしれないけど、おれの分野では判定をしくじった場合、たいがい十億年単位のずれが出るんだ。プランクトンだの海水だのが混じったかどうかって問題は、ほんとうにそんなに重要なのか？　つまり、隕石のまわりの氷が完璧《かんぺき》であろうがなかろうが、隕石そのものにはなんの影響もないんだろ？　化石まであるんだ。あの化石の信憑性《しんぴょう》を疑うやつはいない。アイス・コアの分析にまちがいがあったって、そんなことはだれも気にしないさ。大事なのは、別の惑星に生命体がいる証《あかし》が見つかったことだけだ」

「ドクター・マーリンソン、悪いけど」レイチェルは言った。「情報分析で生計を立てている人間としては、賛成できないわ。NASAが今夜発表する情報に少しでも欠陥があれば、発見全体の信頼性が疑われかねない。化石の信憑性も含めてね」

コーキーは口を大きくあけた。「何を言ってる？　あの化石にはなんの欠陥もないんだぞ！」

「わかってるわ。あなたもわかってる。だけど、アイス・コアの分析に問題があると知りながらNASAがそれを公表したという噂が広まったら、国民はNASAがほかにどんな嘘をついてるのかと考えはじめるはずよ」

ノーラが目をぎらつかせて前へ出た。「あたしの分析に問題なんかない」そしてエクストローム長官に向かって言う。「一点の疑いもなく証明してみせますよ。この棚氷のどこにも塩水の氷なんかまぎれこんでいないってことを！」

エクストロームはしげしげとノーラを見た。「どうやって？」

ノーラは計画を話した。聞き終えたとき、レイチェルもなかなかの名案だと認めざるをえなかった。

エクストロームはどうも確信が持てないらしい。「それで断定できるのか」

「百パーセントの確証が得られますよ」ノーラは請け合った。「もし採掘坑の近くに一オンスでも海水が存在すれば、すぐにわかります。ほんの数滴もあれば、その装置がタイムズ・スクエア並みにぴかぴか光りますから」

エクストロームは軍人風の短髪の下で額に皺《しわ》を寄せた。「あまり時間がない。記者会見はあと二、三時間ではじまる」

「二十分でもどってこられます」

「氷河のどのあたりまで行く必要がある？」

「たいした距離じゃありません。二百ヤードでじゅうぶんです」

エクストロームはうなずいた。「危険はないだろうな」

「照明弾を持っていきますから」ノーラは答えた。「それに、マイクにもいっしょに来てもらいます」

トーランドが顔をあげた。「ぼくが？」

「当然よ、マイク！　お互いの体をロープでつなぐのよ。突風が吹いたときに、しっかり支えてもらえると助かるんだけど」

「でも――」

「賛成だ」エクストロームはトーランドに向かって言った。「もし行かせるなら、ひとりというわけにはいかない。局員を何人かやってもいいんだが、正直なところ、問題があるかどうかがはっきりするまで、プランクトンの話はここだけにとどめておきたい」

トーランドはしぶしぶうなずいた。

「わたしも行きたいわ」レイチェルは言った。

ノーラはコブラのように顔を向けた。「冗談はよして」

「いや、実のところ」いま思いついたとばかりに、エクストロームが言った。「標準的な四人構成で行ったほうがより安全だと思う。ふたりだと、マイクが足を滑らせた場合に、ノーラは支えきれないだろう。四人いればふたりよりずっと安全だ」そこでコーキーを見る。「となると、きみかドクター・ミンに加わってもらうことになる」

そう言ってハビスフィアをながめまわした。「ところで、ドクター・ミンはどこだ」

「しばらく見かけませんね」トーランドが言った。「仮眠中かもしれません」

エクストロームはコーキーに向きなおった。「ドクター・マーリンソン、きみに行ってくれと無理強いはできないが、しかし——」

「まあ、いいさ」コーキーは言った。「それで八方うまくおさまるんならな」

「だめだよ！」ノーラが叫んだ。「四人もいたらもたついてしまう。やっぱりマイクとふたりで行く」

「それは許可できない」エクストロームの口調は決然としていた。「四人構成が定着しているのにはそれなりの理由があるし、安全はしっかり確保すべきだ。何より、NASA史上最大の記者会見を目前にして事故など起こしてもらいたくない」

43

ガブリエール・アッシュは得体の知れない不安を覚えながら、重苦しい空気の漂うマージョリー・テンチの執務室ですわっていた。この人はわたしにいったい何を望んでるの？　テンチはひとつしかない机の向こうで椅子にもたれかかって、相手を不安に陥れる喜びに悪相を輝かせている。

「煙草はご迷惑かしら」煙草のパックを叩《たた》いて新たに一本を取り出しながら、テンチは言った。

「いいえ」ガブリエールは嘘を言った。

いずれにしてもテンチはもう火をつけていた。「今回の選挙戦で、あなたとそちらの候補はＮＡＳＡにずいぶん興味をお持ちのようね」

「はい」怒りを隠そうともせず、ガブリエールは鋭く言った。「創造力あふれるご支援のおかげです。説明していただきたいわ」

テンチはとぼけて口をすぼめた。「なぜわたしがそちらのＮＡＳＡ攻撃を援護するようなＥメールを送っていたのか知りたいと？」

「くださった情報は大統領の不利になるものばかりでした」

「短期的には、そうなるわね」

テンチの声に混じる不穏な響きがガブリエールを不安にさせた。「それはどういう意味ですか」

「そうかりかりしないで、ガブリエール。あのＥメールは情勢を大きく変えはしない。

わたしがお節介を焼くよりずっと前から、セクストン上院議員はNASA叩きをしていたのよ。わたしはただ、そのメッセージをはっきりさせる手助けをしただけ。議員の立場を明確にするために」

「立場を明確にする？」

「そう」テンチはやにで汚れた歯を見せて笑った。「きょうのCNN討論での議員は実にみごとだった」

ガブリエールはテンチの〝フェンス破壊弾《バスター》〟に対するセクストンの受け答えを思い返した。追い詰められはしたが、上院議員は強い闘志で難局を切り抜けた。あれは正しい措置ではなかったのか？　テンチの満足げな顔つきから、ガブリエールはまだ何かあると直感した。

テンチはやにわに立ちあがって、骨張った体躯《たいく》でせま苦しい空間を威圧した。くわえ煙草で壁面の金庫へ歩み寄り、分厚い茶封筒を取り出すと、机にもどってまた腰をおろした。

ガブリエールはふくらんだその封筒を凝視した。

テンチは笑って、ポーカーでロイヤルフラッシュの役がそろった瞬間さながらに、膝《ひざ》の上で封筒を支え持った。じらして楽しんでいるつもりなのか、黄ばんだ指先でその端をはじいて、繰り返し耳障りな音を立てた。

心にやましいところがあるせいだと感じつつも、ガブリエールは最初、その封筒に自分と上院議員の過ちの証拠がはいっているのではないかと恐れた。ばかね、と思いなおす。あれは勤務時間外に施錠された執務室で起こったことだ。言うまでもなく、もしホワイトハウスがなんらかの証拠を手にしたなら、とうにそれをばらまいているはずだ。

疑われてはいるだろう、とガブリエールは思った。でも証拠は握られていない。

テンチは煙草をもみ消した。「ミズ・アッシュ、お気づきかどうか知らないけど、あなたは一九九六年以来ワシントンでひそかにつづいている争いに巻きこまれてるのよ」

こんなふうに切り出されるとは、ガブリエールはまったく予想していなかった。

「なんの話です？」

テンチは新たな煙草に火をつけた。薄い唇がすぼまり、煙草の先端が赤く燃える。

「宇宙開発営利化推進法という法案について何をご存じ？」

ガブリエールはその法案について聞いたことがなかった。困惑して肩をすくめる。

「知らないの？」テンチは言った。「驚いたわ。そちらの候補の選挙戦略を考えるとね。宇宙開発営利化推進法は一九九六年にウォーカー上院議員によって発案された。大筋としては、NASAが人類を月に着陸させたあと、めぼしい業績を少しもあげていないことをあげつらって、民営化を促進しようという法案ね。NASAの資産をただちに民間の宇宙関連企業に売り払って、宇宙開発をより効率的におこなえるよう自由競争を可能にすることで、NASAがいま納税者に負わせている重荷を軽減しようというものよ」

NASAがかかえる諸問題の解決策として、批判派が民営化を提唱していることはガブリエールも耳にしていたが、それが実際に正式な法案になっているとは知らなかった。

「この民営化法案は」テンチは言った。「これまでに四度、連邦議会に提出されてる。ウラン製造などの政府事業が民営化されたときと同じようにね。議会はこれがお目見えした四度とも、法案を通過させた。幸いにも、ホワイトハウスはそのたびに拒否権を行使したわ。現大統領も二度拒否しなくてはならなかった」

「要点をおっしゃってください」

「要は、セクストン上院議員が大統領になった暁には、この法案をまちがいなく支持するということよ。セクストンはまちがいなく、最初に食いついてきた入札者になんの躊躇《ちゅうちょ》もなくＮＡＳＡの資産を売り渡す。つまり、国民の税金を宇宙開発に投じるよりも民営化を選ぶってこと」

「わたしの知るかぎり、上院議員が宇宙開発営利化推進法についての考えを公言なさったことは一度もありません」

「そうね。でも上院議員の政治方針をご承知なら、その法案を支持したとしても驚かないでしょうね」

「自由競争は効率を高める場合が多いですから」

「返事は〝イエス〟だということね」テンチの目が鋭くなった。「残念ながら、ＮＡＳＡの民営化などというのは言語道断の考えだし、この法案が議会で可決されるたびにホワイトハウスが拒絶してきたのには数かぎりない理由があるのよ」

「宇宙開発民営化への反対意見は何度か聞いたことがあります」ガブリエールは言った。「ですから、懸念なさるのもわかります」

「あら、そう」テンチは身を乗り出した。「どの意見を聞いたのかしら」

ガブリエールは落ち着きなく姿勢を変えた。「ほとんどがお決まりの学問的憂慮――もしＮＡＳＡを民営化すれば、現在おこなわれている宇宙科学の研究がすぐに廃れ、利潤の追求が優先されるようになるという懸念です」

「たしかに。宇宙科学はただちに廃れるわ。宇宙の研究に資金を投じるかわりに、民間の宇宙関連企業は小惑星を掘り返して宇宙にホテルを建設し、民間向けの衛星打ちあげサービスを提供するでしょうね。金銭的な見返りがまったく見こめないのに、民間企業がわざわざ十億ドル単位の費用をかけて宇宙の起源を研究する理由がないもの」

「民間企業には望めません」ガブリエールは言った。「ですが、〝国家宇宙科学基金〟といった名前の組織がかならず創設されて、学術活動への資金援助をするはずです」

「そういう組織はすでにあるのよ。ＮＡＳＡと呼ばれてるんだけど」

ガブリエールはことばを失った。

「利潤のために研究が切り捨てられるのは、いちばんの悩みじゃないわ」テンチは言った。「民間の機関に宇宙で好き勝手をさせることで生じる混乱のほうがはるかに大きな問題よ。西部開拓時代がまたやってくるようなものね。開拓者たちが月や小惑星に杭《くい》でしるしをつけて、力ずくで縄張りを守る姿が見られるかも。夜の天空に広告をまたたかせるネオン掲示板を建造したがってる企業があるそうよ。ある宇宙観光業者の事業化案には、宇宙空間へ廃棄物を吐き出してごみの山で軌道を築く計画まで含まれてた。それどころか、宇宙を壮大な墓に見立てて遺体を軌道へ打ちあげたいという企業からの提案書をきのう読んだばかりよ。わが国の通信衛星が死体と衝突するところを想像してみて。先週は、ある大金持ちの経営者がわたしのオフィスへ来て、磁場の近い小惑星へ人員を送りこみたいと申請した。その星を地球のそばへ引き寄せて、そこから貴重な鉱物資源を採掘したいそうよ。小惑星を地球の軌道近くに引き寄せたりしたら世界規模の大災害を招きかねないってことを、わたしからその男に言い聞かせてやらなくてはならなかった。ミズ・アッシュ、もしその法案が通ったら、宇宙へ大挙して繰り出すのはロケット科学者たちではなく、豊かな財力と浅はかな考えを持った企業家たちなのよ」

「説得力のあるご意見ですね」ガブリエールは言った。「もし上院議員がその法案を決裁する立場に置かれたら、きっとそうした問題を慎重に考慮されるでしょう。この件がわたしとどう関係しているのか、お尋ねしてよろしいですか」

紫煙の向こうでテンチは目を険しく細めた。「多くの人間が宇宙での大儲《おおもう》けを狙い、圧力団体があらゆる規制と障害の撤廃を要求する。大統領の有する拒否権は、民営化を——宇宙の大混乱を——阻む残された唯一の壁なのよ」

「なら、法案を拒絶しつづけたザック・ハーニーに栄光あれ、ですね」

「わたしが恐れてるのは、そちらの候補が当選したら、そこまで賢明な判断をくださないだろうということよ」

「しつこいようですが、もし上院議員がその法案を決裁する地位にお就きになったら、すべての問題を慎重に考慮なさるはずです」

テンチはあまり納得していない様子だ。「セクストン上院議員が宣伝活動にいくら費やしているかご存じ？」

それは思いもかけない質問だった。「そういう資料は公開されていますから」

「月に三百万ドル以上よ」

ガブリエールは肩をすくめた。「そうおっしゃるなら」金額はほぼ正しかった。

「大変な額ね」

「それだけの資産をお持ちですから」

「ええ、うまく準備したわね。と言うより、いい人と結婚したわね」テンチはことばを切って、煙を吐き出した。「キャサリン夫人はお気の毒だった。議員もさぞショックだったでしょう」わざとらしい、憐れむようなため息がつづく。「亡くなってからまだあまりたっていないわね」

「要点をおっしゃってください。でなければもう失礼します」

テンチは肺を震わすような咳《せき》をして、例のふくらんだ茶封筒に手を伸ばした。ホッチキスで綴《と》じられた薄い紙の束を抜き出してガブリエールに手渡す。「セクストンの財務記録よ」

ガブリエールは驚愕《きょうがく》の思いでその資料を読んだ。記録は数年前にまでさかのぼっている。ガブリエールはセクストンの私的な資産には関知していないが、その情報――銀行の預金残高、クレジット・カードの利用明細、各種ローン、証券資産、不動産、負債、資本利得と損失――はまぎれもない本物だと思えた。

「これは個人情報です。こんなものをどこから入手したんですか」

「そんなことはどうでもいいの。でもその資料を少しばかり検討すれば、セクストン上院議員がいま費やしているほどのお金を持っていないことはすぐにわかるはずよ。キャサリンが亡くなったあと、上院議員は遺産の大半をまずい投資や、贅沢《ぜいたく》品や、予備選挙で勝利するのに有効と思われる対象に注ぎこんだ。半年前の時点で、すでに破産しているのよ」

はったりにちがいないとガブリエールは思った。もし破産していたら、これまでのような行動はとっていないだろう。セクストンは宣伝に割く時間を週ごとにどんどん増やしている。

「そちらの候補は」テンチはつづけた。「大統領の四倍の費用を使っている。それなのに、自分の資産を持っていないのよ」

「多額の献金をいただいています」

「ええ、その一部は合法的なものね」

ガブリエールはぐっと顎《あご》をあげた。「なんとおっしゃいました？」

テンチが机に身を乗り出し、ニコチンくさい息が間近に漂った。「ガブリエール・アッシュ、いまからひとつ質問をするけど、じゅうぶん考えてから答えてちょうだい。あなたがこの先の数年を監獄で過ごすかどうかにかかわる話だから。セクストン上院議員が、NASAの民営化によって莫大《ばくだい》な利益が見こまれる宇宙関連企業から、非合法に高額の賄賂《わいろ》を受けとっていることをご存じ？」

ガブリエールは目をまるくした。「ばかげた言いがかりだわ！」

「あなたはその事実を知らないということね」

「おっしゃっているような高額の賄賂を上院議員が受けとっていれば、わたしが知らないはずがありません」

テンチは冷ややかに笑った。「ガブリエール、セクストン上院議員とあなたがとても懇意な間柄なのはわかってるけど、あの男についてあなたが知らないことはたくさんあるのよ」

ガブリエールは立ちあがった。「話は終わりですね」

「とんでもない」フォルダーに残っていた中身を取り出して机にひろげながら、テンチは言った。「まだはじまったばかりよ」

44

ハビスフィアの〝出動準備室〟でNASAのマークIX微気候用サバイバル・スーツを身につけながら、レイチェル・セクストンは宇宙飛行士の気分を味わっていた。それはフードつきの黒いワンピース型ジャンプ・スーツで、スキューバダイビング用の一式を空気でふくらませたような代物だった。二層になった衝撃吸収材にはいくつもの管が通っており、そこに注入されたゲルが寒暖いずれの環境でも着用者の体温を保つ役目を果たしてくれる。

窮屈なフードをかぶったところで、レイチェルはエクストローム長官にふと目を留めた。この調査を実行せざるをえなくなったことが気に入らない様子で、寡黙な歩哨《ほしょう》よろしく入口に突っ立っている。

ノーラ・マンゴアは全員の身支度を手伝いながら、小声で毒づいていた。「こいつは肥満児用」と言って、コーキーにスーツをほうり投げる。

トーランドはすでに両脚の部分を穿《は》き終えていた。

レイチェルがファスナーを上まで閉めると、そのスーツの脇のコックをノーラが探りあて、大型の酸素ボンベに似た銀色の容器からチューブを引いてきてそこにつなげた。

「息を吸いこんで」バルブを開いて、ノーラは言った。

シューッという音とともにゲルがスーツに注入されていくのを、レイチェルは体感した。衝撃吸収材が膨張し、厚みを増したスーツが中の衣類を押しつぶす。ゴム手袋をはめて手を水に浸している感覚が思い出された。頭にかぶったフードがふくらむにつれ、耳が圧迫され、何もかもがくぐもって聞こえはじめた。繭のなかにいるみたい。

「マークIXのいちばんすぐれた点は」ノーラが言った。「こんなふうに膨張するところだよ。尻餅《しりもち》をついたって何も感じないもの」

レイチェルはさもありなんと思った。マットレスにくるまれているような感触がある。

ノーラはレイチェルに道具一式を渡した。アイス・アックス、ザイル用の留め金、カラビナ——それらを腰まわりに装着する。

「これ全部を？」道具を見て、レイチェルは言った。「二百ヤード歩くだけなのに？」

ノーラの目が険しくなった。「来る気があるのかないのか、どっち？」

トーランドがレイチェルにやさしくうなずいた。「ノーラは万全を期してるんだよ」

コーキーは注入タンクにつながって、楽しげにスーツをふくらませている。「特大のコンドームを着てる気分だ」

ノーラはうんざりしたようにうめいた。「あんたにぴったりだよ、童貞坊や」

トーランドはレイチェルの隣に腰をおろした。重いブーツとアイゼンを身につけつつあるレイチェルに、控えめな笑みを向ける。「ほんとうに来たいんだね？」そのまなざしには、巻き添えにしたことへの気づかいがこもっている。

力強いうなずきが不安を隠してくれることをレイチェルは願った。二百ヤード……たいした距離じゃないわ。「あなたこそ、自分が興奮を覚えるのは広々した海だけだと思ってたんじゃないの？」

トーランドは小さく笑って、アイゼンを装着しながら答えた。「凍った水より流れる水のほうがずっと好きなのはたしかだけど」

「わたしはどっちも苦手」レイチェルは言った。「子供のころ、氷を踏み割って池に落ちたの。それ以来水がこわくて」

目に同情の色を浮かべて、トーランドは視線を返した。「気の毒だったね。この仕事が終わったら、ぜひゴヤ号に乗りに来てくれ。水に対する印象を変えてみせるよ。約束する」

その誘いには驚いた。ゴヤ号というのはトーランドの調査用の船だ——〈驚異の海〉でのその役どころばかりでなく、なんとも奇妙な外観の船としても有名だった。そのゴヤ号を訪ねるのさえレイチェルには勇気がいることなのだが、ことわるのもなかなかむずかしい。

「いまはニュージャージーから十二マイルの沖合に停めてある」アイゼンの留め金と格闘しつつ、トーランドは言った。

「意外な場所ね」

「そんなことはないよ。大西洋沿岸は驚嘆に値する場所だ。大統領に無理やり中断させられるまでは、新しいドキュメンタリーを撮る準備をしてたんだ」

レイチェルは笑った。「何についてのドキュメンタリー？」

「説明がむずかしいな。スフィルナ・モカランとメガプルームについてだよ」

レイチェルは顔をしかめた。「とてもよくわかったわ」

トーランドはアイゼンの装着を終えて顔をあげた。「まじめな話、あと数週間で仕上げてしまうつもりでね。ワシントンはジャージーの海岸までそんなに遠くないし、あっちへ帰ったらすぐに来るといい。一生水をこわがって過ごすことはないさ。うちのクルーが赤い絨毯《じゅうたん》を敷いてきみを迎えるよ」

ノーラ・マンゴアの罵声《ばせい》が響いた。「そろそろ出発する？　それとも、あんたたちふたりにキャンドルとシャンパンを用意したほうがいい？」

45

マージョリー・テンチの机にひろげられた資料を前にして、ガブリエール・アッシュは途方に暮れていた。その書類の山には、手紙のコピーやファクシミリの文面、電話での通話記録などが含まれ、それらはすべて、セクストン上院議員が民間の宇宙関連企業とひそかに交渉しているという主張を裏づけているように思えた。

テンチは粒子の粗い白黒の写真数枚をガブリエールのほうへ押しやった。「この件は知らないでしょうね」

ガブリエールは写真に目を落とした。最初の生々しいスナップは、セクストンが地下駐車場らしきところでタクシーからおりる光景だった。ぜったいにタクシーを使わない人なのに。二枚目のスナップに目を移した――駐車された白いミニバンに乗りこむセクストンの望遠写真だ。年配の男性が車内で待っているように見える。

「これはだれ？」偽造写真ではないかと疑いつつ、ガブリエールは尋ねた。

「SFFの重鎮よ」

ガブリエールはいぶかしんだ。「宇宙フロンティア財団？」

宇宙フロンティア財団（SFF）は宇宙関連企業のいわば〝連合体〟だ。航空宇宙産業の請負業者や、企業家や、投資家――すなわち、宇宙関連事業に関心を持つあらゆる民間人が籍を置く団体である。NASAには批判的で、合衆国の宇宙開発計画は不公正なビジネス慣習を用いて民間企業の宇宙開発への取り組みを妨げるものだと主張している。

「SFFは現在」テンチは言った。「宇宙開発営利化推進法の承認を待ちわびる百以上の大手企業をかかえている。中にはずいぶん資金が潤沢な企業もあるわ」

ガブリエールは考えをめぐらせた。SFFが選挙戦でセクストンを声高に支持するのはもっともだが、その過激な働きかけは論争を招きかねず、上院議員は親密になりすぎないよう注意を払っていた。SFFはつい最近も、NASAは赤字経営に陥りながらも民間企業との競争を免れて業界にのさばる〝不当な独占企業〟だと、表立って罵倒したばかりだ。SFFによれば、米国電話電信会社（AT&T）で通信衛星の打ちあげが必要になるたびに、民間の宇宙関連企業数社が五千万ドルという妥当な費用での請負を申し出るのだが、あいにくいつもNASAが介入してきて、わずか二千五百万ドルで衛星を打ちあげようと持ちかけるという。実際にはその五倍の費用がかかるというのに！　SFFの弁護士たちはこう述べている――〝赤字も辞さない経営は、NASAが宇宙事業への足掛かりを維持するひとつの方策でしょうが、そのつけを払わされるのは納税者なのです〟。

「この写真からわかるのは」テンチは言った。「そちらの候補は民間の宇宙関連企業を代表する組織と陰で接触しているということよ」机上のほかの資料群を示す。「SFFが在籍企業から多額の寄付を――それも各企業の純資産に匹敵するほどの額を――募って、セクストン上院議員の口座へ送金したことがわかる内部文書もある。つまるところ、それらの企業は金に飽かせてセクストンを大統領の座に送りこもうとしているわけね。当選したら営利化法案を受け入れてNASAを民営化するという約束が交わされているとしか思えない」

ガブリエールは解せない気持ちで資料の山を見やった。「ホワイトハウスは対立候補が違法に選挙資金を調達している証拠をつかんでいて、それにもかかわらず、なんらかの理由からその事実を伏せている。そんな話を信じろとおっしゃるんですか」

「どんな話なら信じる?」

ガブリエールは相手をにらんだ。「率直に言って、あなたがたの工作手腕を考えれば、ホワイトハウスの仕事熱心なスタッフがDTPの技術を駆使してまがいものの資料や写真を用意したと解釈するほうが、よほど現実的だと思いますけど」

「なるほどね。でも、それはちがう」

「ちがう? じゃあ、これだけの内部資料を各企業からどうやって手に入れたのかしら。こんなに多くの企業からひそかに持ち出すのは、ホワイトハウスの能力の限界を超えてるわ」

「そのとおり。この情報は純粋な好意で寄せられたものよ」

ガブリエールは話を読めなくなっていた。

「そう」テンチは言った。「珍しいことではないのよ。大統領には再選を望む強力な味方がたくさんいるんだから。知ってのとおり、セクストン上院議員はそこらじゅうで——特にこのワシントンで——経費削減を声高に主張しているわ。政府の無駄づかいの例として、ＦＢＩの膨張した予算をなんの躊躇《ちゅうちょ》もなく引き合いに出す。国税局にも何度か非難を浴びせていたわね。そういった機関の職員のなかには、腹に据えかねる人もいるでしょうよ」

ガブリエールはその意味を解した。ＦＢＩや国税局なら、こうした情報を集める手段を持っているだろう。その情報を大統領の再選に役立てるべく、好意でホワイトハウスへ送ることもありうる。しかしまだ納得できないのは、セクストン上院議員が違法に選挙資金を調達しているという点だった。「この情報がたしかなら」ガブリエールは反論をはじめた。「と言ってもわたしは信じていませんが、なぜ公表なさらないんですか」

「なぜだと思う？」

「違法に入手したものだから」

「入手方法なんか問題にならないのよ」

「なるに決まっています。公聴会では証拠として認められません」

「なんの公聴会？　これをどこかの新聞社に漏らすだけで、〝信頼できる筋〟からの情報として写真と資料つきの記事が紙面に載るのよ。セクストンは無実の証《あかし》を立てるまでもなく、有罪の烙印《らくいん》を押されるでしょう。反ＮＡＳＡの立場を強調してきたことが収賄の何よりの証拠になる」

ガブリエールもそれは認めた。「わかりました。ではなぜ情報を漏らさないんです？」

「相手を誹謗《ひぼう》する行為だからよ。この選挙では誹謗作戦をとらないと公約したから、大統領はできるかぎりそれを守りとおしたいとお考えなの」

まあ、ご立派ね！「誹謗と見なされかねないという理由で公表を拒むほど、大統領が謹厳実直な人間だとでも？」

「国民を誹謗する行為でもあるのよ。公表すれば、真っ当な社員を多数かかえる何十もの民間企業を巻きこむことになる。合衆国上院の名を穢《けが》し、国民の意識にも悪影響を与えるわ。不正を働く政治家はすべての政治家を薄汚く見せてしまう。国民は指導者に公正さを求めてるのに。この件を暴露したら、見苦しい捜査がおこなわれ、おそらくはひとりの上院議員とおびただしい数の宇宙関連企業の幹部が投獄されることになるでしょうね」

テンチの説明は筋が通っていたが、それでもガブリエールは疑念をぬぐいきれなかった。「この件のどこがわたしに関係してるんですか」

「ミズ・アッシュ、平たく言うと、もしこれらの資料を公開したら、そちらの候補は不正政治資金調達の罪で告発され、上院の議席を失うばかりか、まちがいなく実刑をくだされることになる」テンチはそこで間を置いた。「ただし……」

相手の目が蛇のように光るのをガブリエールは見た。「ただし？」

テンチは煙草をゆっくりと一服した。「ただし、そのすべてを回避するためにあなたが協力してくれれば話は別よ」

重苦しい沈黙が部屋を満たした。

テンチは荒っぽい咳《せき》をした。「ガブリエール、わたしがこの嘆かわしい事実をあなたに打ち明けようと決めたのには三つ理由があるの。第一に、ザック・ハーニーが個人的な利益よりも政府の安泰を考える誠実な人間であることを知ってもらいたかったから。第二に、そちらの候補があなたの考えるほど信頼できる人間ではないことを伝えたかったから。そして第三に、いまからする提案を受け入れてもらいたかったからよ」

「その提案というのは？」

「正しいことをするチャンスをあなたにあげる。愛国心にかかわることよ。お気づきかどうか知らないけど、あなたはワシントンをあらゆるたぐいの不快なスキャンダルから救える立場にいるの。これからお願いすることを引き受けてもらえたら、大統領スタッフの一員にしてあげてもいい」

　大統領スタッフの一員？　ガブリエールは自分の耳が信じられなかった。「ミズ・テンチ、どういうおつもりかわかりませんけど、脅されたり、無理強いされたり、見くだされたりするのは不愉快です。わたしが上院議員の選挙スタッフをつとめているのは政治理念に共感するからです。それに、こんなやり方がザック・ハーニーの政治力の表れだというなら、そちらの陣営に加わるなんて冗談じゃありません！　セクストン上院議員についての情報をお持ちなら、メディアに漏らすなりご自由になさればいい。はっきり言って、何もかもペテンとしか思えません」

　テンチは重苦しく息を吐いた。「ガブリエール、そちらの候補が違法な資金調達をしているのは事実よ。気の毒だけどね。信用しているのはよくわかってる」そこで声を落とす。「で、ここからが肝心なの。大統領とわたしは、必要に迫られればこの件を公表するつもりよ。でも、そうなったらひどい混乱が起こるわ。このスキャンダルは法を犯している大手企業数社を巻きこむ。罪のないおおぜいの人たちがその代償を払わされるのよ」深々と煙草を吸い、煙を吐き出す。「大統領とわたしがいま望んでいるのは……ほかの方法で上院議員の評判を落とすこと。もっと穏便な方法……罪のない人たちを傷つけない方法で」煙草を灰皿に置き、手を組み合わせる。「簡単に言うと、あなたが上院議員と関係を持ったことを世間に認めてもらいたいの」

ガブリエールは全身を硬直させた。テンチの声には確信がこもっていた。ありえない、と思った。証拠はないはずだ。施錠された執務室で、たった一度過ちを犯しただけなのだから。テンチは何も握っていない。探りを入れているのだろう。ガブリエールはどうにか平静な口調を保った。「ミズ・テンチ、憶測が過ぎるのでは？」

「どちらについて？　あなたたちが関係を持ったこと？　それとも、あなたが上院議員を見捨てるだろうということ？」

「両方です」

テンチはそっけない笑みを浮かべて立ちあがった。「あれこれ言うのはあとにしましょう」壁面の金庫に歩み寄り、赤い封筒を持ってもどってきた。ホワイトハウスの封印が押されている。テンチは留め金をはずし、封筒を逆さにして、机に中身をぶちまけた。

数十枚のカラー写真が机上に散らばり、ガブリエールは自分の築いてきたキャリアが目の前で崩れ去るのを見た。

46

トーランドがハビスフィアを出ると、慣れ親しんだ海の風とはまったくちがうカタバ風が氷河に吹き荒れていた。海の風は潮流や気圧によって変化し、吹いたりやんだりをあわただしく繰り返す。一方カタバ風は単純な物理の法則に左右され、重い冷気が氷河の斜面を津波のごとく吹きおりるばかりだ。それはトーランドが体験したなかで最も執拗《しつよう》な強風だった。風速が二十ノットであれば航海者にとって理想の風となるだろうが、いまのような八十ノットでは、硬い地面を進む者にとってさえたちまち悪夢となる。立ち止まって後ろへ反ったとしても、頑《かたく》なな強風がいともたやすく体を起こすだろう。

猛々《たけだけ》しい大気の奔流以上に心配なのは、追い風を受けながらゆるい下り坂を進んでいることだった。二マイル先の海へ向かって、棚氷はわずかに傾斜している。ブーツに固定したシモン社製のピットブル・ラピドー・アイゼンには鋭い爪がついていたが、少しでも足を踏み誤れば強風にさらわれて氷の斜面を延々と滑り落ちる羽目になると思うと、不安でたまらなかった。先刻ノーラが氷河の安全性について二分間講座を開いたのだが、やはりどうにも心もとない。

〝ピラニア・アイス・アックスだよ〟。ハビスフィアで装備を整えるさなか、各人のベルトにT字形の器具を留めつけながら、ノーラは説明していた。〝ノーマル・ピック、バナナ・ピック、半管状ピックの機能を併せ持っていて、ハンマーや手斧《ておの》としても使える。これだけは覚えてもらいたいんだけど、もしだれかが足を滑らせたり突風につかまったりしたら、片方の手でアイス・アックスの頭部、反対の手で柄をつかんで、氷に打ちこむんだよ。それから体を伏せて、アイゼンの爪をしっかり利かせること〟。

こともなげにそう言って、ノーラはヤック社製のハーネスをひとりひとりに装着した。それから全員がゴーグルを着けて、暗い午後の氷河へ出てきたのだった。

いま、四人はそれぞれ十ヤードのザイル間隔をあけて一列縦隊で氷河を進んでいた。ノーラが先頭を行き、そのあとにコーキー、レイチェルの順でつづき、最後尾がトーランドだった。

ハビスフィアから遠ざかるにつれ、トーランドの不安はますます募った。ふくらんだサバイバル・スーツのおかげで寒さは感じないが、遠い惑星でトレッキングに挑む不慣れな宇宙旅行者の気分だった。月は分厚い嵐雲の後ろに隠れ、氷床は深い闇に包まれている。カタバ風は刻一刻と勢いを増すのか、強い力でトーランドの背中を押しつづけていた。ゴーグルのレンズ越しに茫漠《ぼうばく》としたひろがりに目を凝らすうち、この地のほんとうの恐ろしさが感じとれた。NASAの安全規定がどんなものであれ、長官がふたりどころか四人の命を危険にさらす決断をしたことに驚きを禁じえなかった。加わったのが上院議員の娘と著名な宇宙物理学者とあってはなおさらだ。レイチェルとコーキーの身の安全が気にかかるのは当然だった。船長を経験したせいで、周囲の人間に責任を感じるのが習性になっている。

「そのままついてきて」叫ぶノーラの声が風に呑《の》みこまれる。「橇《そり》の動きに合わせるんだよ」

ノーラが測定機器を運んでいるアルミニウム製の橇は、子供用の木橇を大きくしたような恰好《かっこう》のものだった。ここ数日間ノーラが氷河に出るときに使っていた分析機器と安全用具が積まれたままだ。バッテリーパック、照明弾、強力なヘッドランプなどの用具はすべて、頑丈なビニールの防水布で覆ってくくりつけてある。積み荷の重さをものともせず、長くまっすぐな滑走部《ランナー》はなめらかに進んでいた。勾配《こうばい》はほんのわずかだが、橇はひとりでに下り方向へ向かっており、ノーラは軽く制御するだけで、おおむね橇の動きにまかせているようだった。

ハビスフィアからずいぶん離れたように感じ、トーランドは軽く後ろを見やった。わずか五十ヤード向こうで、ぼんやりしたドームの輪郭が風の吹き荒れる闇に消え入りかかっている。

「帰り道の心配はしなくていいのか？」トーランドは叫んだ。「ハビスフィアはほとんど見えなく――」言いかけたことばは、ノーラが照明弾に点火した大きな音にさえぎられた。瞬時にして、半径十ヤードの範囲が赤と白の光に照らされた。ノーラはかかとで雪の表面に小さなくぼみを作り、風上側の雪を塀のように盛りあげてから、くぼみに照明弾の軸を据えた。

「ハイテクのパンくずだよ」ノーラは大声で言った。

「パンくず？」突然のまぶしい光から目をかばいつつ、レイチェルが尋ねた。

「ヘンゼルとグレーテルさ」ノーラは答えた。「この明かりは一時間持続するんだ――それまでにはじゅうぶんもどってこられるよ」

そう告げると、ノーラはまた先頭に立って歩を進めた――ふたたび闇へ向かって。

47

ガブリエール・アッシュはマージョリー・テンチの執務室から猛然と飛び出し、その勢いで秘書官をひとり突き倒してしまった。あまりの屈辱で、いま写真で目にしたもののほかは何も見えなかった。からみ合う肢体。恍惚《こうこつ》に満たされた顔。

どうやって撮られたのかは見当もつかないが、本物であることはまちがいない。それらの写真は、セクストンの執務室の天井に隠しカメラが存在したかのように、高い位置から撮られていた。ああ、神さま。そのうちの一枚は、自分とセクストンが、仕事上の書類が散らばる机の上に体を投げ出して行為にふけるさまをとらえていた。

マージョリー・テンチが地図の間の外で追いついた。写真のはいった赤い封筒を携えている。「どうやら、これは偽物ではないと信じてもらえたようね」すこぶる満足げな顔つきだ。「ほかの資料も本物だと納得してもらえるかしら。出所は同じよ」

廊下を突き進みながら、ガブリエールは体じゅうが火照るのを感じた。出口はいったいどこ？

テンチは長い脚で苦もなくついてきた。「あなたとはプラトニックな関係だとセクストン上院議員は断言したわね。あのテレビ会見にはみごとなまでに説得力があった」涼しい顔で背後を示す。「実を言うと、録画したテープがオフィスにあるのよ、もし記憶を新たにしたければ」

その必要はなかった。ガブリエールはその会見の一部始終を覚えていた。セクストンの否定のことばは鬼気迫るものだった。

「残念だわ」テンチは少しも残念がっていない口調で言った。「でも、セクストン上院議員はアメリカ国民に正面切って白々しい嘘をついた。国民には知る権利がある。そしてかならず知ることになる。わたし自身がそう仕向けるから。問題は、どんなふうに明るみに出るかという点ね。あなたから発表してもらうのがいちばんだと思うの」

ガブリエールは呆気《あっけ》にとられた。「上院議員を破滅させるようなことにわたしが手を貸すと、本気でお考えなんですか？」

テンチの顔つきが険しくなった。「ガブリエール、わたしは大所高所から物を言ってるの。だれもが必要以上にいやな思いをしなくてすむよう、あなたが堂々と真実を述べる機会を提供するつもりなのよ。関係を認める陳述書にサインしてもらえればそれでいい」

ガブリエールはぴたりと足を止めた。「なんですって！」

「当然よ。署名入りの陳述書があれば、国じゅうにこんな代物をばらまいたりせずに、上院議員と穏便に取引ができる。わたしの申し出は簡単よ。陳述書にサインしてちょうだい。そうすれば、この写真が日の目を見ることはないわ」

「陳述書がほしいと？」

「厳密に言えば、宣誓供述書という形になるけれど、ここには資格を持った書士が――

――」

「ばか言わないで」ガブリエールはまた歩きだした。

隣を歩くテンチの口調がきびしくなった。「セクストン上院議員はどのみち失脚するのよ、ガブリエール。だからこそ、朝刊で自分の裸の尻《しり》を見るようなことにならずにこの事態から脱却する機会を与えてあげてるの。大統領は慎みあるかただから、こんな写真を公にすることを望んでいらっしゃらない。宣誓供述書の作成に協力して、あなた自身のことばで関係を告白してもらえれば、だれもがささやかな威厳を保てるというわけ」

「わたしは売り物じゃありません」

「そちらの候補はもう売り物も同然よ。とんでもない危険人物で、法を犯している」

「法を犯している？　他人の執務室に侵入して不法に証拠写真を撮ったのはあなたたちよ！　ウォーターゲート事件を知らないの？」

「わたしたちはこんなポルノ写真の収集にはいっさいかかわっていないわ。この写真はＳＦＦの選挙資金がらみの情報と同じ筋から入手したの。あなたたちふたりを油断なく見張っていた人物がいるのよ」

ガブリエールはさっき通行証をもらった警備デスクの前を突き進んだ。通行証を引きちぎり、目をまるくしている守衛に投げつける。テンチはなおも追ってきた。

「ミズ・アッシュ、決断は早くしてね」出口近くでテンチは言った。「上院議員と寝ましたという宣誓供述書を持ってくるか、今夜八時に大統領がやむなくすべてを――セクストンの取引の実態や、この写真を含めた何もかもを――世間に公表するか、ふたつにひとつよ。言っておくけど、あなたがなんの手も打たず、セクストンがあなたたちの関係についてまた公の場で嘘っぱちを述べ立てるようだったら、ふたりとも一巻の終わりよ」

ガブリエールはひたすら出口をめざした。

「ガブリエール、今夜八時までに届けて。頭を冷やしなさい」テンチは去り際に写真のはいったフォルダーをほうってよこした。「それはとっておきなさい。まだいくらでもあるから」

48

深まる闇へ向かって氷床を進みながら、レイチェル・セクストンは体の芯《しん》までも凍っていくのを感じた。脳裏には、隕石《いんせき》や燐光《りんこう》性プランクトンの映像がせわしなく渦巻いている。もしノーラ・マンゴアによるアイス・コアの分析がまちがっていたら、どういうことになるのだろう。

淡水が氷結した完璧《かんぺき》な一枚氷だ、とノーラは言い、隕石の真上ばかりでなく周辺からもコア・サンプルを採取したと主張していた。プランクトンに富む海水が氷河に浸入して、ノーラがそれを見過ごしたとは思えない。それでも、レイチェルの直感は最も単純な解釈を捨てられなかった。

この氷河には凍ったプランクトンが存在する。

十分が経過して、さらに四本の光の道しるべが立ったころ、レイチェルたち一行はハビスフィアからすでに二百五十ヤードの地点まで来ていた。予告もなしに、ノーラが歩みを止めた。「ここにするよ」水脈のありかを探る占い師が、井戸を掘るべき場所を霊力で察知したかのようだった。

レイチェルは背後を振り返ってゆるやかな斜面に目をやった。ハビスフィアはとうに月夜の薄闇に消えていたが、点々と並ぶ光ははっきり見てとれ、いちばん遠いものでさえ小さな星のように頼もしくまたたいていた。照明弾の列は、緻密《ちみつ》に設計された滑走路さながらに、完璧な直線をなしている。ノーラの技量に感服するばかりだった。

「橇《そり》を先頭にしたのにはもうひとつ理由があってね」レイチェルが光の列に見とれているのに気づいて、ノーラは叫んだ。「ランナーの形状がまっすぐだからだよ。重力にまかせて橇を滑らせれば干渉を受けないし、まっすぐな道筋を確実に保てる」

「うまいやり方だな」トーランドが叫んだ。「外海でも似た方法を使えるといいんだが」

ここだって外海よ。氷の下の海を想像しながらレイチェルは思った。ほんの一瞬、いちばん遠くの照明に目を引かれた。まるで通り過ぎる物影にさえぎられたかのように、光が消えたのだ。けれども、つぎの瞬間にはまた光った。レイチェルはにわかに不安を覚えた。「ノーラ」風に負けじと叫ぶ。「このあたりにはシロクマがいるって言わなかった？」

ノーラは最後の照明弾の準備にかかっていて、聞こえなかったか、あるいはわざと無視したかのどちらかだった。

「シロクマは」トーランドが答えた。「アザラシを捕食する。領域を侵されないかぎり、人間を襲うことはないよ」

「でも、ここはシロクマの生息地よね」北極と南極のどちらに熊がいてどちらにペンギンがいるのか、レイチェルは思い出せなくなっていた。

「そうだよ」トーランドは叫び返した。「北極《アークティック》の名はシロクマに由来してるくらいだからね。〝アルクトス〟という、熊を意味するギリシャ語から来てる」

それはすてきね。レイチェルはこわごわと暗闇に目を走らせた。

「そして南極《アンタークティカ》にシロクマはいない」トーランドは言った。「だから〝熊なし《アンチ・アルクトス》〟と呼ばれたんだ」

「ありがとう、マイク」レイチェルは大声で言った。「シロクマの話はもうけっこうよ」

トーランドは笑った。「そうだな。悪かった」

ノーラは最後の照明弾を雪に突き立てた。それまでと同じ赤っぽい光がひろがって、黒いサバイバル・スーツを着た四人の姿を浮かびあがらせた。照明弾が発する光の輪の向こうは、黒い幕にぐるりと覆われたかのようで、まったく視界がきかない。

レイチェルたちが見守るなか、ノーラは足をしっかりと踏みしめて、数ヤード後方にある橇を注意深くそばまでたぐり寄せた。ザイルをつないだまま身をかがめ、橇の鉤爪《かぎづめ》状のブレーキ――氷に食いこませて橇を固定する、角度のついた四本のスパイク――を手動でかける。それが終わると、立ちあがって体をはたき、腰に巻いたザイルをゆるめて落とした。

「これでよし」ノーラは叫んだ。「仕事にかかるよ」

ノーラは橇の風下側にまわりこんで、装置類を覆う防水布を留めつけた蝶《ちょう》ねじをはずしはじめた。先刻ノーラにきつくあたりすぎた気がして、レイチェルは覆いをはずすのを手伝おうと橇の反対側にまわった。

「ちょっと、何するの！」ノーラは顔をあげて怒鳴った。「ぜったいいじらないで！」

わけがわからず、レイチェルはたじろいだ。

「風上のほうをはずすなんてとんでもない！」ノーラは言った。「吹き流しを作るようなものよ！　風洞のなかで傘を開いたみたいに、橇が飛ばされてしまう！」

レイチェルはあとずさった。「ごめんなさい。わたし……」

ノーラはにらんだ。「やっぱり、あんたと天体おたくは来るべきじゃなかったね」

だれひとり来るべきじゃなかったわ、とレイチェルは思った。

ど素人なんだから。怒りを噛《か》みしめたノーラは、コーキーとレイチェルも連れていけと言い張った長官を呪った。このまぬけどものせいでだれかが死ぬことになるよ。こんなところで子守りをさせられるのは願いさげだった。

「マイク」ノーラは言った。「GPRを運ぶのに手を貸して」

トーランドはノーラを手伝って地中探査レーダー（GPR）を橇からおろし、氷の上に設置した。その装置は、小型の雪搔《ゆきか》き用ブレードを三枚並べてアルミニウム製の骨組みに取りつけたような形をしている。全長はおよそ一ヤードで、橇に載せた抵抗減衰器と船舶用バッテリーにケーブルで接続されている。

「それがレーダーなのか？」コーキーが風のなかで声を張りあげた。

ノーラは無言でうなずいた。塩水の氷を探知するのに、地中探査レーダーはPODSよりもはるかに適している。GPRの送信機によって氷中へ伝えられた電磁エネルギーの波動は、結晶構造の異なる物質にぶつかると、異なる波動となって跳ね返ってくる。純粋な淡水は平らに重なり合った配列で氷結しているが、ナトリウム塩を含む海水は網目状や分岐した形で氷結する場合が多く、反射面が大幅に減少するため、跳ね返る波動は不規則なものになる。

ノーラはレーダーの電源を入れた。「一種の電磁波反射法を使って採掘坑周辺の氷床の断面画像を撮るんだよ。この装置に組みこまれたプログラムが氷河の断面を描画してプリントアウトする。海水の氷が少しでも混じってたら影として認識されるはずなんだ」

「プリントアウト？」トーランドは驚いた様子だ。「この場で印刷できるのかい？」

まだ防水布の下にある、GPRからケーブルでつながれた機器を、ノーラは指さした。「印刷するしかないのさ。コンピューターのモニターは貴重なバッテリーを食いすぎるから、野外調査をする雪氷学者は熱転写型プリンターでデータを印刷する。色は鮮明じゃないけど、レーザー・プリンターだと、気温がマイナス二十度以下になるとトナーが固まってしまうんだ。アラスカでのひどい経験から学んだことだよ」

ノーラはGPRより下方に立つよう全員に指示して、フットボールの競技場三つぶんは離れた隕石の採掘坑周辺を探知すべく送信機の調整をはじめた。ところが、歩いてきたおおよその方角に目を向けても、まったく何も見えなかった。「マイク、送信機を隕石のあった位置に合わせなきゃいけないんだけど、ここが明るいから向こうが見えないんだ。光の届かないところまで少しもどるよ。照明弾の列と並んだところで両手をあげるから、それを見てGPRの位置調整をしてくれる？」

トーランドはうなずいて、レーダーのかたわらにひざまずいた。

ノーラはアイゼンで氷を踏みしめ、風に向かって上体を傾けながら、ハビスフィアのほうへゆるい坂をのぼっていった。きょうのカタバ風は想像以上にきつく、嵐の気配が感じられる。別に心配はない。ここでの作業はものの数分で終わる。あたしが正しいってわかるはずだよ。二十ヤードほど歩いた。ザイルがぴんと張るころには暗がりに達していた。

ノーラは目をあげて行く手の氷河を凝視した。暗さに目が慣れると、やや左の角度に照明弾の列が見えた。その延長線上まで移動する。そしてコンパスのように腕を大きくひろげ、体の向きを変えて正確な方向を示した。「まっすぐ並んだよ！」と叫ぶ。

トーランドはGPRを調整して、手を振った。「設定完了！」

帰途を示す光の道しるべをもう一度見やって、ノーラは心強さを覚えた。だがそのとき、妙なことが起こった。一瞬、いちばん近くの光が見えなくなったのだ。消えかかっているのかと心配する間もなく、光はまた現れた。分別が働かなければ、照明と自分のあいだを何かが横切ったと思いこむところだった。しかし、こんなところにだれがいるものか。長官が思いなおして、あとから部下を送りこんできたなら話は別だが、そんなことはありそうもない。たぶんなんでもないだろう。突風のせいで一時的に照明が消えたのではないか。

ノーラはGPRのところまでもどった。「全部設定できた？」

トーランドは肩をすくめた。「と思うけどね」

ノーラは橇《そり》に載った制御装置へ歩み寄ってボタンを押した。GPRが鋭い震動音を発し、ほどなく止まった。「できた。終了よ」

「それだけかい」コーキーが言った。

「すべてプログラム済みだもの。撮影そのものは一秒で終わる」

橇の上では、熱転写型プリンターがすでに作動していた。透明なビニール製のカバーをかぶったまま、まるまった厚手の紙をゆっくりと吐き出している。印刷が終わると、ノーラはカバーの下に手を入れてプリントアウトを取り出した。見てなさい、と思いつつ、全員が観察できるようにその紙を明かりの近くへ持っていく。海水なんてあるもんか。

プリントアウトを握って明かりのそばに立つと、三人が集まってきた。ノーラは深く息を吸い、紙をひろげて内容をたしかめた。その画像を見たとたん、恐怖に身がすくんだ。

「ああ、そんな！」ノーラは信じられない思いで目を瞠《みは》った。予定どおり、そこには水のたまった隕石《いんせき》の採掘坑の断面がはっきり写し出されていた。しかし信じられないことに、採掘坑のなかに人の姿をした薄い灰色の影が漂っている。体じゅうの血が凍りついた。「採掘坑に……人間が？」

　全員が息を呑《の》んでそれを見つめた。

　亡霊を思わせるその人影は、頭を下にしてせまい坑内に沈んでいた。ケープのようなものを、薄気味悪い屍衣《しい》さながらにまとっている。ノーラはその正体に思い至った。それはたっぷりしたコートで、見覚えあるその生地は、毛足の長い、目の詰んだキャメルにちがいない。

「これは……ミンよ」ノーラはささやき声で言った。「きっと足を滑らせて……」

　ミンの死体を見たこと以上の衝撃をそのプリントアウトがさらにもたらすとは、ノーラは夢にも思わなかった。だが断面図の下のほうへ視線を向けると、別のものが目に留まった。

　採掘坑の下にある、この氷……

　ノーラはそれを見据えた。最初はスキャンがうまくいかなかったのだろうと思ったが、ていねいに画像を観察するうちに疑念が湧き起こり、嵐のように渦巻いた。風でめくれあがった紙の端をもとにもどし、さらに念入りに見なおす。

でも……ありえない！

突如、真実が襲ってきた。自分を葬り去ろうとしているようにさえ感じられる。ミンのことは頭から消し飛んだ。

ノーラはいまやはっきりと理解した。採掘坑にはたしかに海水がある！ 明かりのかたわらにがっくりと膝《ひざ》を突いた。息をするのもやっとだ。紙を握りしめたまま、体を震わせはじめた。

まさか……こんなことは想像もしなかった！

にわかに怒りに駆られ、ノーラはハビスフィアのほうへ顔を向けた。「卑怯者《ひきょうもの》！」絶叫は風に掻き消された。「最低の卑怯者！」

わずか五十ヤード先の暗がりで、デルタ・ワンが暗号無線機を口もとに近づけて、指揮官にごく短い報告をした。「気づかれました」

氷に膝を突いたきりのノーラ・マンゴアの震える手から、マイケル・トーランドは地中探査レーダー（GPR）のプリントアウトをおずおずと抜きとった。浮遊するミンの死体を見て怖《お》じ気《け》立ちながらも、意識を集中して目の前の画像を分析しようとつとめた。

隕石の採掘坑の断面図を、水面から二百フィートの穴底へ向けて目でたどっていく。ミンの死体をやり過ごして、さらに下へ視線を移したとき、何かがおかしいと感じた。採掘坑のすぐ下に、海水からなるとおぼしき黒っぽい氷柱が見てとれる。垂直に立ったその柱はかなり太い――と言うより、採掘坑と直径が同じだった。

「何よ、これ！」トーランドの肩越しにのぞいていたレイチェルが叫んだ。「採掘坑が棚氷《たなごおり》を貫いて、下の海までつながってるように見えるわ」

唯一考えうる解釈を受け入れられないまま、トーランドは立ちすくんでいた。コーキーも驚愕《きようがく》の表情を浮かべている。

ノーラがわめいた。「だれかが棚氷を下から掘ったんだよ！」その目は怒りで血走っている。「あの隕石は氷の下から挿入されたってわけさ」

トーランドの内なる理想主義者はノーラのことばをはねつけたがったが、内なる科学者はどう考えてもノーラが正しいと知っていた。ミルン棚氷の下の海には、潜水艇が航行するゆとりがじゅうぶんある。水中ではどんな物体も著しく重量が軽くなるから、トーランドが単独調査に用いるトライトンとさほど変わらない小型の潜水艇でも、運搬用アームで難なく隕石を運べる。付近まで海上を航行してきて、棚氷の下へもぐり、氷を上に向かって掘削することもできただろう。そのあと、延長式の運搬用アームか、気体を満たしたバルーンを使えば、隕石を坑内に押しあげることも可能だったはずだ。いったん隕石が目的の位置におさまったら、その下まではいりこんでいた海水が凍りはじめる。隕石が沈まない程度に坑内がふさがったところで、潜水艇はアームを引き抜いてその場を離れ、あとは母なる自然が坑道の名残を封じこめて欺瞞《ぎまん》の痕跡《こんせき》を消し去るにまかせればいい。

「でもどうして？」レイチェルは声を荒らげ、トーランドから取りあげたプリントアウトを観察した。「なんのためにこんなことをするの？　ＧＰＲの誤作動じゃないのはたしか？」

「もちろん正常だよ。それに、坑内の水に燐光性《りんこう》のプランクトンがいたこともそれで完璧《かんぺき》に説明がつく」

　ノーラの言ったことは恐ろしいほど当を得ていると、トーランドは認めざるをえなかった。燐光性の渦鞭毛藻《うずべんもうそう》は本能に従って採掘坑を浮上し、隕石の真下で進路を絶たれてそのまま凍ったのだろう。そしてきょう、ノーラが隕石を熱したときに、真下の氷が融《と》けてプランクトンは解き放たれた。ふたたび浮上して、こんどはハビスフィア内部の水面まで到達したものの、海水が足りずにとうとう息絶えたというわけだ。

「わけがわからんな！」コーキーが叫んだ。「地球外生命体の化石入りの隕石があるのは事実だ。なぜNASAは発見場所なんかを気にしたんだろうか。なぜわざわざ棚氷に埋める必要がある？」

「知るもんか」ノーラが切り返した。「けど、GPRのプリントアウトは嘘をつかない。あたしたち、はめられたのさ。あの隕石はジュンガーソル流星なんかとは無関係で、ごく最近氷のなかに仕込まれたんだよ。一年以内にね。じゃなきゃ、プランクトンが生きてるはずがない」そう言いながら、すでにGPRを橇に載せて片づけはじめている。「さっさともどってだれかに知らせなきゃ！　大統領はとんでもない偽情報を公開しようとしてるんだから。NASAは大統領をぺてんにかけたんだよ！」

「ちょっと待って！」レイチェルが声をあげた。「念のため、せめてもう一回スキャンしたほうがいいわ。こんな荒唐無稽《こうとうむけい》な話、だれが信じると思う？」

ノーラは橇《そり》に手をかけて言った。「ハビスフィアに着いたら、採掘坑に直行して底からもう一本コア・サンプルを掘り出すつもりだよ。それで海水の氷が出れば、だれだってこの話を信じるさ！」

ノーラはブレーキをはずして橇をハビスフィアのほうに向けると、アイゼンで氷を深く蹴《け》り、驚くほど軽々と橇を後ろ手に引いて、来た道をもどりはじめた。恐ろしい根性だ。

「行くよ！」ザイルでつながった一行を急き《せ》立て、光の輪のあたりをめざして突き進みながら、ノーラは叫んだ。「NASAが何を企《たくら》んでるのか知らないけど、やつらに利用されるのはまっぴら――」

ノーラの首が、見えない何かに額を強打されたかのようにのけぞった。かすれたうめき声を発し、よろめいて背中から倒れる。ほとんど同時に、コーキーが悲鳴をあげ、一方の肩を前から突かれたかのように体をよじった。そして氷の上にくずおれ、苦痛に悶《もだ》えた。

レイチェルはその瞬間、手のなかのプリントアウトや、ミンや、隕石や、氷の下の不思議な構造のことをすべて忘れた。小さな飛来物がわずかにこめかみをそれて耳をかすめたのがわかる。無意識に膝を屈して、ザイルでつながったトーランドを引き倒した。

「どうしたんだ！」トーランドが声を張りあげた。

レイチェルが思いついたのは、雹《ひょう》の嵐――氷河を吹きおりる無数の氷の粒――だったが、コーキーやノーラを襲った威力からすれば、時速数百マイルの勢いがあることになる。妙なことに、こんどはレイチェルとトーランドを標的にするかのごとく、ビー玉大の物体が激しく降り注ぎ、あたり一帯に氷のしぶきを舞いあげた。レイチェルは横ざまに転がってうつ伏せになり、アイゼンの爪で氷を蹴って、楯《たて》にできそうな唯一のものへ向かって突進した。橇だ。トーランドがすぐさま追いつき、並んで這《は》い進んでいく。

トーランドは、氷の上に無防備に倒れているノーラとコーキーを見やった。「ふたりを引き寄せるんだ！」と叫び、ザイルをつかんで引っ張りはじめる。

ところが、ザイルは橇にからみついていた。

レイチェルはサバイバル・スーツのマジックテープ式のポケットに断面図をねじこみ、ランナーにからんだザイルをほどこうと、腹這《はらば》いで橇へ近づいた。トーランドもすぐ後ろをついてくる。

突如として、雹は橇めがけて降り注ぎはじめた。まるで母なる自然がコーキーとノーラを見捨てて、レイチェルとトーランドに狙いを定めたかのようだ。そのつぶてのひとつが橇の防水布にあたり、そこにめりこむかと思いきや、跳ね返ってレイチェルの袖《そで》の上に飛んできた。

その物体を見て、レイチェルは凍りついた。困惑が瞬時にして恐怖に変わっていく。このつぶては人工のものだ。袖に載っているのは、大ぶりのサクランボに似たやや扁《へん》平《ぺい》な球体だった。外周に一本の線が走っているほかは、表面に凹凸はなく、旧式のマスケット銃に用いる圧縮加工された鉛弾を思わせる。これは人の手によるものにちがいない。

氷の銃弾……

軍事機密を閲覧できる立場にあるレイチェルは、実験的な〝即製軍需品（ＩＭ）〟についても精通していた。雪を圧縮して氷の散弾とするスノー・ライフル、砂を融かしてガラスの弾丸とするデザート・ライフル、水の波動で標的の骨を砕く水中仕様の銃砲といったものだ。こうしたＩＭ兵器が従来型の兵器よりも大きくまさっているのは、手近な材料を使って文字どおりその場で銃弾を製造できるため、兵士たちの荷を増やすことなく無制限に弾を補充できるところだ。いまこちらに向けて発射された氷の塊は、雪が〝注文〟を受けて圧縮され、ライフルにこめられていたものだとレイチェルは悟った。

情報の世界ではよくあることだが、多くを知るほどに、予測できる筋書きは恐ろしいものに変わる。この瞬間も例外ではなかった。できるものなら無知ゆえの安心感に浸りたかったが、ＩＭ兵器に関する知識があるばかりに、ただひとつの恐るべき結論がすぐさま頭に浮かんだ。自分たちを攻撃しているのは、合衆国の特殊作戦部隊——この実験的なＩＭ兵器を実戦で使用することを許可された数少ない部隊のひとつにちがいない。

軍の秘密作戦部隊だと気づいた瞬間、さらに戦慄《せんりつ》するもうひとつの考えが脳裏をよぎった。この襲撃を生き延びられる可能性はゼロに等しい。

穏やかならぬ思考はひと粒の氷の散弾にさえぎられた。橇に積まれた装置の隙間から飛んできたその弾は、レイチェルの腹を直撃した。パッド入りのマークⅨスーツを着ていてさえ、姿の見えぬボクサーに渾身《こんしん》のパンチを見舞われたように感じた。視界に星がちらつき、レイチェルはぐらついた体を立てなおそうとして、橇の上の装置をつかんだ。トーランドがノーラのザイルを手から落とし、レイチェルを支えようと突進してきたが、遅きに失した。装置の山に手をかけたまま、レイチェルは大きくのけぞり、トーランドとともに氷の上に倒れこんだ。

「これは……銃弾よ……」肺から呼気を絞り出しつつ、切れぎれに言った。「逃げなくちゃ！」

50

ワシントンDCの地下鉄《メトロレイル》はフェデラル・トライアングル駅を出発したが、ガブリエール・アッシュが望むほどにすばやくはホワイトハウスから遠ざかってくれなかった。ぼやけた人影が窓の外をつぎつぎ流れていくなか、ガブリエールは乗客のいない隅の席に身を硬くしてすわっていた。膝《ひざ》にはマージョリー・テンチがよこした大判の赤い封筒が載っていて、それが十トンの重みにも感じられた。

上院議員と話さなくては！　いますぐに！　その一心で、セクストンの事務所の方面へ向かう列車に揺られている。

小刻みに揺れる薄暗い列車の照明のもとで、ガブリエールはドラッグの幻覚に耐えている心地に陥っていた。頭上でちらつくはかない明かりは、スローモーションで明滅するディスコのストロボライトのようだ。重苦しいトンネルが山奥の峡谷さながらに気を滅入《めい》らせる。

これは現実じゃないと言って。

ガブリエールは膝の上の封筒へ視線を落とした。垂《た》れ蓋《ぶた》をはずし、中に手を入れて写真の一枚を抜き出す。列車内の照明が一瞬またたいて、容赦ない光がぞっとする絵姿を照らし出した――愉悦に満ちた表情をちょうどカメラのほうへ向けて一糸まとわぬ姿で横たわるセジウィック・セクストンと、そのかたわらに寄り添う自分の浅黒い裸体が写っている。

ガブリエールは身震いして写真を中へもどし、どうにか封筒の垂れ蓋をもどした。

もうおしまいだわ。

列車がトンネルを抜けてランファン広場近くの地上線路へ出るなり、ガブリエールは携帯電話を手にとって上院議員の個人用の携帯番号を呼び出した。留守番メッセージが応答した。困惑して、事務所の電話にかけた。秘書が応答した。

「ガブリエールよ。議員はいる？」

秘書は苛立《いらだ》った口調で言った。「どこへ行ってたの？　議員が捜してたわよ」

「人と会う用件が長びいてしまって。いますぐ議員と話したいんだけど」

「あしたの朝まで待たないとだめね。ウェストブルックにいるわ」

ウェストブルック・プレイス・ラグジュアリー・アパートメントは、セクストンのDCの住まいがある高級集合住宅だ。「個人用の番号にかけても出ないのよ」

「今晩はPEだから連絡を絶ってるわ」秘書は思い出させた。「早々にお帰りよ」

ガブリエールは顔をしかめた。パーソナル・イベント。動揺する出来事がつづいたせいで、セクストンが自宅でひそかに夜を過ごす予定になっていたことを忘れていた。PEの時間に邪魔がはいるのを議員はことのほかきらう。〝火事の場合だけはドアを叩《たた》いていい。それ以外の用なら、翌朝まで待てるはずだ〟とよく言っていた。いまは火災に瀕《ひん》しているに等しいとガブリエールは決めこんだ。「連絡をとってもらいたいの」

「無理よ」

「大事なことなのよ、ほんとうに――」

「そうじゃなくて、実際問題として無理なの。帰り際にポケットベルをわたしの机に置いて、今夜じゅう応答するつもりはないから、と言ったのよ。説得の余地なしだったわ」そこでひと息つく。「ふだんにも増してね」

やられた。「わかったわ、ありがとう」ガブリエールは電話を切った。

「つぎはランファン広場」録音されたアナウンスが列車内に流れた。「各線に連絡します」

目を閉じて考えをまとめようとしたが、強烈なイメージばかりが頭に押し寄せた……自分と上院議員の生々しい写真……収賄をほのめかす資料の山。テンチのざらついた声がいまも耳に残っている。〝正しいことをするチャンスをあなたにあげる〟。〝陳述書にサインしてちょうだい〟。〝関係を告白して〟。

列車が金属音を立てて駅へ滑りこむなか、ガブリエールはこの写真がもしマスコミの手に渡ったら上院議員はどうするかと頭を絞った。最初に浮かんだ考えに、愕然《がくぜん》とすると同時に情けなくなった。

嘘をつくにちがいない。

それが身内の候補に対していだいていた本心なの？

そう。嘘をつくだろう……とてもじょうずに。

ガブリエールが関係を認めることなく写真がメディアの手に渡ったとしたら、セクストンはまちがいなくそれが悪質なでっちあげだと言い張るだろう。写真のデジタル加工があたりまえの当節、インターネット利用者ならだれもが、有名人の顔を別の人間の体と――とりわけ、みだらな行為にふけるポルノスターのそれと――巧みにデジタル処理で合成した悪ふざけの写真を目にしたことがある。ガブリエールはすでに、上院議員がテレビカメラを前にふたりの関係についてまことしやかに嘘をつくさまをはっきり見ていた。きっと、この写真が自分を陥れるためのお粗末な工作だと世間に信じさせるにちがいない。怒りもあらわに反撃に出て、ともすれば大統領自身が捏造《ねつぞう》を命じたという印象まで広めるかもしれない。

ホワイトハウスが公表をためらったのも不思議はない。ガブリエールが思うに、この写真は一度目のすっぱ抜きと同様、逆効果になりかねない。写真がどぎついものであればあるほど、まがいものめいて見えるからだ。

ガブリエールはにわかに希望が湧くのを感じた。

ホワイトハウスはこれが本物だとはけっして証明できない！

テンチの要求――セクストンを監獄送りにしたくなければ、関係を認めろということ――は、その単純さゆえに容赦なく感じられた。いま、急にその意図がわかった。ホワイトハウスは是が非でもこちらに関係を認めさせたいのだ。それに成功しなければ、あの写真の使い途《みち》はない。わずかな自信がもどり、気分が軽くなった。

列車が駅に停まってドアが開いたとき、不意に生じた明るい可能性に通じるもうひとつのドアが開いた気がした。

収賄についても、全部嘘かもしれない。

つまるところ、自分はいったい何を見たというのか。決定的なものはひとつもなかった。銀行関連の書類のコピーも、駐車場にいるセクストンの不鮮明な写真も、すべて偽造品である可能性は捨てきれない。本物の性交渉写真と偽の財政記録を同じ日に見せて、どれもみな本物だとこちらに思いこませるのがテンチの狡猾《こうかつ》な作戦だったのかもしれない。それは〝連想による正当化〟と呼ばれ、怪しげな構想を売りこむときに政治家がしじゅう使う手だ。

セクストンは潔白だ、とガブリエールは自分に言い聞かせた。ホワイトハウスは行き詰まり、脅しをかけて性的関係を告白させるという危ない賭《か》けに打って出たのではないか。こちらが派手派手しくセクストンを見捨てるように仕向けるのが先方の狙いだ。テンチは今夜八時が刻限だと急き立てていた。プレッシャーをかけて強引に売りこもうというわけだ。何もかもが理屈に合う。

ひとつを除いて……

パズルのピースで唯一うまくはまらないのは、テンチが反ＮＡＳＡのＥメールを送りつづけていたことだ。後々の攻撃材料にできるようセクストンに反ＮＡＳＡの立場を固めさせることを、ほかならぬNASAが望んでいたように思える。ほんとうにそうだったのか？　しかし、Eメールの件についても完全に理にかなった解釈が成り立つことにガブリエールは気づいた。

あのEメールが、実はテンチから送られていたのではなかったとしたら？　こちらに資料を送っていた裏切り者のスタッフを捕らえたテンチが、その人物を解雇したあとで、面談に誘い出す最後のメッセージをみずから送ってきたとも考えうる。テンチはNASAの資料をすべて自分が流したふうに装ったのかもしれない――こちらを陥れようと目論《もくろ》んで。

ランファン広場駅に列車の油圧式サスペンションの音が響き、ドアが閉まろうとしていた。

ガブリエールは忙しく頭を働かせながら、ホームに目を向けた。自分の疑念が少しでも意味をなすのか、単なる希望的観測なのかは判断がつかないが、何がどうなっているのであれ、いますぐ上院議員と話す必要があるのは明らかだ――PEの夜であろうとなかろうと。

写真のはいった封筒をつかんで、ガブリエールはドアが閉まる直前に列車から飛びおりた。そして新たな目的地へ向かった。

ウェストブルック・プレイス・アパートメントへ。

51

戦《ファイト》いか逃走《フライト》か。

生物学者であるトーランドは、生物が危険を察知したとき、体に大きな変調をきたすことを熟知していた。アドレナリンが大脳皮質になだれこみ、動悸《どうき》を激しくさせて、すべての生物に共通する最も根源的かつ直感的な決断を脳に命じる――戦うか、それとも逃げるか。

トーランドの本能は逃げろと言っていたが、ノーラ・マンゴアとまだザイルでつながっていることを理性が思い出させた。どのみち逃げ場などない。ここから数マイル四方で唯一の遮蔽物《しゃへい》はハビスフィアだが、何者とも知れぬ襲撃者は氷河の上手《かみて》にひそんでいるのだろうから、進路は絶たれたも同然だ。背後では、氷床が二マイル先にわたってつづき、果ては絶壁となって極寒の海に落ちこんでいる。そちらへ逃げても、敵からまる見えになって抹殺されるのが落ちだ。そうした実質的な障害だけでなく、自分が仲間を置き去りにできないこともわかっていた。ノーラとコーキーはこちらとザイルでつながったまま、さえぎるもののない氷上にいまもさらされている。

トーランドはレイチェルのそばで体を伏せていたが、そのあいだも転覆した橇《そり》のへりに氷の銃弾が撃ちこまれているのがわかった。散らばった荷物を掻《か》きまわしてめぼしいものを探した……武器、照明弾、無線機……なんでもいい。

「逃げるのよ！」まだ息苦しそうにレイチェルが叫んだ。

妙なことに、氷の銃弾の猛襲が不意に途切れた。叩《たた》きつける風のなかでさえ、夜が唐突な静寂に包まれた……まるで嵐が突然やんだかのように。

警戒しつつ橇の陰からのぞいたそのとき、トーランドはこれまでの人生で最も恐ろしい光景を目撃した。

暗がりから光のなかへ、ぼやけた三つの人影がすっと現れ出て、音もなくスキーで滑走していた。全員が白い全天候型スーツに身を包み、ストックではなく見慣れない型のかなり大きなライフルを携えている。スキー自体もふつうのものではなく、斬新《ざんしん》で短いその形状は、スキーというより長めのインラインスケートのようだった。

勝利を確信したかのように、三人は落ち着き払っていちばん近くの犠牲者——意識を失ったノーラ・マンゴア——のもとへ惰行した。トーランドはおそるおそる膝《ひざ》立ちになって、橇の向こうの襲撃者を垣間見《かいま》た。相手も不気味な暗視ゴーグル越しに見返した。こちらに興味を引かれた様子はなかった。

少なくともいまのところは。


気絶して目の前に横たわる女に、デルタ・ワンはなんの憐れみも感じなかった。目的に疑問をいだかず、命令を遂行するよう訓練されてきた。

女は厚い黒の防寒スーツを着ており、顔の横側にみみず腫《ば》れができていた。呼吸が浅く、苦しげだ。ＩＭアイス・ライフルのひとつが放った弾が命中して、その衝撃で失神したらしい。

そろそろ始末をつける頃合だ。

デルタ・ワンが意識のない女のかたわらにひざまずくと同時に、仲間ふたりが別の標的にライフルを向けた——一方は近くの氷上に倒れている気絶した小柄な男を、そしてもう一方は、横倒しになった橇の後ろに隠れている残りのふたりを狙って。もっと迅速に仕事を片づけることもできるが、残りの三人は武器を持っておらず、逃げこむ場所もない。焦って一度に全員を始末するのは軽率というものだ。どうしても必要でないかぎり、標的を分散させるな。一度に相手にするのはひとりだ。デルタ・フォースは訓練に忠実に、一度にひとりずつ仕留める。何より重要なのは、死因を示す痕《こん》跡《せき》を残さないことだ。

女の横にかがんだデルタ・ワンは、防寒手袋をはずしてひと握りの雪をすくいとった。その雪を固めたものを、女の口をこじあけて喉《のど》に詰めはじめる。気管の奥まで力一杯押しこんで、口をふさぐ。三分もすれば死に至るだろう。

ロシアのマフィアが考案したこの方法は、〝白い死《ベラヤ・スミエールチ》〟と呼ばれている。この女は喉に詰まった雪が融《と》けるより前に窒息する。だが、死んだあとも、雪の塊が融けきるまでは体温が保たれる。たとえ不審死の疑いが持たれても、凶器も暴力の形跡もすぐには見つからない。最終的には解明されるかもしれないが、それまでの時間は稼げる。氷の銃弾は周囲の氷と一体化して雪に埋もれ、顔のみみず腫れは氷に叩きつけられてできたように見えるだろう——これほどの威力を振るう強風のなかではじゅうぶんありうることだ。

抵抗する力を奪ってしまえば、ほかの三人もほぼ同じやり方で始末できる。いずれ全員を橇に積んで本来の道筋から数百ヤードはずれたところまで引いていき、ふたたび死体をザイルでつないで並べるつもりだった。四人はいまから何時間かのちに、厳寒による低体温症で命を落としたとおぼしき凍死体となって発見される。遺体を発見した人間は、道をはずれて何をしていたのかといぶかしむだろうが、死んだことにはだれも驚かないだろう。目印の照明弾が燃え尽きて、悪天候のさなかミルン棚氷で道に迷ったことが急死を招いたと見なされるはずだ。

デルタ・ワンは固めた雪を女の喉に詰め終えた。ほかの標的へ注意を振り向ける前に、女のハーネスを取りはずす。あとでまた着けることになるが、いまのところは、この女を引き寄せて救い出す余地を橇の後ろのふたりに与えたくなかった。

マイケル・トーランドはたったいま、想像の限界を超える奇怪で残忍な行為を目のあたりにした。ノーラ・マンゴアをザイルから切り離した三人の襲撃者は、コーキーに注意を向けつつある。

何か手を打たなくては！

すでに意識を取りもどしていたコーキーは、低くうめきながら起きあがろうとしていたが、兵士のひとりが仰向けに押しもどし、その上にまたがって両腕を膝で押さえこんだ。コーキーが苦痛の叫びをあげたものの、吹き荒れる風にたちまち呑《の》みこまれた。

恐怖に取り乱しながらも、トーランドは散らばった橇の荷を手あたりしだいに物色した。何かあるはずだ！　武器のたぐいが！　けれども、目につくのは雪氷の分析機器ばかりで、ほとんどが氷の銃弾に砕かれて原形をとどめていない。かたわらでは、レイチェルがアイス・アックスを支えに使って、おぼつかない動作で体を起こそうとしている。「逃げるのよ……マイク……」

トーランドは、レイチェルの手首に結びつけられたアイス・アックスに目を留めた。武器に使えるかもしれない。どうだろうか。武装した三人の男に小斧《こおの》ひとつで立ち向かって勝ち目があるかと考えた。

自殺行為だ。

ふらふらと起きあがったレイチェルの背後にあるものへ、トーランドは目をやった。厚手のビニール製の袋だ。そこに照明弾か無線機がはいっていないかと心に念じつつ、レイチェルの横を這《は》い進んで袋をつかみとった。中身はていねいに折りたたまれた強化ポリエステルのシートだ。こんなものは役に立つまい。似たものを自分の調査船にも積んである。これは小型の探測気球で、パソコン程度の重さの気象観測機器までを載せられるよう設計されている。ヘリウムタンクがなければ、気球などあってもしかたがない。

コーキーがますます激しくあがくのを耳にして、トーランドは何年も感じたことのない強烈なむなしさに襲われた。どうしようもない絶望感。そして喪失感。死を目前にすると過去の人生が追体験されるとよく言うが、この瞬間、長年忘れていた幼い日の情景がいくつも脳裏をよぎった。子供のトーランドがサン・ペドロ海峡で、ヨット乗りたちの昔からの娯楽であるスピネーカー・フライングに興じている。結び目のあるロープにつかまり、大三角帆《スピネーカー》と海風の気まぐれに運命を託して、海上高く浮かんだり水中へ沈んだりを繰り返すというものだ。鐘楼の吊《つ》り紐《ひも》にぶらさがって戯れるかのように、はしゃぎながら上下へ行き来している。

トーランドは、手にしたシートをはたと見た。自分の思考はまだ働いているばかりか、解決策までひねり出したらしい――スピネーカー・フライングだ！

コーキーがなおも敵と闘っているのを尻目《しりめ》に、トーランドは気球入りの袋を力まかせに開いた。ひらめいた計画は一か八《ばち》かの賭《か》けでしかないが、ここに居残れば全員死ぬことはわかりきっている。たたまれた気球を握りしめた。搭載物用の留め金にはこう記されている――〝注意――十ノットを超す強風時には使用しないでください〟。

そんなこと知るか！　トーランドは気球がひろがらないように強くかかえこみ、レイチェルのもとへ這っていった。そばへ寄ると、目には困惑の色が見てとれたが、かまわず言った。「これを持っててくれ！」

トーランドはシートを渡し、あいた両手で気球の搭載物用の留め金を自分のハーネスのカラビナに取りつけた。それから体を傾け、レイチェルのカラビナにも同じように留め金を固定した。

これでふたりは一体となった。

けっして離れない。

ふたりを結んだザイルは雪の上を力なく這い、もがきつづけるコーキーへ……さらに十ヤード先の、ノーラのかたわらのはずされたクリップへとつづいている。

ノーラはもう助からない、とトーランドは心に言い聞かせた。どうすることもできない。

襲撃者たちはあがくコーキーの上にかがみこみ、手にすくった雪を固めて喉に押しこもうとしている。もうほとんど時間がない。

トーランドはレイチェルから気球をつかみとった。その生地はティッシュ・ペーパー並みに軽いが、この上なく頑丈だ。やるだけやってみよう。「しっかりつかまって！」

「マイク？」レイチェルは言った。「何を――」

トーランドは折りたたまれたシートを頭上へほうり投げた。吹きすさぶ風がそれを舞いあげ、ハリケーンに出くわしたパラシュートさながらに大きくひろげる。袋はみるみる風をはらみ、張り裂けんばかりの音を立ててふくらんだ。

トーランドは自分のハーネスが異常な強さで引かれるのを感じ、カタバ風の威力を大幅に見くびっていたことをすぐに悟った。またたく間に、トーランドとレイチェルは半ば宙に浮きながら氷河を滑りはじめた。ほどなく、コーキーにつながったザイルが張り詰め、トーランドは強い抵抗を感じた。二十ヤード後ろで、恐怖におののく友が、唖然《あぜん》とする襲撃者たちの下から引きずり出され、そのうちのひとりを図らずも蹴《け》倒す。コーキーは身の毛もよだつ叫び声をあげて氷上をすさまじい勢いで加速し、転覆した橇《そり》の横をかろうじてすり抜けたのち、横滑りをはじめた。その脇腹からもう一本のザイルがだらりと垂れている……ノーラとつながっていたザイルだ。

どうすることもできない、とトーランドはまた自分に言い聞かせた。

操り人形のもつれた塊のごとく、三人の体は氷河の地面をかすめて飛んでいった。氷の銃弾が追ってきたが、すでに敵は機会を逸したとトーランドは確信した。白ずくめの兵士たちは見る間に遠ざかり、照明弾の光が照らし出す小さな点になっていく。

体が氷をかすめながら激しく加速していくのをパッド入りのスーツ越しに感じながら、トーランドの安堵《あんど》ははかなく消えた。二マイル足らずでミルン棚氷の果ての険しい絶壁に行き着く。その先は……百フィートの断崖《だんがい》の下で、北極海の凶暴な荒波が待ち構えている。

52

マージョリー・テンチは笑みを浮かべつつ、階下のホワイトハウス広報部へ向かっていた。そこは上階の準備室で作成されたプレス・リリースを発表する、コンピューター化された放送施設である。ガブリエール・アッシュとの面談はうまくいった。相手が関係を認める宣誓供述書を引き渡すほど怯《おび》えたかどうかは定かではないが、やってみる価値があったのはたしかだ。

ガブリエールにあの男を見かぎる分別があればいいのだが、とテンチは思った。セクストンがどれほどの瀬戸際に立たされているのか、あの娘はわかっていない。

あと数時間で、大統領が隕石《いんせき》についての記者会見をおこない、セクストンは完膚なきまでに打ちのめされるだろう。それは確実だ。ガブリエール・アッシュの協力が得られれば、セクストンを恥辱のうちに退かせるとどめの一撃になる。あすの朝、セクストンがテレビで関係を否定した際の画像とともに、ガブリエールの宣誓供述書を公開すればいい。

ワン・ツー・パンチだ。

政治の世界では、選挙にただ勝てばよいのではなく、理想実現への勢いを残した決定的な勝利をおさめなくては意味がない。歴史的に見ても、僅差《きんさ》でどうにか当選した大統領はたいした業績を残していない。出だしから息切れしているうえに、議会がその脆弱《ぜいじゃく》さに付けこむからだ。

セクストン上院議員を敗退させるにも、政治と倫理の両面から打撃を与えうるならそれに越したことはない。ワシントンで〝高低法《ハイ・ロー・メソッド》〟と呼ばれるこの方策は、軍事上の戦略から借用されたものだ。〝敵と相対するときは二方向から攻めよ〟。対立候補を攻撃する材料をひとつ手に入れたら、たいがい材料がもうひとつそろうのを待って、両方を同時に公表する。当然ながら、二重の攻撃は単発の攻撃よりも効果が高い。とりわけ、候補者が別個にアピールしていたふたつの面――政策と人間性――を結びつけて攻撃した場合には決定的だ。政策の批判に対しては理詰めの反論が、人間性批判に対しては心情に訴える反論が必要とされる。その両方のバランスをとりながら同時に論駁《ろんばく》するのは、ほぼ不可能に等しい。

今夜、セクストン上院議員は、度肝を抜くNASAの大勝利という政治的悪夢から這《は》い出そうとあがくことになる。NASAへの態度を弁明する窮地に陥ったさなかに、注目度の高い女性スタッフのひとりから嘘つき呼ばわりされたら、苦境は深まるばかりだろう。

広報部の入口に着くと、テンチは戦闘前の心地よい緊張を感じた。政治は戦争だ。深く息を吸い、腕時計をたしかめる。午後六時十五分。最初の一発がもうすぐ発射される。

テンチは中へはいった。

広報部のオフィスはせまいが、それは場所がないせいではなく、必要がないせいだった。ここは世界で最も効率的な広報機関のひとつで、わずか五名のスタッフで機能している。いまはその全員が何段にも積み重なった電子機器にきびしく目を配っており、そのさまはスタートの合図を待ち構える競泳選手を思わせた。

準備はできているようね。スタッフの真摯《しんし》なまなざしを見て、テンチは思った。二時間ばかりの余裕を与えられればこのちっぽけな部署が世界の文明人口の三分の一以上に接触できることに、テンチはいつも驚かされる。文字どおり何万という世界じゅうの報道機関——テレビ業界の巨大複合企業《コングロマリット》から、小さな町の新聞社まで——にコンピューターで接続しており、いくつかボタンを押すだけで世界にふれることができる。

アメリカの東端からモスクワまで、世界各地のラジオやテレビ、活字媒体、インターネット上の情報発信源の受信トレイに、片側送信のファクシミリがプレス・リリースをつぎつぎ送りこむ。大量のEメール・プログラムがオンライン・ニュースを配信する。自動ダイヤル電話が何千というメディア・コンテンツ管理ソフトを呼び出し、録音された声明を再生する。ニュース速報を伝えるウェブ・ページは常時更新され、フォーマット済みのコンテンツが提供される。生中継の可能なニュース・ソース――CNN、NBC、ABC、CBS、及び各国の通信社――はあらゆる情報を与えられ、自由な報道を許可されている。これらのネットワークは、大統領の緊急演説に際しては、どんな番組を放送中であろうと即時中断することになっている。

めざすは完全突破だ。

軍隊の視察に訪れた将軍のように、テンチは無言で編集デスクへ歩み寄り、ショットガンの弾薬さながらにすべての送信機器に詰めこまれた〝特報〟のプリントアウトを手にとった。

その文面を見て、テンチは笑いを嚙《か》み殺した。ふつう、報道機関向けの配信は高圧的な――発表というよりも宣伝に近い――内容になりがちだが、大統領は細心の注意を払うよう広報部に命じたらしい。そして指示は守られた。文章は完璧《かんぺき》だった――キーワードが豊富で、内容は簡潔。秀逸な組み合わせだ。自動の〝キーワード探知〟プログラムで受信メールを選別するニュース配信サービスでさえ、この文面から多くの手がかりを読みとるだろう。

送信元――ホワイトハウス広報部
件名――大統領緊急演説

アメリカ**合衆国大統領**は本日、東部標準時午後八時より、ホワイトハウス記者会見室にて**緊急**会見をおこないます。発表の主題は、現時点では**極秘**とさせていただきます。音声と映像は通例どおりネットワーク局経由で送信されます。

プリントアウトをデスクにもどしたのち、マージョリー・テンチは広報部を見渡してスタッフに満足げにうなずいた。みな意欲をみなぎらせている。

煙草に火をつけて一服し、周囲の期待感を高める。やがて、微笑んで言った。「では皆さん、エンジン始動よ」

53

レイチェル・セクストンの頭から、理性的な思考はすべて消え失《う》せた。もはや隕石も、ポケットのなかの不可思議なGPR画像も、ウェイリー・ミンも、氷床で恐ろしい襲撃を受けたことも頭にない。あるのは目先の問題だけだった。

生き延びること。

平坦《へいたん》で果てしないハイウェイのように、氷は体の下をかすめて過ぎていく。恐怖のあまり感覚を失っているのか、パッド入りのスーツに守られているせいだけなのかはわからないけれど、痛みは感じない。何も感じなかった。

いまのところは。

横向きに寝た体勢で、レイチェルはトーランドと向き合ってその腰に必死でしがみついていた。前方で大きくふくらんだ気球は、ドラッグ・レースで車の後ろにつける制動用のパラシュートを思わせた。コーキーは後方で引きずられながら、大型トラックのトレーラーのように激しく左右に振られている。襲撃された地点を示す照明はかなたへ遠ざかって見えなくなりかけていた。

加速をつづけるにつれ、ナイロン製のマークⅨスーツが氷をこする音はしだいに甲高くなった。どのくらいの風速が出ているのか想像もつかないが、少なくとも時速六十マイルはありそうだ。摩擦のない平面を進む勢いは刻々と増している。耐久性に富んだ強化ポリエステルの気球には、破れたり分解したりする気配はまったくない。

切り離さなくては、とレイチェルは思った。ひとつの脅威は振り切ったものの、別の脅威へまっしぐらに突き進んでいる。海まではたぶん、あと一マイルもない！　冷たい水のことを考えると、忌まわしい記憶がよみがえった。

風がきつくなり、体の滑る速さも増していく。後ろではコーキーが恐怖の悲鳴をあげている。このままだと、ほんの数分後には崖《がけ》から極寒の海へ投げ出されてしまうとレイチェルは思った。

トーランドも同じように感じているらしく、体につけた搭載物用の留め金と格闘していた。

「はずれない！」トーランドは叫んだ。「きつく張りすぎてる！」

ひとときでも風が凪《な》いでゆるみができればとレイチェルは願ったが、カタバ風はまったく勢いを弱めずに気球を引きつづけている。手助けしようと思い、体をねじって片足のアイゼンの前爪を氷面に押しつけると、削れた氷のしぶきがあがった。ほんの少しだけ速度が落ちる。

「さあ、いまよ！」レイチェルはその足をあげて叫んだ。

一瞬のあいだ、気球のロープがわずかにゆるんだ。トーランドがロープを強く引き、余裕を持たせたところでカラビナから留め金をはずそうと試みた。びくともしない。

「もう一度！」トーランドは言った。

こんどは互いに体をよじって、ふたりで氷に前爪を押しつけ、二本の氷の煙を巻きあげた。はっきり体感できるほど速度が落ちた。

「いまだ！」

トーランドのかけ声で、ふたりは足をあげた。気球がまた前方へふくらむ。トーランドがカラビナのラッチに親指をかけ、鉤《かぎ》をねじって留め金をはずそうとした。今回はやや手応《てごた》えがあったが、まだゆるみが足りない。このカラビナは、かつてノーラが自慢げに語ったところによると、ジョーカーの安全クリップを採用した一級品で、予備の環《わ》が組みこまれていて、少しでも張力がかかるとけっしてはずれないという話だった。

安全クリップに殺されるなんて、とレイチェルは思ったが、そんな皮肉をおもしろがる場合ではなかった。

「もう一回！」トーランドが叫ぶ。

持てる力と望みをすべて掻《か》き集め、レイチェルは思いきり体をひねって、両足の爪《つま》先《さき》を氷に押しつけた。全体重を足先にかけるべく、いったん背中を反らす。トーランドもそれに従い、ふたりとも無理な角度で身を起こしたせいで、ザイルが伸びきってハーネスが引きつった。トーランドは足先を氷に叩《たた》きつけ、レイチェルはさらにのけぞる。両脚にしびれるような震動が伝わって、足首が折れてしまいそうだ。

「そのまま……そのまま……」速度が落ちてくると、トーランドは体勢をもどしてクリップをはずしにかかった。「もう少し……」

レイチェルのアイゼンが鋭い音を立てた。ブーツから金属の爪がはじけ飛び、コーキーを超えて後方の闇へ吸いこまれていく。気球がたちまち前方へあおられ、レイチェルとトーランドは横滑りした。トーランドの手がクリップからはずれた。

「くそっ！」

しばし抑えこまれたことに腹を立てたかのように、気球はさらに勢いを増し、海へ向かって一行を引きずっていく。崖へ猛然と迫っているのはたしかだが、北極海へ百フィート落下するより前に、別の大きな危険が訪れることをレイチェルは知っていた。雪を固めた三つの小山が行く手にそびえているのだ。パッド入りのマークⅨスーツに保護されているとはいえ、その雪の小山を高速でのぼりおりすることを思うと、不安で頭がいっぱいになった。

レイチェルは気球を切り離す方法を見つけようと、死に物狂いでハーネスを探った。そのとき、何かが氷にぶつかる規則的な音――むき出しの氷盤を軽金属が叩く、高速のスタッカート――が聞こえた。

アックスだ。

恐ろしさのあまり、ベルトループにアイス・アックスを装着していたことをいままですっかり忘れていた。そのアルミニウム製の器具は、脚の横の氷にあたって弾んでいる。レイチェルは気球のロープへ目をやった。ナイロン紐《ひも》をより合わせた、太くて丈夫なものだ。腕を伸ばし、跳ね動くアックスを手探りした。その柄をつかみ、ベルトループを伸びきるまで引っ張って、アックスを喉《のど》もとへ寄せる。横倒しの体勢のまま両腕を頭上へあげ、アックスののこぎり刃を太いロープに押しあてて、張り詰めたロープをぎこちない動作で切りはじめた。

「そうだ！」トーランドは叫んで、自分のアックスを手探りした。

横向きで滑りながら、レイチェルは体を精いっぱい伸ばして、刃を引きつづけた。ロープは頑丈で、ナイロン紐が少しずつしか切れない。トーランドもアックスを持って体をよじり、両腕をあげて同じ個所を下側から切ろうと試みた。互いのバナナ・ピックをぶつけながら、木こりさながらの共同作業をつづける。ロープは両側からすり切れはじめていた。

うまくいく、とレイチェルは思った。もうすぐ切れる！

突然、先を行く銀色のシートの半球が、上昇気流に出くわしたかのようにふわりと浮いた。気球は地面の起伏に従ったにすぎないことを、レイチェルは戦慄《せんりつ》とともに悟った。

ついに来たらしい。

雪の小山。

白い壁が目の前に現れたかと思うと、もう衝突していた。横向きで斜面にぶつかった衝撃で、レイチェルの肺から空気が押し出され、アックスが手から離れた。急にジャンプを余儀なくされた水上スキーヤーさながらに、自分の体が小山の表面を勢いよくのぼり、空中へ放たれるのを感じた。ふたりは目もくらむ虚空へほうり出された。はるか下に小山のあいだの溝がひろがっているが、すり切れたロープはまだ持ちこたえていて、勢いのついたふたりの体を支えたまま最初の溝をまたぎ越した。その瞬間、前方の景色がちらりと目にはいった。小山があとふたつと――幅のせまい平地と――そして、海を見おろす断崖《だんがい》が見える。

レイチェルの声にならない恐怖を代弁するかのように、コーキーの甲高い絶叫が空気を切り裂いた。後方で、コーキーも最初の小山の頂から投げ出されている。三人全員が宙に浮き、つながれた鎖を断ち切ろうとする野獣のごとく、気球は上へ上へと猛進した。

闇に銃声が響くかのように、突如として鋭い音が頭上でとどろいた。ロープがついに切れ、裂けた切れ端がレイチェルの顔面を叩く。たちまち、三人は突き落とされた。枷《かせ》を失った気球は上空へ吹きあげられ……海へと舞っていった。

互いのカラビナとハーネスがからまったまま、レイチェルとトーランドは地表へと落ちていった。ふたつ目の白い小山が目の前に現れ、レイチェルは衝突に備えて身構えた。その小山の頂をかろうじて避け、少し離れたところに叩きつけられたが、パッド入りスーツと下り斜面のおかげでいくらか衝撃は和らいだ。腕と脚と氷だけが視界をかすめるそのさなかにも、第二の氷の溝へ向かって斜面を急降下しているのがわかる。無意識に両腕と両脚をひろげ、つぎの小山に突きあたる前に速度をゆるめようと試みた。動きが遅くなるのが感じられたが、それも微々たるもので、ほんの数秒のうちに、レイチェルとトーランドはまた傾斜をのぼっていた。一気に上まであがり、つかの間宙に浮いて頂上を飛び越す。そして死の滑降がはじまったのを、レイチェルは恐怖のうちに悟った。この下り坂のあとは最後の平地だ……ミルン棚氷《たなごおり》の最果ての八十フィート。

崖に向かって滑り落ちるあいだ、ザイルでつながったコーキーが抵抗となって、速度が徐々にゆるくなるのが体感できた。しかしその程度ではどうにもならない。棚氷のへりが眼前に迫り、レイチェルは抑えきれない悲鳴を漏らした。

そして、その瞬間が訪れた。

氷床の端から体が滑り出た。レイチェルの脳裏に最後に残ったのは、落下する感覚だった。

54

Nストリート北西二二〇一番地にあるウェストブルック・プレイス・アパートメン

トは、ワシントンでは珍しく格式のあるその所番地を売りにしている。ガブリエールは金メッキの施された回転ドアを急ぎ足で通り抜け、耳を聾《ろう》する滝の音が鳴り響く大理石のロビーへはいっていった。

フロントのドアマンが驚いた顔をした。「ミズ・アッシュ？　今夜お見えになるとは存じませんでした」

「遅くなってしまったわ」ガブリエールはそそくさと署名をした。壁の時計は午後六時二十二分を指している。

ドアマンは頭を掻《か》いた。「上院議員から来客リストをいただいておりますが、あなたのお名前は――」

「いちばんよく仕えている人間がいつも忘れられるのよね」ガブリエールは苦笑いを浮かべて、フロントの先のエレベーターへと進んだ。

ドアマンが不安げに言った。「ご到着を電話でお知らせしておきますよ」

「助かるわ」ガブリエールはそう言ってエレベーターに乗りこみ、上階へ向かった。上院議員は受話器をはずしてるはずよ。

九階に着くと、エレベーターをおりて瀟洒《しょうしゃ》な廊下を歩いていった。突きあたりのセクストンの部屋の外に、巨漢の護衛――大げさなボディーガード――が腰かけているのが見えた。退屈そうにしている。見張りがいたことにガブリエールは驚いたが、こちらの姿を見た相手の驚きようはそれ以上だった。近づいていくと、護衛の男は椅子から飛びあがった。

「わかってるわ」廊下を半ばまで来たところで、ガブリエールは言った。「ＰＥの夜よね。邪魔がはいるのはご法度なんでしょう？」

護衛は大きくうなずいた。「きつく言われてるんです、どなたがいらしても――」

「緊急の用件よ」

護衛はドアの前に立ちはだかった。「個人的な会合をなさっていらっしゃいますので」

「そうなの？」ガブリエールは小脇にはさんでいた赤い封筒を引き抜いた。ホワイトハウスの印章を相手の目の前にちらつかせる。「さっきまで大統領執務室にいたのよ。上院議員にこの情報をお渡ししたいの。議員が今夜どういうお仲間と昔話をしておられるのであれ、数分だけ席をはずしていただかなくちゃ。さあ、中へ入れて」

封筒のホワイトハウスの印章を目にして、護衛は少しひるんだ。

中身を見せろとは言わないで、とガブリエールは祈った。

「封筒を置いていってください」護衛は言った。「わたしからお渡しします」

「とんでもない。手渡しするようホワイトハウスから指示を受けてるのよ。いますぐ話ができなければ、わたしたちみんな、あすの朝には職探しをする羽目になるわ。わかる？」

ひどく動揺した護衛の様子から、今夜は訪問者をいっさい受け入れないよう、セクストンはいつも以上に強く念を押したにちがいないとガブリエールは察した。とどめの一撃を加えるべく護衛ににじり寄る。ホワイトハウスの封筒を顔面に突きつけ、声を落として、ワシントンじゅうの護衛と名のつく者たちが最も恐れることばをささやいた。

「あなたはまったく状況がわかってないのよ」

政治家の護衛という人種が状況を理解していたためしはないが、本人たちはその事実を認めたがらない。雇われの殺し屋と同じで、肝心なことは何も知らされないため、自分が忠実に命令に従っているのか、明らかな危機から頑《かたく》なに目をそらせて職を失いかけているのか、判断ができないのだ。

護衛はホワイトハウスの封筒にまた目をやり、唾《つば》を呑《の》みこんだ。「わかりました。でも上院議員には、お通しするようあなたから命じられたと説明しますよ」

鍵《かぎ》をあけた護衛の気が変わる前に、ガブリエールは押しのけるようにその脇を通った。室内へはいると、中から静かにドアを閉めて、また鍵をかけた。

玄関広間にいたそのとき、廊下の先のセクストンの居間からくぐもった話し声が聞こえた――数人の男性の声だ。セクストンが昼間の電話でにおわせていた一対一の面談とはちがうらしい。

居間へ向かって廊下を歩いていく途中、扉のあいたクロゼットがあった。値の張りそうな紳士物のコート――上等なウールやツイードのものばかり――が半ダースほど吊《つる》されている。床にはいくつかブリーフケースが置いてある。今夜、ビジネスは廊下に追いやられているらしい。ブリーフケースのひとつが目に留まらなければ、あっさり素通りしていたかもしれない。その鞄《かばん》のネームタグには独特の企業ロゴが印刷されていた。鮮やかな赤いロケット。

ガブリエールは足を止め、ひざまずいて企業名を読んだ。

〈スペース・アメリカ株式会社〉。

信じられない思いで、ほかのブリーフケースのタグも調べた。

〈ビール・エアロスペース〉、〈マイクロコスム株式会社〉、〈ロータリー・ロケット・カンパニー〉、〈キスラー・エアロスペース〉。

マージョリー・テンチの耳障りな声が頭にこだまする。〝宇宙関連企業から、非合法に高額の賄賂《わいろ》を受けとっていることをご存じ?〃。

動悸《どうき》が高まるのを感じつつ、ガブリエールは暗い廊下の先のアーチの奥にある居間へ視線を走らせた。自分が来たことを知らせるべきだと思いつつも、沈黙のままゆっくりと進んだ。アーチまで数フィートのところで足を止めて、ひっそりと暗がりにたたずみ……そして扉の向こうの会話に耳を澄ました。

55

ノーラ・マンゴアの死体と橇《そり》を回収するデルタ・スリーを残し、あとのふたりの兵士は獲物を追って氷河を滑走していた。

足もとにはエレクトロトレッド原動機搭載のスキーを装着している。ファスト・トラクス製の市販の電動スキーを模して極秘に開発されたエレクトロトレッドは、つまるところ、小型戦車のキャタピラーのついたスキー板そのもので、スノー・モービルを足に履いているようなものだった。速度調節は、右の手袋に仕込まれた二枚のプレートを親指と人差し指の先で加圧しておこなう。足をくるむ形で内蔵されたゲル状の大容量電池には、防寒に加え、走行時の音を軽減する効果もある。創意に富んでいるのは、着用者が斜面を滑りおりる際、重力と車輪の回転によって生じる運動エネルギーが自動的に蓄積され、つぎののぼり斜面に備えての再充電に利用される点だ。

デルタ・ワンは風を背に受け、体を低くかがめて、前方の氷河を見渡しながら海のほうへ滑っていった。いま身につけている暗視システムは、海兵隊が使うパトリオット・モデルとは格段のちがいがある。4×90ミリの六枚構成レンズと、三枚構成の倍率変更ダブラー、超長距離用の赤外線照明を装備した、ハンズフリーの暗視ゴーグルを通して前方に目を配る。視界はよくある緑色ではなく、透明に近い薄青色に見えている――この色は、北極のような反射光のきびしい土地に合わせた特殊設計によるものだ。

最初の小山へ近づいたデルタ・ワンは、雪面にくっきり残った数本の筋をゴーグル越しに見てとった。夜空に光るネオンの矢のように、筋は小山をまっすぐのぼって頂を越えている。どうやら三人の逃亡者は、間に合わせの帆を切り離すことを思いつかなかったか、切り離しに失敗したかのどちらからしい。いずれにせよ、最後の小山へ至るまで帆がはずれなければ、いまごろ海に漂っているはずだ。パッド入りの着衣のおかげで、ふつうより長く水中で命をつなげるだろうが、崖《がけ》の下の容赦ない海流によってかなたへ押し流されるだろう。溺死《できし》は免れまい。

その判断には自信があったが、デルタ・ワンはけっして推測に頼らないよう訓練されていた。死体を見届ける必要がある。上体をかがめ、右手の指に力をこめて加速しながら、最初の勾配《こうばい》をのぼった。


マイケル・トーランドはじっと横たわったまま、怪我の程度を推し量っていた。打ち身はひどいが、骨は折れていないようだ。大きな外傷を負わずにすんだのは、ゲルの充塡《じゅうてん》されたマークIXスーツのおかげだろう。目をあけると、思考が徐々によみがえった。ここは何もかも柔らかく……静かだ。いまも風はうなっているが、前ほど激しくない。

崖から落ちたんじゃなかったのか？

目の焦点が合い、自分が氷上でレイチェル・セクストンに覆い被《かぶ》さるようにして倒れているのがわかった。ロックのかかったふたりのカラビナは、ほぼ直角にねじ曲がっている。体の下にレイチェルの息づかいを感じるが、顔は見えない。筋肉をどうにか動かして、転がりおりた。

「レイチェル？」自分の唇が音を発しているかどうかもよくわからない。

トーランドは恐ろしい飛行の最後の数秒を思い起こした。気球に強く引きあげられ、ロープが切れて小山の下り斜面へ墜落し、その勢いで最後の小山を滑り越え、そのまま断崖《だんがい》へ突き進み――そして氷が途絶えた。レイチェルとともに落下したが、その距離は思いのほか短かった気がする。海へ落ちるという予想に反して、わずか十フィートほどで新たな氷盤にぶつかり、引きずられてきたコーキーの重みで止まったわけだ。

トーランドは頭をあげて、海のほうを見やった。そう遠くないところで、氷盤は途切れて切り立った崖となり、その向こうから波の音が聞こえる。後ろを振り返り、闇に目を凝らした。二十ヤードほど後方に、張り出し気味にそびえる高い氷の壁がある。ようやく何が起こったのかを察した。どうやら、氷河をふちどる一段低い氷の上に落ちたらしい。ここは平坦《へいたん》で、アイスホッケーのリンクほどの広さがあり、ところどころ崩れかけている。いつなんどき割れて海へ落ちてもおかしくない。

氷山分離か、とトーランドは思い、いま身を預けている頼りない氷のひろがりをながめまわした。それは氷河のへりから突き出した巨大なバルコニーを思わせる四角い板状の氷で、三方の断崖を海に囲まれている。氷河に接しているのは後背部のみで、その結合も長くは保《も》ちそうにない。ミルン棚氷とそこにしがみつく下段の板氷との境目には、四フィート近い幅の裂け目が走っている。この戦いでは重力がかなり優勢らしい。

氷の裂け目よりもトーランドを戦慄《せんりつ》させたのは、身じろぎもせず氷上に倒れているコーキーの姿だった。十ヤード先までまっすぐ伸びたザイルの末端で横たわっている。トーランドは立ちあがろうとしたが、レイチェルとロープがつながったままだった。ふたたび横になり、連結に使ったカラビナを取りはずす。

レイチェルが弱りきった様子ながらも、起きあがろうとした。「わたしたち……落ちなかったの？」とまどった声で言う。

「一段下の板氷の上に落ちたんだ」ようやく連結を解いて、トーランドは言った。「コーキーを助けなきゃ」

トーランドは痛みをこらえて立とうと試みたが、脚に力がはいらない。そのままザイルをつかんでたぐり寄せた。コーキーの体が滑りはじめる。十回ほど引き寄せると、距離は数フィートまで縮まった。

コーキーは満身創痍《そうい》だった。ゴーグルがはずれ、頬にひどい傷を負い、鼻血が出ている。死んでいるかもしれないと恐れた瞬間、コーキーは寝返りを打ち、腹立たしそうに目を剝《む》いてトーランドを見た。

「まったく」コーキーはもごもごと言った。「お粗末な芸当を思いつきやがって！」

トーランドはほっとした。

レイチェルが起きあがって、顔をしかめていた。あたりを見まわす。「なんとかして……ここから脱出しなくちゃ。いまにも崩れ落ちそうよ」

トーランドも大賛成だった。問題はその方法だけだ。

策を練る時間はない。頭上の氷河から、聞き覚えのある甲高い回転音が響いた。トーランドがとっさに顔をあげると、白ずくめの兵士ふたりが氷河のへりまで軽快に滑ってきて、同時に止まるのが見えた。ふたりはそこにたたずみ、チェックメイトでとどめを刺そうとするチェスの達人さながらに、困憊《こんぱい》した獲物を見おろした。


三人の逃亡者が生きているのを見て、デルタ・ワンは一驚した。しかし、この状況が長くつづかないことはわかっていた。三人が落ちた一角では、すでに避けられない崩落がはじまっている。この獲物を捕らえて先刻の女と同じやり方で殺すこともできるが、はるかに安全な対処法は、ただ自然にまかせることだ。その方法なら遺体は永遠に発見されない。

デルタ・ワンは崖のへりから下をのぞき、棚氷とへばりついた氷塊とのあいだを押しひろげるように口をあけた裂け目へ視線を注いだ。逃亡者三人を乗せた氷は危なっかしく持ちこたえている。海へ剝《は》がれ落ちる寸前というところだ。

おそらく、今夜のうちだろう……

この棚氷では、夜になると数時間おきに氷河の一部が割れ落ちる轟音《ごうおん》が響く。気に留める者などいまい。

殺しの準備にともなって、例のごとくアドレナリンが熱く噴出するのを感じながら、デルタ・ワンは備品袋に手を入れて重いレモン型の物体を取り出した。これはスタン手榴弾《しゆりゆうだん》と呼ばれ、軍の特殊部隊に標準支給される。目をくらます閃光《せんこう》と耳をつんざく衝撃波で一時的に敵の動きを封じる、〝非致命的〟な震盪《しんとう》手榴弾だ。けれども、今夜はこれが致命的な効果をもたらすにちがいない。

デルタ・ワンは崖の上で体勢を整え、楔状《くさび》にせばまった裂け目の先端までの深さを想像した。二十フィートか？　五十フィートか？　そんなことが重要ではないのはわかっていた。深さに関係なく、この作戦は功を奏するはずだ。

数えきれない殺傷の経験で育《はぐく》んだ冷静さをもって、デルタ・ワンは手榴弾のねじ式ダイヤルをまわして十秒間の猶予を設定し、ピンを抜いて、亀裂《きれつ》めがけて手榴弾を投げこんだ。爆弾はまっすぐ落下して暗闇に消えた。

デルタ・ワンは相棒とともに小山の頂上へ退避して待った。一見に値する光景になるだろう。

意識が朦朧《もうろう》とした状態でさえ、襲撃者がいま裂け目に何を落としたのか、レイチェルには容易に察しがついた。同様に察したのか、こちらの目に浮かぶ恐怖を読みとったのかはわからないが、トーランドは絶望のまなざしで巨大な板氷を恐ろしげに見守り、みるみる色を失っていった。

足もとの氷は、内部を雷光で貫かれた嵐雲のように、内側から光を発した。白く透けた不気味な光線が四方に走る。周囲百ヤードにわたって、氷河は白い閃光に包まれた。次いで震動が訪れた。地鳴りなどとは異なる、胃がむかつきそうな強烈な衝撃波だ。氷から伝わった衝撃が体を駆けめぐるのをレイチェルは感じた。

まもなく、棚氷と氷塊とのあいだに楔が打ちこまれたかのように、接合面がおぞましい音を立てて裂けはじめた。レイチェルの目はトーランドの目に釘《くぎ》づけになった。近くでコーキーが叫び声をあげている。

氷塊は剝がれ落ちた。

数百万ポンドの氷塊の上で、レイチェルは一瞬、体がふわりと浮くのを感じた。そして三人は氷山に乗って落下をはじめた——凍《い》てつく海のなかへ。

56

巨大な板氷は、そびえ立つ柱のような水煙を放ってミルン棚氷から滑り落ち、氷同士のこすれ合うすさまじい音でレイチェルの耳を聾《ろう》した。しぶきをあげて海面に接すると、滑落の速度がゆるみ、浮いていたレイチェルの体は氷に叩《たた》きつけられた。トーランドとコーキーもそばに落ちてきた。

落下の勢いで氷塊が海中へ沈むにつれ、紐《ひも》を数フィート長くしすぎたバンジー・ジャンパーへと迫る地面さながらに、泡立つ海面があざけるように上昇するのが見てとれた。少し……また少し……やがて同じ高さになった。子供のころの悪夢がよみがえる。氷……水……暗闇。恐怖はまだはじまったばかりだった。

氷塊の最上部が海面下に沈み、そのへりから北極海の凍えるような水がどっと押し寄せた。海水が四方から流れ入り、レイチェルは体が吸いこまれるのを感じた。海水にふれた顔の素肌がこわばって、焼けつくように痛む。足掛かりにしていた氷を失ったため、レイチェルはサバイバル・スーツのゲルを頼りに、懸命に浮きあがった。口いっぱいの海水を吐き出しつつ、水面から顔を出す。もつれたザイルでつながったほかのふたりも、近くでもがいている。レイチェルが体勢を立てなおすと同時に、トーランドが叫んだ。

「また浮いてくるぞ！」

混乱のさなかにそのことばがこだましたとき、レイチェルは下から水に突きあげられる奇妙な感覚を味わった。逆方向へ動きを切り替える大型機関車のように、板氷は水中でうなりをあげて止まったのち、真上に向かって上昇をはじめていた。水面下の深みから、不快な低周波の振動を響かせて、沈んだ巨大な塊が氷河の側面を這《は》いあがってきた。

板氷は徐々に速度を増しつつのぼり、一気に闇から脱した。レイチェルは自分の体も浮きあがるのを感じた。氷が体についたとたん、一面に海水の渦ができた。何百万ガロンもの海水とともに自分を舞いあげる氷の上でバランスを保とうとしたが、むなしいあがきだった。巨大な氷はさらに浮上し、水面に顔を出して、重力の中心点を探すかのように浮き沈みを繰り返した。気がつくとレイチェルは、腰の高さの水のなかで悶《もだ》えていた。水は氷の表面から海へと流れ落ちはじめ、レイチェルをその流れに呑《の》みこんで氷のへりへ引きずっていく。うつ伏せに倒れて氷上を滑りながらも、断崖《だんがい》が近づいているのがわかった。

〝がんばって！〟子供だったレイチェルが冷たい池で溺《おぼ》れたときとそっくり同じ、母の声が耳に響いた。〝がんばるのよ！　負けちゃだめ！〟

ハーネスが荒々しく引っ張られ、肺に残っていたわずかな空気が押し出された。レイチェルは氷のへりのわずか数ヤード手前でぴたりと止まった。その場で体が回転する。十ヤード向こうで、まだザイルでつながったコーキーのぐったりした体も急停止するのが見えた。コーキーは逆方向に流されていたようで、その推進力がレイチェルを引き止めたのだろう。氷上の水かさがしだいに少なくなると、コーキーのかたわらにもうひとつの暗い人影が現れた。腹這《はらば》いになってコーキーのザイルをつかみ、海水を吐き出している。

マイケル・トーランドだ。

最後の水の筋が氷山から流れ落ちたとき、レイチェルはものも言えずに横たわって海の音に耳を傾けていた。すぐにひどい悪寒に襲われ、手と膝《ひざ》を突いて体を起こした。氷山はいまも巨大な角氷のごとく前後に揺れている。朦朧とした頭と痛む体で、ほかのふたりのもとへ這っていった。

上方の氷河では、暗視ゴーグルを着けたデルタ・ワンが、北極海で最も新しい板状氷山のまわりで渦巻く海水に目を向けていた。水中には死体が見あたらなかったが、驚きはしなかった。海は暗く、獲物が身につけていたスーツもフードも黒かったからだ。

漂流する大きな板氷の表面に目を移したが、焦点を合わせておくのは骨が折れた。氷山は岸からの力強い海流に押され、すでに大洋へ向かって急速に遠ざかっている。海上へ視線をもどそうとしたとき、予想外のものが目にはいった。氷の上に黒いしみが三つ。あれは死体なのか？　デルタ・ワンは焦点を合わせた。

「何か見えるか？」デルタ・ツーが訊《き》いた。

デルタ・ワンは答えず、拡大レンズを使って対象物をとらえた。白っぽく映る孤立した氷山の上でじっと身を寄せ合う三人の人影を見て、驚きに打たれた。生きているのか死んでいるのかは判然としなかった。どちらでも大差はない。仮に生きていて、サバイバル・スーツを着ていたとしても、一時間以内には死ぬはずだ。全員ずぶ濡《ぬ》れなうえに、嵐も近づいていて、おまけに地球上で最も苛酷《かこく》な海へ流されているのだから。死体が見つかることはありえまい。

「ただの影だ」デルタ・ワンはそう言って、断崖に背を向けた。「基地へもどるぞ」

57

ウェストブルック・プレイス・アパートメントの居間で、セジウィック・セクストン上院議員はクルボアジェのはいったブランデーグラスを炉棚の上に置き、しばし暖炉の火を掻《か》き起こしながら考えをめぐらせた。部屋に集うほかの六人の面々は静かに腰かけて待っている。雑談の時間は終わった。そろそろ上院議員が一席ぶつ頃合だ。みなそれを知っている。もちろん、本人も。

政治はセールスだ。

信頼関係を築け。相手がかかえている問題に共感を示せ。

「ご存じのとおり」客たちのほうへ向きなおって、セクストンは言った。「わたしはここ数か月にわたって、皆さんと似た立場の人たちとお会いしてきました」目線の高さを合わせるべく、笑顔で腰をおろす。「しかし、自宅へお招きしたのは今回がはじめてです。皆さんは特別なかたがたで、お目にかかれたことを大変光栄に思っています」

セクストンは両手を組み合わせ、部屋を見まわして客のひとりひとりと目を合わせた。そして最初の的に狙いを定めた。カウボーイ・ハットをかぶったがっしりした男だ。

「スペース・インダストリー・オブ・ヒューストンのかたですね」セクストンは言った。「ようこそお越しくださいました」

テキサスの男は不満げに言った。「この街はきらいだな」

「ごもっともです。ワシントンであなたが受けていらっしゃった不当な扱いを考えれば」

テキサスの男は帽子のつばの下で視線をあげたが、何も言わなかった。

「十二年前」セクストンは口を切った。「あなたは合衆国政府にある提案をなさった。わが国の宇宙ステーション建設をわずか五十億ドルで請け負う提案です」

「そのとおりさ。計画書がまだ手もとにあるよ」

「ところが、NASAが横槍《よこやり》を入れ、宇宙ステーション計画は自分たちが単独で担うべきだと政府を説き伏せた」

「そうだとも。NASAが建設をはじめたのは十年近く前だ」

「十年。にもかかわらず、NASAの宇宙ステーションはいまだに完全操業には至っていないばかりか、現時点で、あなたが提示した額の二十倍が費やされている。一納税者として、気分が悪くなります」

苛立《いらだ》たしげな賛同の声がちらほら聞こえた。セクストンは一同に視線をもどした。「わたしの知るところでは」こんどは全員に向けて言った。「皆さんの多くが、一回につき五千万ドル程度の費用でスペースシャトルを打ちあげる申し出をされています」

多数がうなずいた。

「しかし、NASAは一回の請求を三千八百万ドルに抑えることによって、機会を独占してきました……実際の打ちあげ費用は一億五千万ドルを超すというのに！」

「そうやってわれわれを宇宙から締め出してきたんだ」男のひとりが言った。「四倍もの無駄づかいをしてなお業界にのさばることが許されている相手に、民間の事業者が太刀打ちできるわけがない」

「太刀打ちすべき筋合いもない」セクストンは言った。

全員がうなずいた。

セクストンは、隣にいるいかめしい表情の企業家に顔を向けた。その男には事前に読んだ資料で興味を引かれていた。セクストンの選挙活動を支援する企業家の多くと同様、この男ももとは軍の技術者で、低い賃金と政府の官僚主義に嫌気がさして軍人の地位を捨てたのち、宇宙事業での一攫千金《いっかくせんきん》をめざしている。

「キスラー・エアロスペース」嘆かわしそうに頭を振りながら、セクストンは言った。「NASAではロケットの打ちあげに搭載物一ポンドあたり一万ドルかかるのに対し、御社がロケットの設計と製造を手がければ、一ポンドあたりたった二千ドルで可能になる」そこで間を置く。「それなのに、まだ顧客がいないのですね」

「どうやって顧客を獲得しろというんだ」男は答えた。「先週NASAは、モトローラ社の通信衛星打ちあげを一ポンドあたり八百十二ドルで請け負った。十倍以上の大赤字だぞ！」

セクストンはうなずいた。納税者は何も知らぬまま、競争相手とは比較にならないほど効率が悪い機関を支えているわけだ。「厄介なことに」陰鬱《いんうつ》な声で言う。「NASAがなりふりかまわず競争相手を叩《たた》きつぶそうとしているのはまちがいありません。民間の宇宙企業の参入を阻むために、市価を下まわる価格を提示しているのです」

「宇宙でウォルマート戦略を実践してるのさ」テキサスの男が言った。

言いえて妙だ、とセクストンは思った。覚えておこう。ウォルマートは、新しく販売区域を開拓する際、市価より安く商品を販売して、地元の同業他店をことごとく駆逐することで悪名高い。

「ほとほとうんざりするよ」テキサスの男は言った。「ばか高い営業税を払わされたあげく、政府はその税金を使ってこっちの顧客を横どりするんだからな！」

「そうですね」セクストンは言った。「お察ししますよ」

「ロータリー・ロケットが経営難に陥っているのはスポンサー企業がつかないせいだ」隙のない服装の男が言った。「企業による支援を法律で禁じるなんて！」

「まったく同感です」NASAの宇宙での独占状態を守るため、ロケット本体に広告を表示することを連邦法によって禁じるという新たな手が打たれた折には、セクストンもあきれたものだ。スポンサー企業のロゴを表示して資金を確保することが――プロのカーレーサーがそのいい例だが――民間の宇宙関連企業には許されず、ロケットには〝USA〟という文字と製造会社名しか表示できないという。この国の年間広告宣伝費は千八百五十億ドルにのぼるのに、宇宙関連企業は一ドルの広告料も財源として認められないわけだ。

「これは搾取だ」ひとりの男が鋭く言った。「五月に予定している史上初の観光用シャトルの試作機打ちあげまで、わが社が持ちこたえられるかどうか。せめてメディアが盛大に採りあげてくれればいいんだが。この前ナイキから、例の翼のロゴと宣伝コピーの〝ジャスト・ドゥ・イット！〟をシャトルの側面に塗装するという条件で、スポンサー料七百万ドルを支払うと持ちかけられた。〝ペプシ――新世代の選択〟に至っては、その倍額を提示されたよ。ところが連邦法によると、シャトルに広告を表示したら、打ちあげそのものを禁じられてしまうんだ！」

「そのとおり」セクストンは言った。「ですから、お約束しますよ。わたしが当選したら、企業による支援を禁じる法律の廃止に取りかかります。地球上のいたるところで広告が見られるのと同様に、宇宙でも自由な広告活動が展開されるべきです」

いま、客たちを見渡すセクストンの瞳《ひとみ》は揺るぎなく、声は重みを帯びていた。「しかし、忘れてならないのは、NASAの民営化への最大の障害物は法律ではなく、国民の意識だということです。大半のアメリカ人はわが国の宇宙計画の現実を直視していません。NASAは不可欠な政府機関だといまだに信じているのです」

「ばかげたハリウッド映画のせいだよ」ひとりの男が言った。「〝NASAが小惑星の脅威から地球を救う〟みたいな映画をいくつ作れば気がすむんだ。政治宣伝そのものじゃないか！」

ハリウッドがNASAを扱った映画を濫造するのは単に制作費の問題であるのを、セクストンは知っていた。絶大な人気を誇った映画〈トップガン〉――トム・クルーズがパイロットを演じた、二時間全編が米国海軍の宣伝とも言うべき大ヒット作——が公開されたとき、NASAはハリウッドを強力な宣伝拠点として利用しうることに気づいた。そして、そのドラマチックな施設のすべてを——ロケット発射台も、宇宙飛行管制センターも、訓練施設も——無料で撮影用に貸し出すことを、各映画会社にひそかに提案しはじめた。莫大《ばくだい》なロケーション使用料を支払うのに慣れていたプロデューサーたちは、宇宙を舞台とした娯楽大作を大幅に予算を節約して制作できるその機会に飛びついた。言うまでもなく、ハリウッドが撮影許可を得られるのは、NASAが脚本の内容を承認した場合にかぎられる。

「おおっぴらな洗脳だな」ヒスパニック系の男が嘆いた。「だが映画など、人気とりの政策に比べればまだかわいいものだ。高齢者を宇宙へ送るだと？　女性飛行士ばかりでシャトルを飛ばすだと？　俗受けを狙ってるだけじゃないか！」

セクストンは深々と息をつき、沈痛な声音に切り替えた。「ええ、たしかに。皆さんはもちろん覚えておいでだと思いますが、八〇年代に教育省が破綻《はたん》した折に、NASAの浪費している莫大な予算を教育にまわせばいいという批判が湧き起こりましたね。あのときNASAは、教育の味方であることを世間に証明する策をひねり出しました。公立学校の教師を宇宙へ送ったのです」そこでひと呼吸置く。「そう、クリスタ・マコーリフ（搭乗したスペースシャトル、チャレンジャー号の爆発で死亡）ですよ」

　室内は沈黙に包まれた。

「皆さん」暖炉の前で劇的に立ち止まって、セクストンは言った。「わが国の未来のためにも、早くアメリカ国民は真実と向き合うべきです。NASAはわれわれを宇宙へ導いているのではなく、むしろ宇宙開発の妨げとなっていることを、いまこそ知らせなくてはなりません。宇宙事業もほかの産業となんらちがいはなく、民間事業者の権利を奪うことは犯罪行為に等しい。コンピューター産業を見てください。目まぐるしい勢いで、週ごとに爆発的な進歩をとげています！　それはなぜか。コンピューター産業は自由市場システムだからです。有能さと洞察力がそのまま利得につながるからです。もしもコンピューター産業が国営だったら？　われわれはなおも暗黒の時代に生きているでしょう。宇宙事業はいま停滞しています。宇宙開発は、本来の担い手である民間事業者に委《ゆだ》ねられるべきです。その発展ぶりに、成果の大きさに、そして夢が現実となることに、国民は感銘を受けるにちがいありません。宇宙で新たな頂点をめざすには、自由市場システムが必要です。わたしが当選したら、最後の開拓地への扉を大きく開くことをおのれの使命といたします」

　セクストンはコニャックのグラスを手に持った。

「皆さんは今夜、わたしが信頼するに足る人間かどうかを見きわめるためにここへいらっしゃいました。ご信任いただけたでしょうか。会社を興す場合と同じく、大統領を擁立するのにも投資家が必要です。株主が配当を望むのと同様、政治に投資するあなたがたも見返りを望んでいらっしゃる。今夜皆さんに申しあげたいのは単純なことです。わたしに投資してくだされば、恩義はけっして忘れません。ぜったいに。われわれの果たすべきことはひとつです」

セクストンはグラスを掲げて乾杯を促した。

「お力添えをいただければ、まもなくわたしはホワイトハウスへたどり着きます……そして皆さんは夢に向かって踏み出すのです」

わずか十五フィート離れた廊下の暗がりに、ガブリエール・アッシュがじっとたたずんでいた。クリスタルのグラスがふれ合う快い響きと、暖炉の薪《まき》がはぜる音が居間から聞こえた。

58

NASAの若い技術者が猛然とハビスフィアのなかを突っ走っていた。恐ろしいことが起こっている！　会見場の近くにひとりでいるエクストローム長官を見つけた。

「長官」駆けてきた技術者は息を切らして言った。「事故です！」

別の問題に頭を悩ませていたかのように、エクストロームは放心した様子で振り返った。「なんだと？　事故？　どこで？」

「採掘坑のなかです。死体が浮かんできました。ドクター・ウェイリー・ミンの」

エクストロームは唖然《あぜん》とした顔だ。「ドクター・ミン？　しかし……」

「水から引きあげたんですが、すでに息はありませんでした」

「ばかな。いつ落ちたんだ」

「一時間ほど前でしょう。転落したあと、底まで沈んだようですが、体が膨張してまた浮きあがったものと思われます」

エクストロームの赤ら顔が深紅に変わった。「信じられない！　ほかにこのことを知っている者は？」

「いません。わたしともうひとりだけです。ふたりで引きあげたのですが、まずあなたにご報告すべきかと——」

「正しい判断だ」エクストロームは重苦しく息を吐いた。「遺体をすぐに片づけろ。他言はするな」

技術者は困惑した。「長官、しかしながら——」

エクストロームは技術者の肩に大きな手を載せた。「よく聞いてくれ。これは痛ましい事故だ。わたしも責任を感じている。もちろん、時機を見て適切な処置をとるつもりだが、いまはそのときではない」

「遺体を隠せとおっしゃるのですか」

北欧人の冷ややかな瞳が技術者を圧倒した。「考えてもみろ。だれかに知らせたところでなんになる？　あと一時間で記者会見がはじまる。死亡事故があったなどと発表すれば、大発見にけちがつくばかりか、全体の士気にも悪影響が出かねない。ドクター・ミンは軽率なミスを犯した。NASAにその尻《しり》ぬぐいをさせる気はない。あの民間人科学者たちはこれまでにじゅうぶんに脚光を浴びている。われわれが栄光に浴する晴れの席を、連中のひとりのばかげた過失で台なしにすることはない。ドクター・ミンの事故は会見のあとまで伏せておく。わかったか」

技術者は青ざめた顔でうなずいた。「遺体を片づけてきます」

59

洋上で多くの時間を過ごしてきたマイケル・トーランドは、海が情け容赦なく人の命を奪うことをよく知っていた。疲れきった体を広大な氷の上に横たえていると、そそり立つミルン棚氷《たなごおり》のおぼろな影が遠ざかっていくのが見えた。クイーン・エリザベス諸島から流れ出した奔流は、極地の氷冠のまわりで巨大な渦となり、いずれはロシアの北へ流れ着いて海岸線をめぐる。とはいえ、着くのは何か月も先のことだ。

自分たちに残された時間はおそらく三十分……長くても四十五分だろう。

ゲルの充填《じゅうてん》されたスーツの断熱効果がなければ、とうに死んでいるにちがいない。ありがたいことに、マークⅨスーツは体を乾いた状態に保ってくれた――冷たい水のなかで生き抜くための最も大切な条件だ。体を包む保温性の高いゲルが、落下時の衝撃を和らげただけでなく、いまは体内に残されたわずかな熱を保持する役割も果たしている。

じきに低体温の症状が現れるだろう。最初は、主要な内臓を保護しようと血液が体の中心に集まり、四肢がかすかに麻痺《まひ》する。つぎに脈拍と呼吸が弱まり、脳内の酸素が不足して、意識の混濁による幻覚症状が出る。やがて、残されたわずかな体温を維持すべく、心拍と呼吸を除くすべての働きが停止する。そして意識がなくなり、ついには心拍と呼吸をつかさどる脳の機能が完全に停止する。

トーランドはレイチェルに目を向け、なんとかして助けてやりたいと心に念じた。

レイチェル・セクストンの体にひろがったしびれは、想像していたほど苛酷《かこく》なものではなかった。むしろ、心地よい麻酔薬に近い。まさに自然のモルヒネだ。墜落したときにゴーグルをなくしてしまい、寒さでほとんど目をあけられない。

トーランドとコーキーの姿が近くに見えた。トーランドは悔いるようなまなざしでこちらを見つめている。コーキーは動いているが、痛みに悶《もだ》えているらしい。右の頬が砕けて出血している。

レイチェルは激しく身を震わせつつ、頭のなかで答を探った。だれが？　なんのために？　体のだるさが増し、思考が混乱する。何ひとつ意味をなさない、と思った。見えない力に眠気を誘われ、体の機能が徐々に鈍っていく。胸に生じた怒りの炎を、気力を振り絞ってあおり立てた。

敵はわたしたちを殺そうとした！　レイチェルは荒れ狂う海を見やり、襲撃者が目的を達したことを悟った。もう死んだも同然だ。ミルン棚氷で繰りひろげられた死のゲームの真相を生きて知ることはもはやなさそうだが、レイチェルは首謀者をすでに見抜いたと感じていた。

いちばん得をするのはエクストローム長官だ。襲撃者を氷河へ送り出したのは長官にちがいない。ペンタゴンや特殊部隊とのつながりもある。しかし、氷の下に隕石《いんせき》を仕掛けることで、エクストロームになんの利益がもたらされるのだろう。だれであれ、そんなことをしてどうなるというのか。

ザック・ハーニーのことが頭に浮かんだ。大統領は共謀者なのか、それとも気づかずに利用されたのか。いや、何も知るまい。まったくの潔白だ。NASAにだまされていたにちがいない。あと一時間ほどで、大統領はNASAの公式発表に臨む。それには四人の民間人科学者による裏づけが収録された強力なドキュメンタリーが使われる。

死亡した四人の民間人科学者。

いまのレイチェルに記者会見をやめさせる術《すべ》はなかったが、この襲撃を仕掛けたのがだれであろうと、ぜったいに悪計をとげさせないと心に誓った。

レイチェルは力を振り絞って、起きあがろうとした。手脚が岩になったように感じられ、腕や脚を曲げると関節という関節が苦痛にわなないた。そろそろと両膝《ひざ》を突き、平らな氷の上で上体を起こした。周囲を見まわす。一面、波立つ海だ。トーランドはそばに横たわって、もの問いたげな目でこちらを見あげている。ひざまずいて祈るつもりだと思っているらしい。そんな気はないが、祈ることも、これからおこなう試みも、それで助かる確率に大差はないだろう。

レイチェルは右手を腰のあたりへやって、まだベルトにぶらさがっているアイス・アックスを探りあてた。こわばった指で柄をつかみ、アックスの先端を下に向けて、逆さのTの字に構えた。そして、渾身《こんしん》の力をこめて氷に打ちおろした。ザクッ。もう一度。ザクッ。血管を流れる血が冷えた糖蜜《とうみつ》のように感じられる。トーランドがとまどいの表情で見ている。レイチェルはまたアックスを打ちおろした。ザクッ。

トーランドは肘《ひじ》を突いて体を起こそうとした。「レイ……チェル？」

レイチェルは返事をしなかった。体力を無駄にはできない。ザクッ。ザクッ。

「たぶん……」トーランドは言った。「こんな極北じゃ……SAAにも……感知できな……」

レイチェルは驚いて振り返った。トーランドが海洋学者で、これがなんの試みであるか察しても不思議はないことを忘れていた。それはもっともね……でも、あてにしてるのはSAAじゃないのよ。

レイチェルは氷を打ちつづけた。

海底音響アレイ（SAA）は冷戦時代の遺物だが、昨今は世界じゅうの海洋学者がクジラの鳴き声を聴きとるのに利用している。水中では何百マイルも先まで音が届くため、世界各地の海底に配した五十九の水中マイクで構成されるSAA網は、地球の海洋の大部分の音を感知できる。あいにく、北極のような辺境地域はその範囲から漏れているが、海底の音に注意を向けている別のものが――その存在自体がほとんど知られていないものが――まだあることをレイチェルは知っていた。

休みなく氷を打つ。メッセージは単純明快だ。

ザクッ。ザクッ。ザクッ。

ザクッ……ザクッ……ザクッ……

ザクッ。ザクッ。ザクッ。

レイチェルはこの行為で命が助かるとは思っていなかった。すでに全身が凍結しかけているように感じられる。あと半時間もつかどうかも疑わしい。生還など夢のまた夢だ。とはいえ、生還することは頭になかった。

ザクッ。ザクッ。ザクッ。

ザクッ……ザクッ……ザクッ……

ザクッ。ザクッ。ザクッ。

「時間が……ない……」トーランドが言った。

これは自分たちのためじゃないのよ、とレイチェルは思った。ポケットにある情報を生き長らえさせるためだ。マークⅨスーツのポケットに忍ばせた、陰謀の証拠たるGPRのプリントアウト。これをNROに渡さなくては……一刻も早く。

意識が混濁するなかでも、レイチェルは自分のメッセージが届くと確信していた。八〇年代の中ごろ、NROは千二百万ドルを投じ、SAAのかわりにその三十倍の音響感知能力をもつアレイを設置した。地球全域をカバーする海底の耳、クラシック・ウィザードである。いまから数時間のうちに、イギリスのメンウィズ・ヒルで、NROとNSAの共同情報収集拠点に設置されたクレイ社のスーパーコンピューターが、北極の水中聴音器のひとつがとらえた異常な反復音に反応し、それがSOSを刻んでいることを読みとるだろう。そして座標の三角測量をおこなったのち、グリーンランドのチューレ空軍基地に救援機の派遣を要請するはずだ。救援機は氷山の上で三人の人間を発見する。凍死体で。そのうちのひとりはNROの職員だ……その女のポケットには奇妙な感熱紙がはいっている。

GPRのプリントアウト。

ノーラ・マンゴアの遺品。

プリントアウトは救助員の目に留まり、隕石《いんせき》の採掘坑の下に妙な坑道があることが露見する。その先は、何が起こるのかレイチェルにも想像がつかないが、少なくとも、この秘密が自分たちとともに氷に葬られることはないだろう。

60

新任の大統領がホワイトハウス入りする際には、厳重に警備された三つの倉庫を内々に見てまわることになっている。倉庫には過去に官邸で使われた家具——ジョージ・ワシントンをはじめとする歴代大統領が愛用した机、銀器、衣装棚、ベッド、その他の備品——の貴重なコレクションがおさめられている。見まわる折に、新大統領はどれでも気に入った家財を選んで任期中に邸内で使用するよう勧められる。代々入れ替えられずに置いてあるホワイトハウスの家具は、リンカーン・ベッドルームのベッドだけだ。皮肉なことに、リンカーン自身はそのベッドで眠ったことがない。

大統領執務室でいまザック・ハーニーが向かっている机は、崇拝するハリー・トルーマンがかつて使っていたものだ。現代の基準からすれば小ぶりだが、ここはトルーマンが〝責任のたらいまわしはこの机で終わる〟とみずからを戒めたまさにその場であり、どんな行政上の汚点にも最終的に自分が責任を負うことを日々思い出させてくれる。ハーニーはその責任を名誉と受け止め、すべての仕事をやりとげる気概をスタッフに持たせようとつとめてきた。

「大統領?」秘書がドアから顔をのぞかせて、声をかけた。「電話がつながりました」

ハーニーは軽く手をあげた。「ありがとう」

電話へ手を伸ばす。この通話には少々プライバシーがほしいところだが、いまはそんなものを望みようもない。ふたりのメイクアップ係がハエのごとく飛び交って、ハーニーの顔と髪をいじりまわしている。机の真向かいではテレビ中継チームが打ち合わせ中で、ほかにも顧問や広報スタッフがひっきりなしに押し寄せては室内をうろつき、やかましく戦略を検討している。

発射一時間前……

ハーニーは専用電話の点滅ボタンを押した。「ローレンス、聞こえるか」

「聞こえます」NASAの長官の声は疲れた様子で、聞きとりにくかった。

「そちらは万事順調かね」

「いまも嵐が近づいていますが、部下たちの話では衛星中継に支障はないとのことです。準備は万端ですよ。一時間後の秒読みに向けて」

「よかった。士気が高まっているといいのだが」

「最高潮です。みんな興奮していますよ。実は、さっきビールで乾杯したばかりです」

ハーニーは笑った。「それはうれしいね。電話をしたのは、会見の前に礼を言っておきたかったからだ。今夜は大騒ぎになりそうだから」

エクストロームはいつになく長い間をとったのち、答えた。「そうでしょうね。長年の望みでしたから」

ハーニーはためらいがちに言った。「だいぶへばっているようだな」

「太陽の光とまともなベッドが必要なだけです」

「あと一時間だ。カメラの前ではにっこり笑って、世紀の瞬間を満喫してくれ。それがすんだら飛行機でこちらへ連れもどしてやるから」

「楽しみにしています」エクストロームはまた沈黙した。

熟練した交渉人であるハーニーは、話を聞きながらことばの端々にひそむものを感じとる術に長《た》けていた。長官の声にはどことなく妙な響きがある。「たしかに万事順調なんだな？」

「もちろんですよ。発射準備完了です」エクストロームは話題を変えたがっているようだ。「マイケル・トーランドのドキュメンタリーの最終版はご覧になりましたか」

「いま観たところだ」ハーニーは言った。「すばらしい出来映えだった」

「ええ。トーランドを参加させたのは名案でしたね」

「民間人をかかわらせたことでまだ腹を立てているのか」

「それはもう」気安くなじるその声には、いつもの力強さがもどっていた。

それで気が楽になった。エクストロームは心配ない、とハーニーは思った。少し疲れているだけだ。「では、一時間後に衛星経由で会おう。ふたりで世間を騒がせようじゃないか」

「承知しました」

「おい、ローレンス」ハーニーは声を落とし、真剣な口調で言った。「ほんとうによくやってくれた。恩に着る」

ハビスフィアの外では、デルタ・スリーが強風に阻まれながら、横転したノーラ・マンゴアの橇《そり》を起こして機材を積みなおしていた。すべての機材を積み終わると、防水布をかけて固定し、その上にマンゴアの死体を載せてロープで縛りつけた。橇を引いていく準備が整ったころ、ふたりの仲間がスキーを駆ってもどってきた。

「計画変更だ」デルタ・ワンが風に負けじと声を張りあげた。「あとの三人は崖《がけ》から落ちた」

デルタ・スリーは驚かなかった。それが何を意味するかはわかっていた。四人の死体を棚氷に放置して事故に見せかける計画は、もはや実行不可能ということだ。死体をひとつだけ残しておけば、多くの疑問を招きかねない。「〝掃除〟するのか」

デルタ・ワンはうなずいた。「照明弾を回収するから、ふたりで橇の始末を頼む」

デルタ・ワンが科学者たちの残した道しるべを撤収し、そこに人がいた痕跡《こんせき》を取り除いているあいだに、デルタ・ツーとデルタ・スリーは荷の満載された橇を引いて氷河をくだった。小山を越すのに手こずったが、ようやくミルン棚氷の端の断崖《だんがい》にたどり着いた。ふたりでひと押しすると、ノーラ・マンゴアを乗せた橇は静かに崖のへりから飛び出し、北極海へまっすぐ落ちていった。

これできれいさっぱりだ、とデルタ・スリーは思った。

基地へもどる途中、風がスキーの滑降跡を消し去るのを見て、デルタ・スリーは安《あん》堵《ど》を覚えた。

61

原子力潜水艦〈シャーロット〉は、五日前から北極海に駐留していた。この船艦の所在は極秘とされている。

ロサンゼルス級潜水艦である〈シャーロット〉は〝音を立てずに聞き耳を立てる〟ことができるように設計されている。その四十二トンのタービン・エンジンは、振動を殺すため、春になると停止される。隠密潜航が要求されるにもかかわらず、船体は水中偵察艦としては最大クラスだ。船首から船尾までの長さは三百六十フィートを超え、フットボールの競技場の真ん中に置けば、両サイドのゴールポストをつぶしてなおはみ出す。米国海軍の初期型ホランド級潜水艦の七倍の全長を誇るこの船艦は、潜水時の排水量が六千九百二十七トンで、三十五ノットという超高速での潜航が可能である。

〈シャーロット〉は通常、急激に温度のさがる水温躍層より少し下の深度を潜航する。温度の変化が上からの探知音波をひずませるため、海上のレーダーから身を隠すことができるからだ。乗員数百四十八名、最大潜水深度が千五百フィートを超すこの最新鋭の潜水艦は、いわば米国海軍の馬車馬である。内蔵された蒸気電解酸素化システムと一基の原子炉、それに加工保存食糧があれば、まったく浮上せずに地球を二十一周することができる。乗員の排泄《はいせつ》物は、おおかたのクルーズ客船と同様、六十ポンドの塊に圧縮されて海中に廃棄される――その巨大な排泄物の塊は、別名〝クジラの糞《ふん》〟とも呼ばれる。

水中音波探知室で発振器のモニターの前にすわっているのは、世界最高の技術兵のひとりだった。その脳内には音響と波形の辞典がまるごと詰まっている。数十種にのぼるロシアの潜水艦のプロペラや、数百種の海生動物が発する音を聞き分け、さらには、はるか遠い日本の海底火山の位置を特定することもできた。

けれども、そのとき技術兵が聞き入っていたのは、連続した鈍い響きだった。容易に聞き分けられたものの、それはまったく予期せぬ音だった。

「おれの耳に何が聞こえたかを教えても、信じないだろうな」技術兵は記録助手にへッドフォンを手渡した。

ヘッドフォンを耳にあてた助手は、いぶかしげな顔をした。「大変だ。まちがいなく信号ですよ。どうします?」

技術兵はすでに艦長に電話をかけていた。

艦長が探知室に到着すると、技術兵は小型のスピーカー・セットから生音声を再生した。

艦長は無表情で耳を澄ました。

ザクッ。ザクッ。ザクッ。ザクッ。

ザクッ……ザクッ……ザクッ……

徐々に緩慢になり、間隔が乱れている。音量も小さくなるばかりだ。

「位置はどのあたりだ」艦長は尋ねた。

技術者は咳《せき》払いをした。「それが、実は右舷《うげん》から約三マイルの海上です」

セクストン上院議員の居間へつづく暗い廊下で、ガブリエール・アッシュは脚を震わせていた。身じろぎもせずに立っていたせいではなく、耳にした内容に幻滅したせいだ。居間での会合はまだつづいていたが、これ以上聞く必要はなかった。真相はあまりに明白に思えた。

セクストンは宇宙関連企業から賄賂《わいろ》を受けとっている——マージョリー・テンチの言ったことは真実だった。

ガブリエールはいま、裏切られた悔しさで胸がいっぱいだった。信じていたのに。あの人のために力を尽くしたのに。どうしてこんなことができるの？　セクストンが私生活を守るためにときおり嘘をつくのを見てきたが、あれは政略の範疇《はんちゅう》だった。しかしこれはまぎれもない違法行為だ。

まだ当選してもいないのに、早くもホワイトハウスを売り渡そうとしている！

もう個人秘書をつづけることはできないとガブリエールは思った。法と民主制をはなはだしく軽んじているのでないかぎり、NASAの民営化法案を承認する約束などできるはずがない。仮にそれが万人のためになると本気で考えていたとしても、そのような考えを先走って売りこむのは、連邦議会、大統領顧問、有権者、ロビイストなどのおそらくは有益な意見を端《はな》から無視する行為であり、抑制と均衡を重んじるという政府の基本原則を蹂躪《じゅうりん》している。特に問題なのは、NASAの民営化を保証したのをきっかけに、セクストンがその種の事前工作——典型的なものとしては、要職にある人間が真っ当な一般投資家を犠牲にして、富裕な投資家に露骨な便宜を図るインサイダー取引のたぐい——をこれから際限なく繰り返すにちがいないことだ。

胸のむかつきを覚えつつ、ガブリエールは思案をめぐらせた。

背後でけたたましく電話が鳴り、廊下の静寂を打ち破った。ぎくりとして振り返る。呼び出し音はクロゼットのなかから聞こえてくる——客のひとりがコートのポケットに携帯電話を入れていたらしい。

「失礼しますよ」居間でテキサス訛《なま》りの声がした。「おれの電話だ」

声の主が立ちあがるのが聞こえた。こっちへ来る！　ガブリエールはきびすを返して、廊下を駆けもどった。左手にある暗いキッチンへ飛びこんだとほぼ同時に、テキサスの男が居間から廊下へ出てきた。ガブリエールは闇にじっと身をひそめた。

男は何も気づかずにキッチンの脇を通り過ぎた。

心臓の激しい鼓動と重なって、クロゼットで男がごそごそ動く音が聞こえた。ようやく、男は電話に出た。

「そうか……いつだ？……ほんとうに？　観てみるよ。ありがとう」男は電話を切り、居間へ引き返しながら声を張りあげた。「なあ！　テレビをつけてもらえないかな。ザック・ハーニーが今晩、緊急記者会見をやるらしい。八時からだそうだ。どのチャンネルでもいい。どっちだろうな、中国に宣戦布告したか、国際宇宙ステーションが海に落ちてきたか」

「あとのほうだったら、祝杯をあげなくてはな！」客のだれかが言った。

全員が笑った。

ガブリエールはキッチンがぐるぐる回転しているように感じた。午後八時に記者会見？　どうやら、テンチは脅しをかけていたのではないらしい。情事を認める宣誓供述書を午後八時までに持参しろと言っていた。手遅れになる前に上院議員と訣別《けつべつ》しろ、とも。あの刻限は、新聞各紙に情報を流してあすの朝刊に間に合わせるためのものだと思っていたが、ホワイトハウスは事実を直接公表するつもりのようだ。

だけど、緊急記者会見って？　考えれば考えるほど妙に思えた。ハーニーはこんな俗事にかかずらうつもりなのだろうか。大統領みずから？

居間でテレビがついた。大音量だ。興奮したニュース・キャスターの声が耳に飛びこんでくる。「今夜の突然の大統領演説の主題に関して、ホワイトハウスはいっさい手がかりを示しておらず、さまざまな憶測が飛び交っています。政治評論家のなかには、ザック・ハーニー大統領がこのところ選挙遊説を中断していたことを受け、次期の続投を断念する意向を発表するのでは、と推察する向きもあります」

居間で歓声があがった。

そんなばかな、とガブリエールは思った。ホワイトハウスがセクストンの悪事をここまで把握しているいま、大統領が今夜負けを認めることなどありえない。この記者会見の目的はそれとは別のものだ。その目的をすでに知らされていることを思い出し、心が沈んだ。

切迫感に駆られ、腕時計を見た。あと一時間足らずだ。決断しなくてはならない。だれに相談すべきかはわかっている。写真のはいった封筒を脇にかかえ、静かにアパートメントをあとにした。

廊下で、護衛が安堵《あんど》の表情を浮かべていた。「にぎやかな声が聞こえましたよ。あなたは人気者らしい」

ガブリエールはそっけなく微笑んでエレベーターへ向かった。

外の通りに出ると、夜の訪れがひどく憂鬱《ゆううつ》に感じられた。手をあげてタクシーを止め、座席に乗りこみながら、たしかに自分の意志で行動しているのだと胸に言い聞かせた。

「ABCテレビまで」ガブリエールは運転手に告げた。「急いで」

63

マイケル・トーランドは、もはや感覚のない伸ばした片腕に頭を載せて、氷に身を横たえていた。まぶたが重いが、懸命に閉じまいとしていた。その不自然な視点から、奇妙にかしいだこの世の最後のイメージ――海と氷だけの風景――をながめる。何もかもが根底から覆った一日に似つかわしい幕切れに思えた。

漂流する氷のいかだは、不気味な静けさに包まれていた。レイチェルとコーキーは沈黙に陥り、氷を打つ音もやんでいる。氷河から遠く流されるにつれ、風は弱まった。トーランドは自分の体も弱まりつつあるのを感じた。ぴったりしたフードで耳を覆っているせいで増幅されて聞こえるが、呼吸はしだいにゆるく……浅くなっている。血液は、船を見捨てる船員さながらに四肢から逃げ、どうにか意識を保たせるべくまっしぐらに主要器官へ押し寄せている。それにともなう圧迫感に、体はもう対抗できなくなっていた。

勝ち目のない戦いだと、トーランドは知っていた。

不思議なことに、もう苦痛はなかった。その段階は過ぎたらしい。いまは、体に空気を吹きこまれ、無感覚で宙に浮いているような心地だ。反射機能の鈍化がはじまり、まばたきが滞ったせいで視界がぼやけていく。角膜と水晶体のあいだを循環する水溶液が断続的に動きを止めている。ミルン棚氷を見やったが、いまやそれは薄い月明かりのなかのかすかな白い影でしかなかった。

魂が敗北を認めつつある。夢と現《うつつ》のあいだをさまよいながら、トーランドはかなたの波を見つめた。わななく風に取り巻かれて。

幻覚が見えたのはそのときだった。意識を失う直前の数秒にトーランドが見たのは、意外にも、救援隊の幻影ではなかった。あたたかく心安らぐものが訪れたのではない。最後の錯覚は世にも恐ろしかった。

氷山の近くの海面から、不気味な轟音《ごうおん》とともに巨大な海獣が現れ出た。海水を泡立たせて浮上したそれは、伝説上の海の怪物さながらに、黒々としたつやと凄味《すごみ》を帯びている。トーランドは無理に目をしばたたいた。わずかに視界がはっきりする。すぐそこに迫った海獣は、小舟に突進する巨大なサメのごとく氷山にぶつかった。濡《ぬ》れた肌を光らせ、堂々たる体軀《たいく》でこちらを見おろしている。

かすんだ映像が消え、音だけが残った。金属がぶつかり合う音。氷に歯を立てる音。近づいてくる音。仲間を引きずっていく音。

レイチェル……

荒々しく体をつかまれるのを感じる。

そこですべてが真っ白になった。

64

ガブリエール・アッシュは、ABCテレビの三階にある報道部の調整室へ全速力で駆けこんだ。それでも、室内の面々に比べれば動きが緩慢でさえあった。ニュース制作の現場は四六時中騒然としているものだが、ブースの並んだそのフロアはいま、大混乱の証券取引所のようなありさまだ。目を血走らせた編集者が仕切り越しに怒鳴り合い、ファクシミリの紙を振りかざしたレポーターがブースからブースへと情報交換に駆けまわり、殺気立った実習生が使い走りの合間にスニッカーズとマウンテン・デューで空腹を満たしている。

ガブリエールがここへ来たのはヨランダ・コールに会うためだった。

ヨランダの姿はたいてい一等地で見つかる。静かに考える空間を必要とする意思決定者のために用意された、ガラス張りの個人執務室だ。けれども、今夜ばかりはヨランダもフロアの混乱のただなかにいた。ガブリエールに気づくと、ふだんどおりの朗々たる叫び声をあげた。

「ガブリエール!」ヨランダはジャワ更紗《さらさ》をスカート風に腰に巻いて、鼈甲《べっこう》ぶちの眼鏡をかけていた。いつものように、ごてごてした民族調のアクセサリーをどっさりぶらさげている。手を振りながらやってきた。「よく来たね!」

ヨランダ・コールはワシントンで十六年間、ABCニュースの番組編集者をつとめてきた。そばかす顔のポーランド人であるヨランダは、ずんぐりして髪が薄く、周囲から親しみをこめて〝母さん〟と呼ばれている。その母性的な貫禄《かんろく》と朗らかさは、ネタをつかむことにかけての世慣れた貪欲《どんよく》さをうまく覆い隠していた。ガブリエールがヨランダと知り合ったのは、ワシントンに来て間もないころに参加した、政界で働く女性向けの啓蒙《けいもう》セミナーの席だった。ふたりはガブリエールの経歴やDCで生きていくきびしさについて語り合い、ついには、エルヴィス・プレスリーの大ファンであるという意外な共通点を見つけるまでになった。以来、ヨランダはガブリエールに目を掛け、コネを作る手助けをしてくれた。ガブリエールはいまでも月に一度は局へ挨拶《あいさつ》に立ち寄っている。

ガブリエールはヨランダを思いきり抱きしめ、そのぬくもりに早くも元気づけられたように感じた。

ヨランダは一歩さがって視線を据えた。「あなた、百歳も老けこんだみたいに見えるよ！　何かあった？」

ガブリエールは声を低くした。「困ったことになったの、ヨランダ」

「巷《ちまた》の話とちがうじゃない？　あなたのボスは人気上昇中だって聞いてるけど」

「どこかふたりだけで話せる場所はあるかしら」

「いまはまずいね。大統領が半時間後に記者会見を開くんだけど、何についての会見なのか、ぜんぜんつかめていなくて。それで、各方面の一流解説者を確保するのにおおわらわよ」

「何についての会見か、わたしは知ってるわ」

ヨランダはいぶかしげに眼鏡を下へずらした。「ガブリエール、うちのホワイトハウス詰めの記者でさえ、この件に関しては蚊帳《かや》の外なのよ。セクストン陣営が事前情報を握ってるとでも？」

「いいえ、わたしが握ってるの。五分だけ時間をちょうだい。何もかも話すから」

ヨランダはガブリエールの持つホワイトハウスの赤い封筒に目を留めた。「それ、ホワイトハウスの内部専用ね。どこで手に入れた？」

「きょうの午後、マージョリー・テンチとふたりきりで会ったの」

ヨランダは目をまるくした。「ついてきて」

プライバシーの保たれたガラス張りのブースで、ガブリエールは信頼する友に、セクストンとの一夜の情事と、その証拠写真をテンチに握られていることを告白した。

ヨランダはにんまりしたのち、頭を振って盛大に笑った。長年ワシントンでジャーナリズムの世界に身を置いてきたせいか、まったく動じていないらしい。「あなたとセクストンはたぶんいい仲だろうって思ってた。不思議はないじゃない？　相手は名うての色男で、あなたは美女。写真のことは気の毒だったね。でも、心配は無用だと思う」

心配は無用？

ガブリエールは、セクストンが宇宙関連企業から違法の賄賂を受けとっているとテンチから指摘されたことや、自分もさっきSFFの秘密の会合を盗み聞いてそれを確認したことも打ち明けた。やはりヨランダの顔には驚きや懸念の色はほとんど表れなかった。

　これからどうするつもりかをガブリエールが話すと、ヨランダははじめて困った顔をした。「ガブリエール、上院議員と寝たこととか、議員がそれを否定するのをやり過ごしたことを供述したいというのは、あなたの権利かもね。でも言っておくけど、それはひどく愚かな行為よ。自分がどんな目に遭うのか、じっくり考えてちょうだい」

「聞いてなかったのね。そんな時間はないのよ！」

「聞いてるって。けど、時間が迫っていようといまいと、ぜったいにやっちゃいけないこともある。セックス・スキャンダルで議員を売るようなことはしちゃだめ。自殺行為よ。もし本気で大統領候補を破滅させるつもりなら、車に乗ってDCからできるかぎり遠くへ逃げたほうが身のためね。あなたは復讐《ふくしゅう》の標的にされる。候補者を頂点へ押しあげるのには、たくさんの人のたくさんのお金がつぎこまれてるんだから。この街では、大きな財力と権力はいつも危険にさらされてる――その力のためなら、人はなんでもするものよ」

　ガブリエールは沈黙に陥った。

「わたしが思うに」ヨランダは言った。「テンチの脅しは、あなたをうろたえさせて、ばかな行動をとらせるのが狙いだったんじゃないかな。たとえば、上院議員を見かぎって情事を公然と認めるとか」ヨランダはガブリエールの手にある赤い封筒を指さした。「あなたとセクストンのその写真だけど、ふたりのどちらかが本物だと認めなければなんの価値もないのよ。マスコミに流れたところで、セクストンは捏造《ねつぞう》だとうそぶいて大統領を非難するに決まってる。そんなこと、ホワイトハウスは百も承知だって」

「わたしもそう思ったけど、賄賂《わいろ》で選挙資金をまかなっていた件は——」

「ねえ、よく考えて。ホワイトハウスが収賄の件を公表せずにいるのは、そのつもりがないからかもよ。大統領は中傷戦術にはことのほか慎重だからね。宇宙関連企業のスキャンダルは伏せると決めたうえで、テンチにあなたを追い詰めさせて、自分から色事を告白させようと目論《もくろ》んだんだと思う。あなたがセクストンを裏切るよう仕向けたってわけ」

ガブリエールは考えをめぐらせた。ヨランダの言うことはもっともだが、まだどうも釈然としない。てんてこ舞いのニュース室をガラス越しに指さした。「ヨランダ、あなたたちは大統領の大々的な記者会見の準備に追われているんでしょう。大統領が収賄やセックスの件を公表するんじゃないとしたら、いったいなんのための会見なの？」

ヨランダは驚いた顔をした。「待って。あなた、今夜の会見で自分とセクストンのことがばらされると思ってるわけ？」

「じゃなきゃ、賄賂のこと。あるいは両方。テンチが言ってたわ、今夜八時までに供述書に署名しなければ、大統領が事を公に――」

ヨランダの笑い声がガラス張りのブースに響き渡った。「ちょっと、やめてよ！　おかしくて死にそう！」

ガブリエールはふざける気分ではなかった。「なんなのよ！」

「ガブリエール、聞いて」懸命に笑いをこらえつつ、ヨランダは言った。「請け合ってもいい。わたしは十六年間ホワイトハウスとかかわってきたけど、ザック・ハーニーが全世界のメディアに向けて、セクストン上院議員のいかがわしい資金調達やあなたとの情事を暴き立てるなんてことはありえないと断言できる。そんなのはリークするたぐいの情報よ。通常の番組を中断させてまで、対立候補の危なっかしい金脈や女性関係について論じたところで、大統領の人気があがるはずはない」

「危なっかしいどころじゃないわ」ガブリエールは声をとがらせた。「宇宙法案の承認と引き替えに平然と多額の宣伝費をせしめるのは、危なっかしいなんて次元の問題じゃないのよ！」

「それは確実な情報なの？」ヨランダの口調が険しくなった。「全国ネットのテレビでスカートを脱ぐ気になるくらいに？　考えてもみて。近ごろでは何をするにも提携が欠かせないし、選挙資金の問題はひどくこみ入ってる。セクストンのその会合は完《かん》璧《ぺき》に合法かもしれない」

「ぜったいに違法よ」ガブリエールは言った。そうでしょう？

「マージョリー・テンチにそう信じこませられたのかもね。候補者は年じゅう大企業からの献金をひそかに受けとってるものよ。褒められた話じゃないけど、かならずしも違法とは言えない。実のところ、法律上の争点になるのはたいてい、お金の出所よりも使い途《みち》なのよ」

ガブリエールは自信を失って、口をつぐんだ。

「ガブリエール、きょうの午後、あなたはホワイトハウスにはめられたのよ。自分の候補に刃向かうように仕向けられ、あなたも開きなおって腹を決めた。もしわたしが同じ立場なら、マージョリー・テンチなんかのもとへ走るより、セクストンにしがみついてるね」

電話が鳴った。ヨランダは受け答えしつつ、メモをとった。「おもしろいね」と最後に言う。「すぐにそっちへ行く。ありがとう」

ヨランダは電話を切り、片方の眉《まゆ》をあげて向きなおった。「どうやらあなたは痛い目に遭わずにすみそうよ。さっきも言ったとおり」

「どういうこと？」

「くわしいことはまだわからないけど、これだけは言えるね——大統領の記者会見はセックス・スキャンダルにも選挙資金問題にも関係ない」

ガブリエールは希望が湧くのを感じ、そのことばがほんとうならと切に願った。

「どうしてわかったの？」

「たったいま官邸内部のだれかが、会見の内容はNASA関連だという情報を流したのよ」

ガブリエールはやにわに立ちあがった。「NASA？」

ヨランダはウィンクした。「あなたには運のいい夜になりそうね。きっと、ハーニー大統領はセクストン上院議員からの圧力に屈して、国際宇宙ステーションへの資金援助を断つほかないと決断したのよ。それなら全世界のメディアに向けて発表するのもうなずける」

宇宙ステーションをつぶす記者会見？　ガブリエールは信じられなかった。

ヨランダは立ちあがった。「きょうテンチが接触してきたのもそのためよ。おそらく、大統領が悪い知らせを公表する前に、セクストンを追い抜く足掛かりをなんとか確保しようとしたのね。大統領の新たな失敗から国民の注意をそらすのに、セックス・スキャンダルほど都合のいいものはないから。それはそうと、わたしは仕事にもどらなくちゃ。あなたへの忠告はこうよ——コーヒーを一杯注いだら、そこにすわってそのテレビをつけて、ほかのみんなと同じように成り行きを見守りなさい。あと二十分でショー・タイムがはじまる。とにかく、大統領が今夜ごみ缶に身を投げるようなことはぜったいにない。全世界が注目してるんだから。何を発表するつもりにしろ、重大な内容よ」励ますようにウィンクする。「さあ、その封筒をちょうだい」

「なんですって?」

ヨランダは催促の手を差し出した。「一段落するまでその写真はわたしの机に鍵《かぎ》をかけてしまっておく。あなたがばかをしでかさないようにね」

ガブリエールはしぶしぶ封筒を手渡した。

ヨランダは机の抽斗《ひきだし》に写真をしまって施錠すると、鍵をポケットに入れた。「きっとわたしに感謝することになるよ。断言してもいい」去り際に、ガブリエールの髪を楽しげになでる。「おとなしくすわってなさい。いい知らせが来るから」

ガブリエールはガラス張りのブースにひとりですわり、ヨランダの陽気さを見習って気を取りなおそうとした。けれども、きょうの午後マージョリー・テンチが浮かべていた心得顔が脳裏から消えなかった。大統領が何を公表しようとしているのかは見当もつかないが、セクストンにとってよい知らせだとはとうてい思えなかった。

65

生きたまま焼かれているのかとレイチェル・セクストンは思った。

集中砲火だわ！

目をこじあけたが、ぼやけた人影とまぶしい光しか見えない。雨が降っている。やけどしそうな熱い雨だ。むき出しの肌を容赦なく叩《たた》いている。体を横たえた床の感触は、熱いタイルのようだ。体をさらにまるめて胎児の姿勢になり、降り注ぐ熱い液体から身を守ろうとした。薬品のにおいがする。消毒剤だろうか。這《は》って逃げ出そうとしたが、無理だった。力強い手で両肩を押さえつけられ、動きを封じられた。

離して！　すごく熱い！

無意識のうちにまた逃れようとしたものの、押しつけられた屈強な手にふたたび阻止された。「じっとしてるんだ」男の声が言った。アメリカ人の発音だ。専門職の人間か。「じきに終わるから」

何が終わるの？　レイチェルは思いをめぐらせた。痛みが？　命が？　目の焦点を合わせようとする。ここの照明はまぶしすぎる。小さな部屋らしい。窮屈だ。天井が低い。

「熱いったら！」レイチェルの叫びはささやきに近かった。

「だいじょうぶ」同じ声が言った。「ぬるい温水だ。信用しろ」

服をほとんど脱がされ、濡《ぬ》れた下着しか身につけていないことにレイチェルは気づいた。恥ずかしさは感じなかった。さまざまな別の疑問で頭がいっぱいだ。

記憶が奔流のようによみがえってきた。棚氷。ＧＰＲ。襲撃。この人はだれ？　ここはどこ？　ばらばらのピースをはめ合わせようとしても、故障した機械のごとく、頭が働かない。錯綜《さくそう》する思考のなかから、ひとつの疑問が浮かんだ。マイケルとコーキー……ふたりはどこ？

かすんだ目をはっきりさせようとしたが、見えたのは自分を見おろす男たちの姿だけだった。みな同じ青のジャンプ・スーツを着ている。話をしたいけれど、ひとことの単語も発することができない。焼けつきそうな肌の熱さは、突如として、激しい痙《けい》攣《れん》さながらに筋肉を波打たせる痛みに変わった。

「がまんしろ」男は上から言った。「血液を筋肉組織に再循環させないと」医者のような物言いだ。「できるだけ手脚を動かすんだ」

レイチェルの体は、すべての筋肉にハンマーを打ちおろされているかのような痛みに苛《さい》まれた。胸をかかえこんでタイルに横たわり、息苦しさにあえいだ。

「手脚を動かすんだ」男は繰り返した。「感覚を無視して」

レイチェルはやってみた。動かすたびに、関節を刺し抜く痛みが走る。水の噴流がまた熱さを増した。肌がまたひりつく。強烈な痛みもやまない。もう一瞬も耐えられないと思ったそのとき、注射をうたれるのを感じた。痛みがにわかに鎮まり、どんどん和らいでいく。痙攣も弱まった。呼吸が楽になったのがわかる。

こんどは、むずがゆい奇妙な感覚が体じゅうにひろがった。全身のあちこちを貫く刺激はしだいに鋭くなっていく。無数の針の攻撃は、動くたびに激しくなる。じっとこらえようとしても、水の噴流に妨げられた。自分の両腕を男がつかんで、しきりに動かしている。

なんて痛さなの！　レイチェルには抵抗する力がなかった。困《こん》憊《ぱい》と苦痛のあまり、涙が流れる。きつく目を閉じて、外の世界を遮断した。

やがて、針の痛みはおさまりはじめた。降り注ぐ雨もやんだ。レイチェルが目をあけたとき、視界は冴《さ》えていた。

ふたりに気づいたのはそのときだった。

半裸でびしょ濡れのコーキーとトーランドが、震えながらそばに横たわっている。その顔に浮かんだ苦しげな表情から、ふたりも同じ苦行に耐えたのだとわかった。トーランドの褐色の瞳《ひとみ》は充血してどんより濁っている。レイチェルを見ると、紫色の唇を震わせて弱々しく微笑んだ。

レイチェルは体を起こそうとして、その場所を見まわした。半裸の三人が震える四肢を折り曲げて横たわっているのは、小さなシャワー室だった。

66

たくましい腕がレイチェルをかかえあげた。

力の強い見知らぬ男に体を拭《ふ》かれ、毛布にくるまれた。それから医療用ベッドのようなものに寝かされ、腕と脚と足先を勢いよく揉《も》みほぐされる。腕にまた注射をうたれる。

「アドレナリンだ」だれかが言う。

薬品が生命を吹きこむように静脈をめぐり、筋肉を再生させるのがわかる。体の中心にうつろな冷たさがドラム缶のように居すわっていたが、四肢には徐々に血がかよいだしているのが感じられた。

死の淵《ふち》からの生還。

目の焦点を合わせてみた。近くに寝かされたトーランドとコーキーが毛布をかぶって体を震わせ、同じようにマッサージと注射を受けている。きっとこの謎の男たちが命を救ってくれたのだとレイチェルは思った。服を着たままシャワーの下に飛びこんだらしく、男たちの多くもずぶ濡れだ。何者なのか、なぜ自分たちをこれほど早く見つけたのかは見当がつかなかった。しかし、そんなことはどうでもいい。生きているのだから。

「ここは……どこ？」レイチェルはどうにかことばを発したが、ただそれだけの試みが、割れるような頭痛をもたらした。

レイチェルをマッサージしている男が答えた。「医務室だ。ロサンゼルス級――」

「甲板へ集合！」だれかが号令をかけた。

周囲が急にあわただしくなったのを感じ、レイチェルはその場で起きあがろうとした。青服の男のひとりが背中を支え起こし、毛布を引きあげてくれた。目をこすると、何者かが室内にはいってくるのが見えた。

現れたのは体格のがっちりしたアフリカ系アメリカ人の男だった。顔立ちは凛々《りり》しいがいかめしい。チノクロスの制服を着ている。「楽にして」そう言ってレイチェルのほうへ近づくと、射るような黒い目で見おろした。「ハロルド・ブラウン」声には深みと威厳がある。「米軍艦〈シャーロット〉の艦長です。あなたは？」

米軍艦〈シャーロット〉、とレイチェルは胸の内で繰り返した。なんとなく聞き覚えがある。「セクストン……レイチェル・セクストンです」

艦長はおや、という表情をした。レイチェルに顔を近づけ、しげしげと見る。「驚いたな。たしかにそうだ」

レイチェルはとまどった。わたしを知ってるの？　艦長の顔にはまったく心あたりがないが、胸の記章に目を落としたとき、錨《いかり》をつかんだ鷲《わし》を米国海軍のアルファベット文字が囲む、見慣れた紋章に気づいた。

なぜ〈シャーロット〉の名前に覚えがあったのか、それでわかった。

「当艦へようこそ、ミズ・セクストン」艦長は言った。「当艦の偵察報告をたびたび要約しておられますね。よく存じています」

「でも、こんな海域で何をしていらっしゃるの？」レイチェルはたどたどしく尋ねた。

艦長の顔つきがいくらかきびしくなった。「ミズ・セクストン、実はわたしも同じことをうかがおうとしていたんです」

そのときトーランドがゆっくりと起きあがり、説明しようと口を開いた。レイチェルは強く首を振ってそれを制した。いま、ここではだめ。トーランドとコーキーが真っ先に話したいのは隕石《いんせき》と襲撃の件だろうが、その話は海軍の船艦員の前で断じて持ち出すべきではない。情報の世界では、どれほどの重大局面においても機密保全が最優先となる。隕石をめぐる状況は依然として絶対の極秘事項だ。

「NRO局長のウィリアム・ピカリングと話をさせてください」レイチェルは艦長に言った。「内密に。いますぐ」

自艦で命令を受けることには慣れていないらしく、艦長は眉《まゆ》を吊《つ》りあげた。

「機密情報を伝えなくてはなりません」

艦長は長々とレイチェルを見つめた。「あなたの体温が正常にもどったら、NROの局長に連絡をとりましょう」

「緊急の用件なんです。だから――」レイチェルは不意にことばを切った。薬品棚の上の壁掛け時計が目に留まったからだ。

十九時五十一分。

レイチェルは目をまたたいて、時計を凝視した。「あの……あの時計は正確かしら」

「ここは海軍の船艦です。時計はすべて正確だ」

「で、あれは……東部時間？」

「東部標準時の午後七時五十一分です。ノーフォークを出港したのでね」

信じられない！　レイチェルは驚きに打たれた。まだ午後七時五十一分だなんて。気を失ってから何時間もたったと思っていたのに、まだ八時になっていないなんて。大統領はまだ隕石のことを公表していない！　止める時間は残っている！　レイチェルは毛布を体に巻きつけて、すぐさまベッドから滑りおりた。足もとがおぼつかない。

「大統領といますぐ話をさせて」

艦長はうろたえた顔をした。「大統領というと？」

「合衆国大統領よ！」

「ウィリアム・ピカリングと話したかったのでは？」

「時間がないんです。大統領に直接連絡しないと」

艦長はその場を動かず、大柄な体軀《たいく》で行く手を阻んだ。「わたしの認識では、大統領はこれから重要な記者会見をおこなうことになっている。個人的な電話に出るとは思えない」

レイチェルはふらつく脚でできるかぎりまっすぐ立って、艦長を見据えた。「艦長、あなたに状況をご説明することはできませんが、大統領は大変な過ちを犯そうとなさっています。ある情報をなんとしても大統領にお伝えしなくてはなりません。いますぐに。どうか信用してください」

艦長はまじまじとレイチェルを見つめた。眉をひそめ、ふたたび時計をたしかめる。

「九分で？　それほどの短時間では、安全な回線でホワイトハウスにつなぐのは無理だ。使えるのは無線電話だけで、安全とは言えない。それにアンテナを使える深度まで浮上するのにも、ある程度――」

「はじめて！　早く！」

67

ホワイトハウスの電話交換台は東館の一階にある。三人の電話交換手が勤務についていたが、いま制御盤の前にいるのはふたりだけだった。三人目の交換手は記者会見室めざして全力疾走していた。手にはコードレス電話を携えている。大統領執務室へつないでみたのだが、大統領はすでに記者会見場へ向かったあとだった。補佐官らの携帯電話を呼び出したものの、記者会見室とその付近に持ちこまれた携帯電話は、会見のテレビ中継に備えてすべて電源が切られていた。

こんなときにコードレス電話を持って大統領のもとへ走るのもどうかと思えたが、電話をかけてきたホワイトハウス担当のNRO局員から、会見の前に是が非でも大統領に伝えるべき緊急の用件があると言われ、脇目も振らずに駆け出したのだった。目下の問題は、会見開始に間に合うかどうかだった。

潜水艦〈シャーロット〉のせまい医務室で、レイチェル・セクストンは受話器を耳に押しあてて、大統領と電話が通じるのを待っていた。トーランドとコーキーはまだ寒そうな様子でそばに腰かけている。コーキーは頬に深い傷を負い、五針縫っていた。三人とも、乗員の手を借りて、シンサレート素材の保温下着に海軍の重いフライト・スーツ、大きすぎるソックスとデッキブーツを身につけている。煮詰まった熱いコーヒーを片手に、レイチェルはようやく人間にもどった気がしはじめていた。

「何をそんなに待たせるんだ？」トーランドが毒づいた。「もう七時五十六分だぞ！」

レイチェルには知る由もなかった。ホワイトハウスの交換手のひとりを無事につかまえ、こちらの身分と緊急である旨を告げた。交換手は話をわかってくれたようだったし、いまは通話を保留にして、大統領へ電話をつなぐべく最大限の努力をしているものと思われる。

あと四分。レイチェルは祈った。急いで！

目を閉じて、レイチェルは頭を整理しようとした。きょうはひどい一日だった。まさか原子力潜水艦に乗るなんて、と心の内でつぶやきつつも、どこにいようと命があるだけ幸運だと実感していた。艦長の話では、〈シャーロット〉は二日前からベーリング海を定期巡回しており、その途上でミルン棚氷からの異常な水中音波――掘削音や、ジェット機の轟音《ごうおん》や、暗号化された多量の無線通信――を感知したのだという。そこで巡回を中止し、水中にひそんで探知をつづけることになったらしい。そして一時間ほど前、棚氷付近で爆発音がしたので調査に向かった。そのとき、レイチェルのSOS信号が届いたというわけだ。

「もう三分しかない！」トーランドは時計をにらんでいらついた声を出した。

レイチェルもどうしようもなく不安になってきた。なぜこんなに時間がかかるの？　なぜ大統領は電話に出ないの？　もしも隕石の情報をあのまま公表してしまったら——

レイチェルはその考えを頭から払いのけ、受話器を振り動かした。お願いだから出て！

会見場の入口へ駆けこんだ交換手の前に、群がるスタッフの壁が立ちはだかった。だれもが声高にがなり立て、最後の準備に追われている。二十ヤード先の会見ステージの袖《そで》で、大統領が待機しているのが見えた。メイクアップ係がいまもへばりついている。

「通して！」交換手は叫びながら人ごみを掻《か》き分けていった。「大統領宛の電話がかかってるの。すみません。通して！」

「本番二分前！」進行係が声を張りあげた。

交換手は電話機を握りしめ、大統領のほうへ押し進んだ。「大統領にお電話です！」あえぎながら叫ぶ。「通してください！」

行く手に背の高い障害物が立ちふさがった。マージョリー・テンチだ。上級顧問は長い顔を険しくゆがめて交換手を見た。「いったい何事？」

「緊急なんです！」交換手は息を切らしていた。「……大統領にお電話が」

テンチは疑わしげな顔をした。「いまは無理よ！」

「レイチェル・セクストンという人からです。緊急の用件だとおっしゃって」

テンチはとたんに渋い顔になったが、腹立ちよりも困惑が先に立っていた。コードレス電話に視線を落とす。「それは一般回線ね。安全じゃないわ」

「はい、そうですが、もともと無防備な回線でかかってきたんです。無線電話で。大統領といますぐ話したいそうです」

「本番九十秒前！」

テンチは冷たい目を見開いて、クモのような手を差し出した。「電話をよこしなさい」

交換手の動悸《どうき》が高まった。「先方はハーニー大統領と直接話したいそうです。それがかなうまでは記者会見の開始を遅らせるようにとのことでした。まちがいなく――

──」

テンチは交換手ににじり寄り、激しい口調でささやいた。「よく聞いて。あなたが指図を受けるべきなのは、大統領の対立候補の娘からではなく、このわたしからよ。わたしが事態を見きわめないうちは、これ以上大統領に近づくことを許しません」

交換手は大統領を見やった。いまは、マイクロフォン技術者やスタイリスト、演説の最終版について説明するスタッフらに取り囲まれている。

「六十秒前！」進行係が叫んだ。


〈シャーロット〉の艦内では、レイチェル・セクストンがせまい空間を荒い足どりで歩きまわっていたが、ついに電話の向こうでカチリと音がした。

しわがれた声が聞こえた。「もしもし？」

「ハーニー大統領ですか？」レイチェルは勢いこんで言った。

「わたしはマージョリー・テンチ」相手が訂正した。「大統領の上級顧問です。どなたか知らないけど、ホワイトハウスにこのようないたずら電話をかけることは法律で禁じ──」

何を言ってるの！「いたずらじゃありません！　こちらはレイチェル・セクスト

ンです。NROのホワイトハウス担当者で――」

「レイチェル・セクストンは知っていますよ。でもあなたが本人かどうかは疑わしいわ。ホワイトハウスに無防備な回線で電話をしてきて、大統領の重要な会見放送を中断しろと言うなんて。まともなやり方とは思えない。仮にも――」

「いいですか」レイチェルは息巻いた。「ほんの数時間前、わたしは隕石《いんせき》についてスタッフの皆さんに解説しました。あなたは最前列にいらっしゃったわ。大統領の机に置かれたテレビでご覧になったでしょう！　それでもまだお疑いですか？」

テンチは一瞬黙した。「ミズ・セクストン、なんのためにこんなことを？」

「大統領を止めていただくためによ！　隕石の情報はすべて偽物です！　あの隕石は棚氷の下から挿入されたものだとわかったんです。だれが、なんのためにやったのかは知りません！　でも、完全なまやかしなんです！　大統領はひどくでたらめな情報を公開しようとなさっています。ですからとにかく――」

「ちょっとだまりなさい」テンチは凄《すご》んだ。「自分が何を言ってるのかわかってるの？」

「もちろんです！　おそらく、NASAの長官がある種の大がかりな不正行為を画策したんだと思います。大統領はその策略に巻きこまれかけています。せめて会見を十分間遅らせて、ここで起こっていることを大統領に説明させてください。わたしは危うく殺されるところだったんですよ！」

テンチは冷ややかな声で言った。「ミズ・セクストン、ひとこと言わせてちょうだい。今回の選挙でホワイトハウスの手助けをしたことをいまになって後悔しているのなら、そもそも大統領のために隕石の信憑性《しんぴょう》性を裏づけたりしなければよかったのよ」

「なんですって！」話を聞く気さえないの？

「あなたの猿芝居には吐き気がする。無防備な回線を使ったのも安っぽいやり口ね。隕石の情報が捏造《ねつぞう》だと言うの？　情報機関の職員が無線電話でホワイトハウスを呼び出して、機密情報をわめき立てるとはどういう了見かしら。だれかに盗聴されるのを狙ってのこととしか思えない」

「ノーラ・マンゴアはこのせいで殺されたんですよ！　ドクター・ミンも死んだわ。警告するのはあなたの義務――」

「もうおやめなさい！　なんのつもりか知らないけど、もう一度言っておくわね――あなたと、それからこの通話をたまたま傍受したすべての人に向けて――ホワイトハウスの手には、NASAの最高の科学者たちと、著名な民間人科学者数名と、それからミズ・セクストン、あなた自身を含む全員が隕石の信憑性を認める発言をしたビデオテープがあるの。あなたが突然意見を変えた理由はよくわからないけど、それがなんであれ、ホワイトハウスの一員になる目論見《もくろみ》はたったいま断たれたと思いなさい。それに、今回の発見を不正行為云々《うんぬん》のばかげた主張でこれ以上穢《けが》すつもりなら、ホワイトハウスとNASAは名誉毀損《きそん》であなたを訴えて、荷造りもできないほどすみやかに監獄へ送りこむわよ」

レイチェルは反論しようと口をあけたが、ことばが出なかった。

「ザック・ハーニーはあなたに寛大だった」テンチは言った。「はっきり言って、これはセクストンのお粗末な宣伝工作なんでしょう。すぐにやめなさい。さもないと告訴しますよ。かならず」

通話は切れた。

レイチェルが呆然《ぼうぜん》とたたずんでいると、艦長がドアをノックした。

「ミズ・セクストン？」艦長は顔をのぞかせて言った。「カナダ国営ラジオのかすかな電波をキャッチしたよ。ザック・ハーニー大統領の記者会見がたったいまはじまった」

（下巻につづく）

本書は二〇〇五年四月、小社より刊行された単行本を文庫化したものです。

デセプション・ポイント（上）

ダン・ブラウン　越《えち》前《ぜん》敏《とし》弥《や》＝訳

平成18年 10月25日　初版発行
令和7年 10月10日　36版発行

発行者●山下直久

発行●株式会社KADOKAWA
〒102-8177　東京都千代田区富士見2-13-3
電話　0570-002-301（ナビダイヤル）

角川文庫 14446

印刷所●株式会社KADOKAWA
製本所●株式会社KADOKAWA

表紙画●和田三造

●お問い合わせ
https://www.kadokawa.co.jp/（「お問い合わせ」へお進みください）
※内容によっては、お答えできない場合があります。
※サポートは日本国内のみとさせていただきます。
※Japanese text only

ISBN978-4-04-295508-5　C0197

◆◇◇

角川文庫発刊に際して

角川源義

第二次世界大戦の敗北は、軍事力の敗北であった以上に、私たちの若い文化力の敗退であった。私たちの文化が戦争に対して如何に無力であり、単なるあだ花に過ぎなかったかを、私たちは身を以て体験し痛感した。西洋近代文化の摂取にとって、明治以後八十年の歳月は決して短かすぎたとは言えない。にもかかわらず、近代文化の伝統を確立し、自由な批判と柔軟な良識に富む文化層として自らを形成することに私たちは失敗して来た。そしてこれは、各層への文化の普及滲透を任務とする出版人の責任でもあった。

一九四五年以来、私たちは再び振出しに戻り、第一歩から踏み出すことを余儀なくされた。これは大きな不幸ではあるが、反面、これまでの混沌・未熟・歪曲の中にあった我が国の文化に秩序と確たる基礎を齎らすためには絶好の機会でもある。角川書店は、このような祖国の文化的危機にあたり、微力をも顧みず再建の礎石たるべき抱負と決意とをもって出発したが、ここに創立以来の念願を果すべく角川文庫を発刊する。これまで刊行されたあらゆる全集叢書文庫類の長所と短所とを検討し、古今東西の不朽の典籍を、良心的編集のもとに、廉価に、そして書架にふさわしい美本として、多くのひとびとに提供しようとする。しかし私たちは徒らに百科全書的な知識のジレッタントを作ることを目的とせず、あくまで祖国の文化に秩序と再建への道を示し、この文庫を角川書店の栄ある事業として、今後永久に継続発展せしめ、学芸と教養との殿堂として大成せんことを期したい。多くの読書子の愛情ある忠言と支持とによって、この希望と抱負とを完遂せしめられんことを願う。

一九四九年五月三日